목회상담과 예수 그리스도

목회상담과 예수 그리스도

초판 1쇄 인쇄 | 2018년 2월 9일
초판 1쇄 발행 | 2018년 2월 14일

지은이 이재현
펴낸이 임성빈
펴낸곳 장로회신학대학교 출판부

등록 제1979-2호
주소 04965 서울시 광진구 광장로5길 25-1(광장동 353)
전화 02-450-0795
팩스 02-450-0797
이메일 ptpress@puts.ac.kr
홈페이지 http://www.puts.ac.kr

값 15,000원
ISBN 978-89-7369-426-6 93230

* 이 도서의 국립중앙도서관 출판예정도서목록(CIP)은
서지정보유통지원시스템 홈페이지(http://seoji.nl.go.kr)와
국가자료공동목록시스템(http://www.nl.go.kr/kolisnet)에서
이용하실 수 있습니다. (CIP제어번호 : CIP2018003587)

목회상담과 예수 그리스도

이재현

머리말

"제일 예쁜 애랑 야식 먹고 힐링하고 싶었다. 사모는 평생 너처럼 귀엽지 않다"

최근 청소년 성추행으로 물의를 빚은 한 목사가 피해청소년에게 보낸 카톡의 일부이다. 필자는 이것이 오늘날 한국 사회에 퍼져 있는 "힐링"(healing)에 대한 잘못된 관념을 보여주는 예라고 생각한다. 팍팍한 현실로부터 놓임을 주고 피곤한 몸과 마음을 달래주는 모든 것들에 힐링이라는 접두어를 붙이는 것이 오늘의 세태이다. 힐링음악, 힐링무비, 힐링여행, 힐링푸드, 힐링스파 등등 … 현재 한국사회의 불안과 극한 스트레스를 생각할 때 사람들이 이러한 것들을 통해서라도 잠시나마 현실로부터 놓임을 얻고자 하는 데 대해 우리가 굳이 트집을 잡을 이유는 없다. 기독교인들 가운데 역시 이런 경향이 뚜렷하다고 하더라도 마찬가지이다. 우리는 기독교인이기 전에 먼저 인간이기 때문이다. 그러나 필자가 문제라고 느끼는 것은 이런 의미의 "힐링"이 진정한 기독교적 의미의 치유와 혼동되고 있는 경향이다.

진정한 기독교적 의미의 치유는 단순히 고통을 잊어버리는 것이 아니다. 단순히 겉으로 드러난 문제가 해결되어 일상적 삶을 회복하는 것도 아니다. 치유가 문제의 해결이라면 진정한 기독교적 의미의 치유가 직면할 문제는 보다 본질적인 인간 실존의 문제, 즉 하나님으로부터의 단절의 문제이다. 따라서 진정한 기독교적 의미의 치유는 곧 하나님과의 관계의 회복이라고 할 수 있다. 이런 의미에서 치유는 본질적으로 기독교적 구원과 다른 것이 아니다.

그런데 치유와 구원이 다르지 않다는 주장에 이어서 필자가 바로 강조해야 할 것은 여기서 말하는 치유가 세상에서 말하는 치유, 혹은 "힐링"과 다르지만 그렇다고 완전히 다른 것은 아니라는 점이다. 기독교적 의미의 치유나 세상이 말하는 치유의 공통점은 인간으로서 온전한 삶을 지향한다는 점이라고 할 수 있다. 그런데 문제는 인간으로서 온전한 삶을 산다는 것이 무엇이냐는 물음에 대해 답이 분분하다는 데 있다. 기독교적 의미에서 온전한 인간성에 대한 물음의 답은 바로 인간 예수 그리스도에게서 찾을 수 있다. 다시 말해 예수 그리스도 안에 있는 하나님 형상(*imago Dei*)에서 찾을 수 있다. 결국 진정한 기독교적 의미의 치유는 예수 그리스도 안에서 하나님을 만나고 또한 그 안에서 예수 그리스도를 닮아가는 데 있다고 말할 수 있다. 필자는 이것이 곧 이론이 아니라 현실적으로 일반심리치료에서 해결하고자 하는 모든 문제들, 각종 중독과 정신질환, 관계적/정신적 상실, 사회적 억압으로 인한 여러 고통의 문제들로부터 궁극적으로 자유케

되는 길이기도 하다고 믿는다. 혹은 존 스윈튼John Swinton의 표현을 빌자면 그러한 문제들이 있지만 그것들 속에서도 꿋꿋하게 하나님과 및 사람들과 더불어 건강하게 살아가는 길이라고 믿는다.

현대 목회상담에 문제가 있다면 그것은 곧 인간으로서 온전한 삶을 지향하되 그 '온전함'을 너무 세상적으로만 이해한 나머지 하나님을 잊어버린 데 있다고 할 수 있다. 다시 말해 예수 그리스도의 중요성을 잊어버린 데 있다. 이 책은 진정한 기독교적 의미의 치유와 돌봄에 있어 예수 그리스도의 중요성을 다시 일깨우기 위해 쓰여졌다. 이 책 Ⅰ장에서 필자는 목회상담과 목회 돌봄의 근원이 이 땅에서 예수 그리스도의 사역에 있음을 강조할 것이다. 그리고 이어지는 내용들에서 목회상담과 돌봄이 이 땅에서 예수 그리스도의 사역에 동참하며 그것을 통해 사람들을 치유할 뿐 아니라 그들과 함께 하나님을 알아가고 함께 하나님의 형상을 이루어가는 과정임을 줄곧 강조할 것이다. 그러면서 목회상담과 돌봄이 기독교적 영성 지도와 어떻게 서로 만나고 성경의 이야기들이 그 속에서 어떻게 활용될 수 있는지 논의할 것이다. 또 한 가지 이 책에서 중요하게 다룰 주제는 목회상담과 돌봄이 어떻게 세상 속에서 예수 그리스도의 사역에 동참하는 교회공동체의 실천과 맞물려 있는가 하는 문제이다. 필자는 교회공동체야말로 하나님의 형상이며 이런 의미에서 목회 돌봄은 개인이 아니라 교회공동체의 사역이라고 믿는다.

끝으로 이 지면을 빌어 이 책이 나오기까지 필자에게 영감을 준 많은 분들에게 감사의 마음을 표하고 싶다. 우선 생명의 빛 광성교회

이춘태 목사와 동료교역자, 교우들에게 깊이 감사한다. 또한 과거 필자를 지도한 은사이자 현재 동료교수이기도 한 홍인종, 이상억 교수, 그리고 동료 이창규, 김태형 교수에게도 감사의 마음을 전하고 싶다. 또한 필자의 생각에 많은 도전을 주고 이 책에서 여러 번 인용되기도 한 이만홍, 권수영 교수, 그리고 장정은 교수에게도 감사 드린다. 미국 풀러신학교에서 필자의 박사논문을 지도해 준 데이빗 옥스버거 David Augsburger, 하워드 로웬 Howard Loewen 교수에게도 이 자리를 빌어 감사를 표한다. 이 책은 기본적으로 필자의 풀러 박사논문을 발전시킨 것이라 할 수 있기 때문이다. 이 외에도 이 책이 나오기까지 필자에게 도움과 영감을 준 많은 이들이 있으나 지면의 한계로 그 이름들을 일일이 언급하지 못한다. 그래도 빠트릴 수 없는 것은 집에서까지 이 책을 쓰느라 여념이 없는 필자를 잘 참아준 아내 강수정과 향애, 희호, 은애 세 아이에 대한 감사이다. 그리고 마지막으로 또 한 분 빠트릴 수 없는 분, 이 책의 영감이자 주제이신 하나님께 감사 드린다.

2017년 대림절

광나루에서

이 재 현

목차

Ⅳ장. 목회상담과 영성: 하나님의 공감과 인간의 공감

Ⅴ장. 목회상담과 영적 성숙: 자기발견과 자기초월의 나선순환

Ⅵ장. 목회상담과 성경 이야기: 의미와 힘의 변증법

Ⅶ장. 목회 돌봄과 신앙공동체: 하나님의 이야기를 살아가는 공동체

Ⅷ장. 목회 돌봄과 선교적 공동체: 선교적/치유적 교회의 실천모델

Ⅸ장. 결론, 통전적 목회 돌봄: 인간 정신과 관계의 구조

I 장

목회상담의 근원(根源)

목회상담의 세 가지 근원

목회상담의 현재

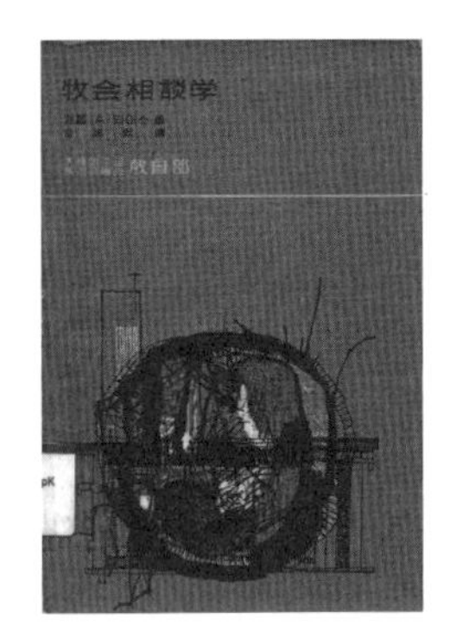

초기 한국 목회상담학 교재였던 캐롤 와이즈 Carroll Wise 『목회상담학』(1965), 김태묵 역

목회상담이란 무엇인가? 이제는 진부하게 느껴지는 이 질문에 우리가 여전히 명확히 답하기 어려운 이유는 무엇인가? 이제 한국 신학교에 『목회상담』 강의가 개설된 지도 근 60년이 지났다.[1] 그러나 여전히 우리가 이 같은 질문으로부터 이 책을 시작할 수밖에 없는 이유는 무엇인가?

아마도 그 이유 중 하나는 목회상담학이 원래 한국에서 시작된 것이 아니라 미국에서 시작된 것이며 아직도 그것이 한국의 풍토 속에 깊이 뿌리내리지 못했기 때문일 것이다. 이런 생각을 하는 필자의 머리에 새삼 떠오르는 기억이 있다. 그것은 필자가 처음 미국에 가서 목회상담을 공부하기 시작하던 때의 일이다. 첫 학기 수업을 들으면서 필자가 적이 당황스러웠던 이유는 정작 그 곳에서 필자가 배우고 있는 것이 한국에 있을 때 필자가 미국에 가서 배우겠다고 생각했던 목회상담과 꽤 다른 것이었기 때문이었다. 그제까지만 해도 필자는 목회상담이라고 하는 것을 지역교회에서 목사가 하는 일로 생각했다.

1 홍인종, "한국 장로교 100년: 목회상담의 회고와 전망," 『장신논단』 44-2 (2012), 82.

필자가 생각하는 목회상담은 목사가 하나님의 은혜를 힘입어 성도들을 돌보고 그들의 내면을 치유하는 일이었다. 필자는 바로 이 같은 의미에서 목회상담을 배우기 위해 유학의 길을 떠났던 것이다. 그런데 미국의 교수들이나 학우들이 말하는 pastoral care, 또는 pastoral counseling은 필자가 생각했던 것과는 어딘지 좀 거리가 있어 보였다. 그들이 말하는 목회 돌봄과 목회상담은 교회라기보다는 일반적으로 병원이나 요양센터 같은 곳에서 전문적인 상담수련을 받은 사람들이 반드시 기독교인이라 보기 어려운 다양한 사람들을 대상으로 수행하는 돌봄과 상담 서비스를 의미하는 것이었다. 정작 필자가 경험한 미국의 지역교회들에서는 필자가 기대했던 것과 같은 그런 목회 돌봄이나 목회상담을 쉽게 찾아보기 어려웠다. 이런 점에서는 안타까운 일이지만 지금도 한국과 미국의 상황이 유사하다고 생각된다.

그런데 필자가 유학기간 경험했던 미국의 병원은 적어도 한국의 병원과는 좀 다른 환경이었다. 미국의 병원에서는 목회상담자가 훨씬 적극적으로 병원의료진과 함께 환자 돌봄에 관여하고 있었다. 적어도 필자가 처음 임상목회교육(clinical pastoral education, CPE)을 경험했던 미국 애틀랜타소재의 병원들은 그러했다. 주지하듯이 한국의 병원들에서도 원목을 비롯한 기독교사역자들이 다양한 활동을 수행하고 있고 일부 병원에서는 임상목회교육도 실시되고 있다. 그러나 전반적으로 볼 때 한국의 의료기관들에서 목회자와 기독교사역자들의 입지는 역시 미국만큼 넓지 못하고 이것은 다른 사회복지기관들의 경우도 마찬가지이다. 요컨대 한국에는 여전히 미국적 의미의 목회 돌봄과 목회상담이 정착하고 발전하기에 환경이 미비한 상황이다.

그러나 한편으로 필자는 이렇게 미국과 한국의 상황이 다르면서도 최근의 정황을 보자면 반드시 그렇지만은 않다는 말을 덧붙일 수

밖에 없다. 필자가 미국에서 공부하던 2000년대 당시 이미 미국 의료복지기관들에서는 pastoral care라는 용어가 사라지기 시작하고 있었다.[2] 이미 몇몇 신학교 커리큘럼에서는 pastoral care를 spiritual care라는 용어로 대체하고 있었다. 여기서 spiritual이라는 용어는 오늘날 미국사회의 spirituality(영성)에 대한 많은 관심을 반영하는 명칭이기도 하지만, 사실 그보다는 pastoral이라는 기독교적 용어의 부적절함과 그것을 대체할 용어의 궁색함에 대한 고민을 더 많이 반영하고 있는 것이다. 다시 말해 미국사회전반의 급속한 탈기독교화 현상을 반영하고 있는 것이다. 미국 병원 등의 목회상담자들은 현재 한국의 의료복지기관에서 일하는 기독교사역자들과 마찬가지로 자신의 기독교적 정체성을 가능한 보다 보편적인 용어로 감추어야 할 필요성을 느끼고 있다. pastoral care라는 용어가 spiritual care로 대체되고 있는 현실이 바로 그것을 말해주고 있는 것이다.

이 같은 상황에서 한 편에서는 목회상담이 그 정체성을 회복하기 위해 다시 교회중심의 실천과 신학으로 되돌아가야 한다는 목소리가 높아지고 있다. 이 같은 미국 목회상담의 최근 동향을 보면서 필자는 비록 역사적 배경은 지금까지 달랐지만 미국과 한국의 현재상황이 서로 점점 비슷해지고 있다는 생각을 하게 된다. 그런데 이와 같은 양국의 현재상황은 사실상 목회 돌봄과 목회상담이 위기를 맞고 있는 상황이다. 병원 등 사회기관에는 목회자의 설 자리가 적은데 교회에는 여전히 현실적으로 이론에서 말해지는 것과 같은 이상적 목회 돌봄이 잘 실천되지 못하고 있다. 이러한 상황이 바로 현재 우리로 하여

2 Nancy J. Ramsay ed., *Pastoral Care and Counseling: Redefining the Paradigms*, 문희경 옮김, 『목회상담의 최근 동향』(서울: 그리심, 2012), 13.

금 대체 "목회 돌봄이란 무엇인가, 목회상담이란 무엇인가?"라는 물음을 다시 던질 수밖에 없게 하는 현실인 것이다.

돌아보면 오늘날 한국 상황은 확실히 십수 년 전 필자가 미국에 유학하던 당시와는 많이 달라져 있다. 지금 필자와 같은 한국인이 미국에 가서 목회상담 공부를 시작한다면 아마도 당시 필자가 경험했던 것 같은 당혹감은 별로 느끼지 않을 것이다. 지난 이십여 년간 한국 목회상담은 괄목할 만한 발전을 이루었다. 이제 한국에도 미국과 비슷하게 목회상담협회, 기독교상담협회가 활발한 활동을 벌이고 있으며, 일부 병원에서는 임상목회교육(CPE)도 이루어지고 있다. 또 많은 교회상담실과 기독교상담센터들이 생겨나서 전문화된 목회상담이 이루어지고 있다. 그러나 필자가 보기에 이것이 결코 "목회상담이 무엇인가?"라는 물음의 답이 이전보다 명확해졌음을 의미하지는 않는다. 사실 현재의 상황 속에서 위 물음의 답은 더욱 불명확해졌다. 그 이유는 이제 한국에는 서로 다른 목회상담의 개념과 방법들이 복잡하게 혼재하게 되었기 때문이다. 전통적인 교구목회상담과 점증하는 전문상담실의 목회상담, 그리고 그 외 새롭게 도입되는 개념과 모델들이 함께 병존하고 있다. 특히 한국의 경우 이처럼 서로 다른 개념과 모델들은 오랜 시간에 걸쳐서가 아니라 매우 짧은 기간에 도입되고 함께 발전하고 있는 상황이라 문제가 더욱 복잡하다. 전문목회상담 모델이 아직 확고히 자리잡지 못한 상황에서 그것의 한계에 대한 비판이 대두되고 새로운 대안들이 함께 제시되고 있다.

이런 의미에서 오늘날은 실로 정연득의 표현처럼 "다양성과 혼돈의 시대"라 할 수 있다.[3] 필자는 정연득과 마찬가지로 이와 같은 "다양성과 혼돈"이 궁극적으로 진정한 한국적인 목회 돌봄이 형성되기 위한 모태(母胎)가 되리라는 기대를 가지고 있다. 그러나 우리가 현재의 상황을 낙관적으로만 보기에는 우리 앞에 극복해야 할 어려움과 난제들이 산적해 있다. 무엇보다 한국교회 안팎에는 교회의 돌봄을 필요로 하는 수많은 사람들이 있다. 사회적 갈등과 스트레스 수위가 극에 달하고 있고 수많은 사람들이 삶의 의미와 목적에 의문을 던지고 있다. 이에 비해 한국 사회가 가진 치유적 대안들은 현실적으로 많이 부족한 상황이다. 기존의 해결방안들은 한계를 드러내는 반면 새로운 대안은 분명치 않아 보인다. 필자가 목회상담전공자로서 특히 안타깝게 여기는 점은 이러한 한국의 현실에 대해 교회가 답이 되리라고 믿는 사람이 많지 않아 보인다는 점이다. 최근 신학교와 기독교대학들에서 수많은 목회상담/기독교상담 전문인들이 배출되고 있다. 그러나 그들의 전문성과 신앙적 소신을 함께 인정하고 지지해 줄 만한 일터가 많지 않다. 그들 자신들도 자신들의 신앙과 전문성을 어떻게 조화시킬지 여전히 길을 찾고 있다. 더욱 안타까운 점은 교회 안에도 도움을 필요로 하는 사람들이 넘쳐나지만 그 도움을 교회 안에서 찾는 이들이 적다는 점이다. 봉사자들도 그들을 어떻게 도울지 모르고 그들 스스로조차도 교회 안에서보다 밖에서 길을 찾는다.

이 같은 현실 속에서 우리가 풀어가야 할 과제들은 실로 복잡다단하다. 필자가 생각하기에 그 과제는 첫째 전통적 기독교의 치유적 자원들을 재발견하고 그것을 현대적 방법론과 통합시켜 가는 일이다. 전통적 영성지도를 어떻게 현대적인 목회상담과 조화시킬 것인지, 성경과 기도를 어떻게 목회 돌봄과 연결시킬지, 어떻게 목회 돌봄에서 성령과 동역할 것인지 등의 문제는 여전히 풀어야 할 난제들이다. 설

3 정연득, "서론: 현대목회상담학의 흐름," 한국목회상담학회 편, 『현대목회상담학자연구』(서울: 돌봄, 2011), 25.

교, 교회교육, 사회선교 등 다양한 교회활동과 목회상담을 연결시키는 길 역시 우리가 찾아야 할 길들 중 하나이다. 또한 우리는 쉼 없이 발전하는 현대학문 및 기술과 계속해서 적극적으로 대화하면서 그것들을 목회 돌봄과 상담에 접목시키는 방안을 찾아가야 한다. 다양한 심리학의 이론과 방법들뿐 아니라 최근 발전하는 의학기술의 발전을 목회 돌봄에 수용하고 적용하는 일은 새롭게 우리에게 주어진 과제들 중 하나이다. 다양한 예술매체, 문화적 콘텐츠, 새로운 기술과 목회 돌봄을 연결시키는 일도 우리가 관심을 기울여야 할 과제이다.

또한 우리는 변화하는 현실의 필요에 민감하게 반응하며 지금까지 없던 창의적인 대처방안들을 마련해 가야 한다. 개인의 내면적 문제가 단지 개인의 문제가 아니라 사회적 문제이기도 하다는 것은 오늘날 한국의 상황을 보더라도 자명한 사실이다. 교회의 대(對)사회적 역할과 목회 돌봄이 서로 나뉘어질 수 없는 이유가 바로 여기에 있다. 오늘날 한국사회에서 교회가 치유적이며 선교적인 공동체로서 감당해야 할 역할이 더욱 중요해지고 있다. 경기침체와 양극화, 가정해체와 급속한 고령화, 다문화사회로의 진입, 남북통일 전망에 따른 여러 사회적 갈등과 정신적 문제 해결은 한국교회에 안겨진 도전과 과제들이다.

위와 같은 현실 속에서 우리에게 주어진 이 수많은 과제들을 감당하기 위해 우선적으로 우리에게 필요하다고 필자가 믿는 것은 바로 아드 폰테스(*ad fontes*), 즉 근원으로 돌아가는 자세이다. 다시 말해 목회상담의 근원으로 돌아가 그 근원으로부터 현재를 살펴보고 그 속에서 미래를 위한 방안을 찾는 온고이지신(溫故而知新)의 자세가 필요하다는 것이다. 필자는 이제 다음에서 우리가 돌아가야 할 세 가지 목회상담의 근원에 대해 이야기하려 한다.

세 가지 근원(根源)

필자가 보기에 미국의 목회상담학, 또 그것에 많은 영향을 받는 한국의 목회상담학이 자칫 빠지기 쉬운 함정 중 하나는 단선적인 진보주의 역사관이다. 즉 시대가 지날수록 목회상담이 단선적으로 진보한다는 믿음의 허점(虛點)이다. 필자 역시 진보를 믿지 않는 것은 아니지만 새로운 것이 항상 이전보다 낫다는 시각은 자칫 과거의 중요한 것들과 현재에 이미 있는 것들의 중요성을 간과하기 쉽다. 예컨대 『목회상담의 최근 동향 *Pastoral Care and Counseling: Redefining the Paradigms*』(2004)의 저자들에게서 엿볼 수 있는 문제가 그런 것이다. 로드니 헌터 Rodney J. Hunter 는 이 책에 대한 논평에서 이 책의 저자들이 말하는 "새로운 패러다임들"이 일견 혁명적으로 보일지 모르지만 그러한 새로움의 지향 속에서 "이전 시대의 진정 중요한 것들이 잊혀지거나 거부되거나 오해 가운데 묻힐 수 있다"고 일침을 가한다.[4] 일례로 보니 밀러-맥러모어 Bonnie J. Miller-McLemore 가 제안하는 이른바 "새로운 공공신학적 관점"에 대해 헌터가 상기시키는 사실은 최초의 임상목회운동 자체가 이미 "미국 개신교회들의 사회선교의 일환"으로 시작되었다는 점이다.[5] 다시 말해 목회상담은 그 출발점에서부터

4 Rodney J. Hunter and Carrie Doehring eds., "Conversations about *Pastoral Care and Counseling: Redefining Paradigms*," *The Journal of Pastoral Theology* 15-2 (2005), 78-79. 『목회 돌봄과 상담 사전 *Dictionary of Pastoral Care and Counseling*』(1990)의 주필로서 임상목회상담운동의 역사를 집대성한 로드니 헌터(Rodney J. Hunter)는 자신이 단지 20여년만에 후진들에 의해 구세대로 간주되는 상황에 대해 격세지감을 표한다(Ibid., 75).

5 Rodney J. Hunter, "Spiritual Counsel: An Art in Transition," *The Christian Century* (2001, 10), 23.

공공신학적 관점에서 시작되었다는 것이다. 목회상담이 이후 개인주의화된 것은 심리치료모델에의 경도(傾倒) 및 전문화(professionalization)에 따른 제도권 교회와의 분리와 관련이 있다.[6] 목회 돌봄에서 소위 '공공신학적 관점'은 그러므로 완전히 새로운 관점이라기보다 지나온 역사 속에서 잃어버린 시각이라고 할 수 있다.

또한 우리는 존 패턴 John Patton 이 새로운 제3의 패러다임으로 제시하는 "공동체적/사회상황적 패러다임"(the communal/contextual paradigm)에 대해서도 역시 비슷한 지적을 할 수 있다.[7] 패턴이 이야기하는 신앙공동체중심의 돌봄, 동시에 변화하는 사회 상황에 적극적으로 대응하는 목회 돌봄은 사실 현대 미국 목회상담학의 초석을 놓았던 씨워드 힐트너 Seward Hiltner 나 웨인 오츠 Wayne Oates 가 이미 처음부터 주장했던 바와 본질적으로 다르지 않은 것이다. 바로 이런 생각을 가졌기 때문에 힐트너와 오츠는 1960년대초 미국목회상담협회(AAPC)가 지역교회와 분리될 때 그것을 반대하는 입장에 섰던 것이다.[8] 그러므로 최근 미국에서 에클레시아(*ecclesia*) 즉 교회공동체의 중요성을 다시 강조하는 목소리가 대두되고 있는 것은 다분히 그들 목회상담운동의 1세대들의 생각으로 회귀하는 것이라 볼 수 있다. 목회상담의 최근 동향들을 단지 새로운 것으로만 보는 시각은 이러한 측면들을 간과하기 쉽다. 물론 우리가 처한 탈현대(postmodern)의 시대상황은 과거 목회상담운동이 시작되던 상황과 분명히 달라진 점들이 있다. 그러나 우리가 이러한 포스트모던의 상황을 헤쳐가는 지

---

6 정연득, "정체성, 관점, 대화, 목회상담의 방법론적 기초,"『목회와 상담』23 (2014), 239.

7 John Patton, *Pastoral Care in Context*, 장성식 옮김,『목회적 돌봄과 상황』(서울: 은성출판사, 2004), 17.

8 E. Brooks Holifield, *A History of Pastoral Care in America: From Salvation to Self-Realization* (Eugene, OR: Wipf and Stock Publishers, 1983), 344.

혜를 단지 새로움에서 찾을 것이 아니라 이미 있었던 것들, 이미 지나간 것이라고 생각하는 것들 속에서 재발견할 수 있다는 사실을 잊지 말아야 한다.

현재 우리가 처한 상황을 미국목회상담의 역사에 비춰볼 때 얻을 수 있는 교훈은 무엇인가? 그것은 무엇보다 현재의 상황을 헤쳐가는 지혜를 이미 지나간 것들, 잊혀진 것들 속에서 재발견할 수 있다는 것이다. 해외에서 새롭게 제시된 모델이라고 해서 그것이 우리에게도 답이 되리라는 단순한 생각을 벗어날 필요가 있다. 사실은 이미 우리에게 있는 것들이나 우리가 잃어버린 것들 속에 길이 있을 수 있다. 그러므로 단지 새로운 것이 아니라 우리에게 본질적으로 중요한 것이 무엇인지 돌아보아야 한다. 다시 말해 우리가 가야 할 길을 찾기 위해 우리의 근원(根源)으로 돌아가야 한다. 그렇다면 우리가 그렇게 돌아가야 할 근원은 무엇인가? 필자는 다음에서 우리가 돌아가야 할 중요한 세 가지의 근원들에 대해 이야기하고자 한다. 그 중 첫 번째는 역시 교회의 근원되신 예수 그리스도의 사역이다.

1) 첫 번째 근원: 예수 그리스도의 사역

복음서는 예수 그리스도의 공생애 사역에 대해 우리에게 이렇게 보도하고 있다.

> 예수께서 온 갈릴리에 두루 다니사 그들의 회당에서 **가르치시며** 천국 복음을 **전파하시며** 백성 중의 모든 병과 모든 약한 것을 **고치시니** 그의 소문이 온 수리아에 퍼진지라. 사람들이 모든 앓는 자 곧 각종 병에 걸

려서 고통 당하는 자, 귀신 들린 자, 간질하는 자, 중풍병자들을 데려오니 그들을 고치시더라(마 4:23-24).

마태가 묘사하는 예수 그리스도의 사역은 하나님 나라를 전파하심(케리그마)과 하나님 나라를 가르치심(디다케), 사람들을 치유하심(테라페이아)의 세 가지로 특징지어진다. 이러한 예수 그리스도의 사역이 바로 교회사역의 원형(原形)이라 할 때 우리가 알 수 있는 점은 치유사역이 예수 사역의 중요한 부분이자 교회에게 주어진 본질적인 사역이라는 사실만이 아니다. 토마스 오든 Thomas C. Oden 이 잘 지적한 것처럼 그리스도의 "테라페이아(*therapeia*)는 그의 케리그마(*kerygma*)의 확증이다." 즉 그의 치유는 "약속된 메시야가 나타나셨음을, 그들 가운데 하나님 나라가 임하였음을 증언하는 사건이다."[9] 이런 예수의 치유사역이 오늘날 목회 돌봄과 상담 사역의 원형이라는 사실이 우리에게 시사하는 바는 무엇인가? 그것은 바로 우리의 돌봄과 상담사역이 단지 우리가 소홀히 할 수 없는 중요한 사역일 뿐 아니라 궁극적으로 예수 그리스도를 증거하고 하나님 나라를 선포하는 사역이라는 것이다. 그런데 이 말의 의미는 단지 우리 목회자들이 사람들을 돌보는 동시에 그들에게 하나님을 증거하는 일도 함께 수행해야 한다는 의미가 아니다. 예수의 치유가 곧 복음의 확증이었다는 말의 의미는 그리스도의 사랑으로 사람들을 돌보고 치유하는 일 자체가 하나님을 증거하는 일이라는 것이다. 치유와 돌봄 자체가 곧 언어적인 방식과는 다른 방식이지만 그것과 마찬가지로 살아 계신 하나님을

---

9 Thomas C. Oden, *Kerygma and Counseling*, 이기춘·김성민 옮김, 『케리그마와 상담 : 바르트 신학과 로저스심리학의 대화』(서울: 전망사, 1983), 154-55.

병자를 고치며 하나님 나라를 전파하시는 예수

증거(witness)하는 일이라는 것이다.

그것이 몸의 질병이건 마음의 고통이건, 혹은 사회적 소외이건 예수 그리스도께 나아와 치유와 회복을 경험한 사람들은 모두 한결같이 예수가 바로 그리스도이심을 고백했다. 치유와 회복의 경험을 통해 그들이 예수가 그리스도이심을 고백하는 이 지점이 바로 그들에게 치유가 복음이 되는 지점이다. 그들에게 치유가 복음이 된 이유는 그들이 예수를 만나 치유를 받고 그것을 통해 그들 앞에 계신 예수를 그리스도로 고백하게 되었기 때문이다. 이와 마찬가지로 오늘날에도 교회의 치유사역은 동시에 하나님을 증거하는 사역이어야 한다. 그런데 이 말의 의미가 치유사역자가 말로 복음을 전하거나 성경을 가르쳐야 한다는 의미가 아니라면 무엇인가? 이 말의 의미는 치유사역자의 역할 가운데 무엇보다 중요한 것이 사람들로 하여금 지금도 그들 가운데 함께하시고 그들을 사랑하시는 하나님을 만나도록 매개(媒介)하는 역할이라는 것이다.

우리가 흔히 가질 수 있는 생각은 사람들로 하여금 하나님을 만나도록 돕는 일이 목회자나 영성지도자의 역할이지 상담자나 심리치료자의 역할은 아니라는 생각이다. 상담자의 역할은 단지 사람들을 지지하고 그들의 문제를 해결하고 그들이 자신의 잠재력을 발견하도록 돕는 일이지 하나님을 전하는 것은 아니라는 생각이다. 사실은 바로 이와 같은 생각이 역사적으로 교회와 목회상담의 분리를 낳은 생각이다. 내담자를 하나님께로 인도하는 일을 목회상담자가 더 이상 자신의 일로 생각하지 않게 되었을 때 목회상담은 교회로부터 점점 멀어졌고 결과적으로 그 정체성의 위기를 맞게 되었다. 브룩스 홀리필드 E. Brooks Holifield 가 그의 책 『미국 목회 돌봄의 역사 *A History of Pastoral Care in America*』(1983)에 덧붙인 부제(副題), "구원에서 자기실현으로"(from salvation to self-realization)가 바로 이러한 목회상담의 정체성 상실 과정을 지적한 것이다. 여기서 진정한 문제는 목회상담자가 내담자의 구원보다 그의 자기실현에 우선적인 관심을 가졌다는 것이 아니다. 문제는 그들이 관심을 가지는 자기실현이 하나님과 별로 상관이 없는 자기실현이었다는 문제이다. 우리가 다시 2천년 전 예수 그리스도의 사역으로 돌아가서 생각해 보면 그리스도를 만나 그들의 외적, 내적 질병으로부터 자유를 얻은 사람들은 그러한 그리스도와의 만남을 통해 그들의 새로운 자기를 찾게 되었던 것을 볼 수 있다. 이처럼 그리스도와의 만남은 그리스도 안에서 새로운 자기 발견으로 이어진다. 진정으로 예수 그리스도를 만난 사람들은 예수 그리스도의 제자가 된다. 단지 그리스도를 주로 고백하는 사람이 아니라 점점 그의 모습을 닮아가는 사람, 곧 그리스도의 형상을 이루는 사람이 된다. 즉 그리스도 안에서 새로운 자기실현에 이르게 되는 것이다. 목회상담자의 역할은 바로 이처럼 내담자로 하여금 그리스도 안에서 자기를 새롭게 찾도록 돕는 일이라고 할 수 있다.

요컨대 목회상담자는 단순한 정신건강증진사일 수 없다. 이것은 목회상담자의 역할이 단지 일반적인 의미의 정신건강 증진에 그쳐서는 안 된다는 의미이다. 만일 목회상담의 역할이 정신건강 증진이라고 한다면 그것은 다음과 같이 존 스윈턴John Swinton 이 기독교적 관점에서 재정의한 "정신건강"(mental health)이어야 할 것이다. 스윈턴에 의하면 "정신건강은 단지 심리적 고통이나 부정적 증상이 없는 것이 아니라 그러한 것들을 이기며 살아 가는 힘이다." 즉 "어떠한 상황에도 인간다움을 지켜갈 수 있는 힘, 하나님과 자기, 세상과의 사이에 건강한 관계를 지속할 수 있는 힘, 다시 말해 하나님의 형상(*imago Dei*)을 이루며 사는 힘"이다.[10] 이러한 스윈턴의 지적은 흔히 목회 돌봄의 지향점으로 일컬어지는 온전한 삶(the wholeness of life)에 대해서도 다시 생각하게 한다. 목회 돌봄이 내담자의 온전한 삶의 구현을 지향한다는 것은 내담자가 신체적, 정서적, 인간관계적 차원 등 다양한 삶의 영역에서 단지 아무 문제 없이 웰빙(well-being)을 누리도록 하는 것을 의미하지 않는다. 목회자는 내담자의 영성을, 의사는 그의 신체건강을, 목회상담자는 내담자의 정서와 인간관계에서의 안녕을 도모함으로 그의 온전한 삶을 이룰 수 있다는 생각은 온전한 삶의 의미와 목회 돌봄의 사명을 잘못 이해하는 것이다. 위의 스윈턴의 지적대로 우리는 신체적인 불구(不具)나 마음의 고통, 현실의 어려움 속에서도 하나님과 이웃과 더불어 온전한 삶(the wholeness of life)을 누릴 수 있다. 만일 우리의 내담자가 이렇게 살아갈 수 있다면 그는 온전한 사람이라고 할 수 있으며, 우리의 돌봄이 그로 하여금 그런 삶을

---

10 John Swinton, *From Bedlam to Shalom: Towards a Practical Theology Towards a Practical Theology of Human Nature, Interpersonal Relationships, and Mental Health Care* (New York, NY: Peter Lang, 2000), 72.

살도록 하는 조력이 될 수 있다면 그것은 훌륭한 목회 돌봄이라 할 수 있다.

로마가톨릭 신부인 코넬리우스 밴 더 포엘 Cornelius J. van der Poel 은 인간의 온전성(wholeness)과 하나님의 형상(*imago dei*)을 **관계성**(relationality)의 견지에서 정의한다. 즉 심각한 신체적 장애나 정신 장애가 있는 사람이라 할지라도 그들이 온전한 하나님의 형상을 이룰 수 있는 것은 그들이 타인과 더불어 살며 서로 사랑과 관심을 주고받는 관계 속에 있기 때문이다.[11] 그에 따르면 이와 같은 상호 돌봄의 관계는 바로 우리를 향한 하나님의 구속적 사랑을 눈에 보이는 현실로 구현하는 일이 된다.[12] 이처럼 서로 돌보며 함께 하나님의 형상을 구현하는 삶의 과정으로서의 목회 돌봄은 확실히 전문치료자가 환자의 문제를 찾아 해결하는 전문상담 모델과는 조금 다른 것이다. 그처럼 더불어 살면서 서로에게 하나님의 사랑을 나타내는 과정으로서의 목회 돌봄에서는 누가 누구의 도움을 받고 있는지 때로 불분명해질 수 있다. 외견상 돌보는 자가 오히려 상대방을 통해 하나님의 사랑을 경험하고 그 가운데서 스스로 치유와 성장을 경험할 수 있기 때문이다.

헨리 나우웬 Henry Nouwen 이 데이브레이크(Daybreak) 공동체에서 아담 Adam 이라는 발달장애인을 만나 돌보면서 가졌던 경험이 바로 그런 것이었다. 나우웬은 아담 안에서 하나님을 만나고 그 경험을 통해 오랫동안 자신을 붙잡고 있던 어둠에서 헤어나올 수 있었다.[13] 필자는 바로 이와 같은 상호 돌봄의 관계가 어떤 면에서는 전문 상담가의 상

---

11 Cornelius J. van der Poel, c.s.sp., *Wholeness and Holiness: A Christian Response to Human Suffering* (Franklin, WI: Sheed & Ward, 1999), 1.

12 위의 책, 111.

13 Henry J. M. Nouwen, *Adam: God's Beloved*, 김명희 옮김, 『아담:하나님이 사랑하시는 자』(서울: IVP, 1998).

담보다 목회 돌봄이 무엇인지 더 잘 보여주는 예가 될 수 있다고 생각한다. 그 이유는 바로 이러한 관계야말로 눈에 보이지 않는 하나님을 현실 속에 드러내는 관계이기 때문이다. 그것은 서로를 하나님과의 만남으로 인도하는 관계이며, 하나님의 사랑과 위로 가운데 함께 하나님의 형상을 이루어가는 관계이다. 우리는 이러한 관계를 사도 바울이 고린도의 성도들과 함께 나누었던 위로에서도 찾아볼 수 있는데, 이러한 관계 속에서 주는 자가 받는 자가 되고 받는 자가 다시 주는 자가 되는 것은 그 모든 사랑과 위로가 하나님으로부터 말미암기 때문이다. 바울은 이 위로의 하나님에 대해 그의 편지에서 고백하기를 "우리의 모든 환난 중에서 우리를 위로하사 우리로 하여금 하나님께 받는 위로로써 모든 환난 중에 있는 자들을 능히 위로하게 하시는 이"(고후 1:4)라고 고백한다.

요컨대 목회 돌봄과 목회상담의 본질은 사람들의 문제를 해결하는 데 있다기보다 그들을 하나님과의 만남으로 이끄는 데 있다. 또는 그들과 함께 하나님을 바라보는 데 있다. 목회상담이 일반상담과 달리 이자적 대화(dialogue)가 아니라 "삼자적 대화"(trilogue)여야 한다는 말의 의미가 바로 이것이다.[14] 목회상담에서 하나님은 단지 인식의 대상으로 머물러 계신 이가 아니라 상담자와 내담자 두 사람의 관계 속에 적극적으로 개입하시며 함께하시는 하나님이다. 곧 두 사람과 함께 공감하며 그들을 위로하고 치유하시며 그러한 과정을 통해 그들 가운데서 자신을 증거하시는 분이다. 이것은 하나님의 **테라페이아**(치유)인 동시에 **케리그마**(선포)이다. 이러한 예수 그리스도의 사역은

14 Wayne E. Oates, *The Presence of God in Pastoral Counseling* (Waco, TX: Word Book Publisher, 1986), 23.

우리의 사역의 원형일 뿐 아니라 현재도 우리를 통해 계속되고 있는 사역이다. 이런 의미에서 목회 돌봄은 본질적으로 우리 자신의 사역이 아니라 그리스도의 사역이고 그 사역에 참여하는 일이다. 목회상담자는 이처럼 그리스도의 사역에 참여하는 자인 것이다.

2) 두 번째 근원: 한국 초기교회의 상호 돌봄

우리가 돌아봐야 할 또 하나의 근원은 초기 한국교회의 자생적 상호 돌봄이다. 손운산은 초기 한국교회에서 자생적으로 이루어진 상호 돌봄의 문화에 대해 이렇게 기술한다.

> 초기 한국교회에는 당시에 사회적으로 낮은 위치에 있던 사람들이 많이 찾아왔다. 그들에게 교회는 기도로 하나님께 자신의 힘듦을 호소하고, 서로의 애환을 이야기하고, 위로와 희망과 용기를 얻는 곳이었다. 교인들은 교회를 통해 힘을 얻었고 고된 삶을 견뎌 내는 능력을 얻었다. 교회는 험한 세상의 피난처와 같았다. 목회 돌봄의 관점에서 보면 교인들에게 한국 교회는 처음부터 돌봄의 장이었다. 특히 사회 문화적으로 많은 제한을 받았던 여성들에게는 더욱 그러했다. 여성들은 고된 삶을 기도로 표현하고, 예배와 설교를 통해 삶과 자신에 대한 새로운 관점을 얻고, 다른 여성들과 힘든 이야기를 나누면서 용기를 얻었다. 여성들은 교회에서 자기 이름을 얻었고 자기의 이야기를 하기 시작했다. 이와 같은 새로운 경험은 새로운 자아를 형성하게 했다.[15]

---

15 손운산, "한국 목회 돌봄과 목회상담의 역사와 과제," 9-10.

초기 한국교회(황해도 해주 지역) 여성들

손운산이 한국 목회 돌봄과 목회상담의 역사를 기술하면서 그 서두를 초기 한국교회의 이러한 자생적 상호 돌봄의 역사에 대한 이야기로 시작한 것은 탁견(卓見)이라고 하지 않을 수 없다. 그것은 곧 한국교회의 목회 돌봄이 미국의 목회상담이 도입되기 이전 이미 이렇게 한국교회의 시작과 더불어 시작된 것임을 간파(看破)한 것이기 때문이다. 손운산은 이러한 자생적 단계의 목회 돌봄이 선교사나 목회자에 의해서가 아니라 교인들 상호간에 자연스럽게 이루어진 '상호 돌봄'이었다는 점을 지적한다. 그 중에서 특히 두드러진 것은 당시 사회적으로 차별당하던 여성들이 그들 서로간에 삶의 애환을 나누고 서로 용기를 북돋워준 상호 돌봄이었다.[16] 그들은 이러한 상호 돌봄 가운데 마음의 위로와 힘을 얻을 뿐 아니라 새로운 자기를 찾을 수 있었다. 그리고 이렇게 그들이 새롭게 발견한 '자아'가 이후 전개된 험난한 한국사의 역경들, 일제강점과 분단과 전쟁과 가난의 역경을 헤쳐온 힘의 근원이 되었다.

16 위의 글, 13.

지금으로부터 110여 년전 이 땅에 일어났던 놀라운 부흥이 바로 하나님 자신의 선교(*missio Dei*)였다고 한다면 우리는 그것과 함께 한국교회 안에 자생적으로 시작된 상호 돌봄의 문화 역시 그 하나님의 선교의 일환이라고 보아야 한다. 그것은 곧 여러 마을을 다니시며 하나님 나라를 선포하시고 사람들을 가르치시며 약한 자를 치유하신 그 예수 그리스도의 계속되는 사역이었다. 그것은 먼저 하나님을 만난 사람들을 통해 고난 가운데 있는 이들을 위로하시며 그처럼 이름 없는 사람들간의 만남과 위로 가운데서 자신을 증거하시는 그리스도의 실천이었다. 따라서 한국교회의 목회 돌봄은 바로 이와 같은 그리스도의 실천에 그 근원이 있다고 말할 수 있다.

흥미롭게도 우리는 초기 한국교회의 자생적 상호 돌봄의 문화 속에 오늘날 우리가 선진 목회상담학에서 배우는 다양한 최신 패러다임들이 거의 다 잠재적으로 내포되어 있음을 발견할 수 있다. 첫째, **공동체적/사회상황적 패러다임**(communal-contextual paradigm)이 그 속에 들어 있다. 초기 한국교회는 개인의 삶 뿐 아니라 사회전체에 변화를 불러일으키는 치유적이며 선교적 공동체였다. 그 가운데서 하나님을 만난 사람들은 내적 치유를 경험하고 새로운 자기를 찾게 되었을 뿐 아니라 그들의 이웃과 사회의 변화를 일으키는 촉매 역할을 했다. 초기 전도부인 중 일인으로 고향 강서에 교회와 학교를 세운 전삼덕 부인의 이야기라든지,[17] 예수를 영접한 후 자신의 집 노비를 속량하고 수양딸로 삼은 "순안 박인시 씨" 등의 이야기[18]가 그러한 예들이라고 할 수 있다. 이 같은 이야기들 속에서 우리는 변화의 주체가

---

17 위의 글, 11.

18 『그리스도신문』, 1906, 5, 24: 김인수, 『한국 기독교회의 역사』(서울: 장로회신학대학교출판부, 1998), 310에서 재인용.

단지 개인이 아니라 공동체였으며 그들의 변화는 그들의 내면정서, 사고, 가치관 등 모든 부분에 걸친 전인적 변화였을 뿐 아니라 그들의 가정과 이웃의 변화로 이어지는 변화였음을 볼 수 있다. 다시 말해 **살아 있는 인간관계망**(living human web) 전체의 변화로 이어졌던 것이다. 우리는 또한 이러한 이야기들 속에서 **상호문화적 패러다임**(intercultural paradigm)의 원형 역시 발견할 수 있다. 그것은 곧 사람들의 변화가 당시의 사회문화적 장벽을 넘어 서로 다른 인종과 계층의 사람들까지 공감하고 수용하는 실천으로 이어졌다는 사실에서 발견되는 것이다. 그 외에도 우리는 초기 한국교회의 자생적 상호 돌봄 문화 속에서 오늘날 여성주의 목회상담은 말할 것도 없고 해방신학적 목회상담, 이야기 목회상담 등 다양한 현대목회상담의 모티프들을 찾아 볼 수 있다.

필자의 주장은 오늘날 한국목회 돌봄과 목회상담의 나아갈 길을 바로 이 같은 초기 한국교회의 자생적 공동체적 돌봄의 전례(前例) 속에서 재발견할 수 있다는 것이다. 이것은 우리가 구미에서 배운 목회상담의 개념과 방법론들을 버리고 단순히 과거로 돌아가자는 것이 아니라 오히려 그러한 새로운 모델들을 한국교회에 접목시키기 위한 구체적 방안을 우리 자신의 과거로부터 배우자는 것이다. 필자는 미국 목회상담이 교회로부터 분리되어 전문화, 개인주의화하면서 결과적으로 겪고 있는 위기를 유학기간 중 몸소 경험할 수 있었다. 그리고 현재 한국목회상담이 점차 교회와 분리되고 개인주의화하면서 미국 목회상담과 비슷한 위기를 맞고 있는 현실을 목도하고 있다. 그러면서 필자가 생각하게 되는 것은 한국목회상담이 이제까지 쌓아온 학문적, 경험적, 인적(人的) 자산들을 버리지 않으면서도 다시 전통적인 교회의 치유 자원과 연계하는 길을 찾아야 한다는 것이다. 이것은 다시 기성교회의 전통적 목회로 돌아가자는 것이 아니라 오히려 목회 돌봄의 새로운 패러다임의 중심에 다시 교회가 서야 한다는 의미이다. 다시 말하자면 초기 한국교회의 역사가 보여주듯이 하나님께서 이 시대에 새롭게 일으키시는 돌봄의 문화를 교회가 이끌어가야 한다는 것이다. 교회가 이끌어가는 돌봄의 문화가 다시 이 시대의 하나님의 선교(*mission Dei*)의 중요한 일익(一翼)을 감당해야 한다는 것이다.

3) 세 번째 근원: 미국 대각성운동과 경험신학의 전통

우리가 돌아보아야 할 세 번째 근원은 한국목회상담에 지대한 영향을 끼쳐온 미국현대목회상담의 근원이다. 대개 『목회 돌봄과 목회상담 사전 *Dictionary of Pastoral Care and Counseling*』(1990)을 비롯한 미국의 저술들은 미국현대목회상담의 기원(起源)을 1925년 안톤 보이슨 Anton Boisen 이 워세스터(Worcester)주립병원에서 시작한 임상목회훈련(clinical pastoral training)에서 찾는다.[19] 그런데 여기서 우리가 기억해야 할 것은 보이슨의 사상적 스승이 지그문트 프로이트 Sigmund Freud 가 아니라 윌리엄 제임스 William James 였다는 사실이다. 윌리엄 제임스는 미국 최초로 하버드(Harvard)대학에서 심리학강좌를 개설했던 심리학 교수로서 미국 심리학의 아버지라 일컬어지는 인물이다.[20] 보이슨은 대학과 신학대학원 시절 이 제임스의 종교심리학에

19 Rodney J. Hunter, "Pastoral Care Movement," in *Dictionary of Pastoral Care and Counseling*, ed. Rodney J. Hunter (Nashville, TN: Abingdon Press, 1990). 847

20 Jennifer Viegas, *William James: American Philosopher, Psychologist, and Theologian* (New York, NY: The Rosen Publishing Group, 2006), 6.

윌리엄 제임스 William James

심취했던 것으로 알려져 있다.[21] 제임스의 대표저작들 중 특별히 보이슨에게 깊은 영향을 끼쳤던 책이 바로 유명한 『종교적 경험의 다양성 *The Varieties of Religious Experience*』(1902)이다. 보이슨은 자신의 임상목회교육이 이 책에서 제임스가 시도한 연구를 임상적으로 계승하는 일이라 생각했다.[22] 그 연구란 곧 하나님과 기독교신앙을 인간의 경험의 차원에서 이해하려는 시도였다. 보이슨은 바로 이러한 경험신학(empirical theology)의 입장에서 정신질환을 영적인 문제로 보았고, 정신질환자의 연구를 통해 하나님과 신앙에 대해 더 깊이 이해하고자 했던 것이다.[23] 요컨대 보이슨에게 있어 인간의 내면 탐구는 신학의 한 방법이었다.

한편 우리는 윌리엄 제임스의 종교심리학이 더 위로 미국 대각성 운동(the Great Awakening)과 그 주역들 중 한 사람이었던 조나단 에

21 이희철, "안톤 보이슨," 한국목회상담학회 편, 『현대목회상담학자연구』(서울: 돌봄, 2012), 35-36.

22 Anton Boisen, "The Present Status of William James' Psychology of Religion," *The Journal of Pastoral Care* 7-3 (1953), 157.

23 이희철, "안톤 보이슨," 55.

드워즈 Jonathan Edwards 에 잇닿아 있음을 기억할 필요가 있다. 조나단 에드워즈의 저명한 『신앙적 정서에 관한 연구 *A Treatise concerning Religious Affections*』(1746)는 1차대각성운동에서 있었던 수많은 사람들의 영적, 내면적 변화의 체험들을 체계적으로 학술적 방법에 따라 연구한 논문이다. 이것은 당시 사람들의 정서적, 인격적 변화를 통해 그 변화의 저자(著者)이신 하나님을 더 깊이 이해하려고 한 시도였다고 할 수 있으며, 바로 후대의 제임스 심리학의 전범(典範)이 된 것이다. 제임스의 『종교적 경험의 다양성 *The Varieties of Religious Experience*』(1902)은 한 마디로 "병든 영혼 혹은 분열된 정신을 통합하고 살아갈 수 있게 만드는 종교적 회심과 그 역동을 설명하는" 논문이었다.[24] 이 논문의 바탕을 이루는 제임스의 기본 신념은 곧 올바른 기독교신앙이 정신 건강과 연결된다는 믿음으로, 이것은 제임스 외에도 당대의 여러 미국심리학자들이 공유했던 신념이었다.[25] 이러한 신념을 역시 공유하고 있었던 것이 바로 안톤 보이슨이었던 것이다.

에드워즈의 정서 연구와 제임스의 종교심리학이 보이슨의 임상목회교육에 끼친 영향사를 살펴보면서 우리가 발견할 수 있는 점은 미국 목회상담운동이 단지 인간 치유에 대한 관심이 아니라 인간의 내면을 치유하시는 하나님에 대한 관심과 신앙에서 출발했다는 사실이다. 이와 관련하여 우리가 유추할 수 있는 사실은 미국사회가 1,2차 대각성운동을 통해 경험한 영적 부흥이 미국목회상담운동의 근원적 배경이었다는 사실이다. 대각성운동을 통해 하나님께서 일으키신 개

24 안석모 외, "목회상담의 역사: 현대 및 미래 전망," 『목회상담 이론 입문』(서울: 학지사, 2009), 173.

25 위의 책, 173.

조나단 에드워즈 Jonathan Edwards

인적, 사회적 변화의 경험은 기독교가 인간을 치유하고 변화시키는 능력이 있다는 믿음을 사회전반에 형성했다. 우리는 바로 이런 믿음이 1906년 임마누엘운동(the Emmanuel Movement)에서와 같이 세상에서 정신적으로 고통 당하는 사람들을 치료하기 위해 의사들과 목회자들이 협력하려는 노력으로 나타났던 것이라 볼 수 있다. 이 임마누엘 운동에 가담했던 의사들 중 한 사람이자 신앙인이었던 리차드 캐벗 Richard Cabot 이 바로 이후 1920년대 보이슨과 함께 임상목회교육을 시작한 장본인이다. 이 사실은 바로 신앙이 치유를 가져온다는 사회적 믿음이 미국 목회상담운동의 기초가 되었다는 것을 말해준다.

보이슨이 알아가고자 한 하나님이 얼마나 인격적이고 살아 계신 하나님이었는지는 우리가 확실히 말하기 어려운 부분이 있다. 그러나 적어도 우리는 그의 인간 내면 탐구가 단지 인간을 돕고자 하는 의도에서만 아니라 그것을 통해 하나님을 더 잘 알고자 하는 동기에서 시작되었다는 사실을 기억할 필요가 있다. 그는 자신의 새로운 시도에 대해 설명하기를 그것의 관심은 여전히 기존 교회의 신학과 마찬가지로 "죄와 구원"의 문제에 있다고 말한다. 다만 자신의 방법은 그것을 책을 통해서가 아니라 "살아 있는 인간문서"(living human documents)를 통해서 탐구하려는 것이라고 말한다.[26] 이처럼 보이슨의 관심은 우선적으로 신학적인 것이었기 때문에, 그는 이후의 임상목회훈련프로그램이 그의 기대와 달리 점점 더 임상적 기법과 프로이트 정신분석이론에 치중하게 된 데 실망감을 피력했다.[27] 그는 개인적으로 프로이트의 성욕원인설에 동의하지 않았으며, 정신분석학을 그의 신학적 탐구를 위한 참고자료 이상으로 생각하지 않았다.[28]

흔히 보이슨의 임상목회교육을 현대목회상담운동의 효시로 일컫지만 정작 그가 시도했던 신학적 방법론은 후대에 잘 이어지지 못했다. 결국 그것은 그만의 독특한 시도로 남았다고 할 수 있다. 그러나 그렇다고 해서 그의 시도가 후대에 아무런 자취를 남기지 못했던 것은 물론 아니다. 무엇보다 그의 신학방법은 씨워드 힐트너 Seward Hiltner의 목회신학에 지대한 영향을 끼쳤다. 보이슨의 임상수련생 중 한 명이었던 힐트너는 보이슨에게서 배운 임상신학의 방법을 "작용중심신학"(operation-centered theology)이라는 이름으로 부르면서 그것을 이론신학과 대별되는 또 하나의 신학 방법으로 간주했다.[29] 이러한 힐트너의 목회신학론은 다시 그의 제자인 단 브라우닝 Don S. Browning 의 실천신학론의 바탕을 이룬다. 브라우닝은 텍스트에만 매몰된 신학을 비판하면서 신학이 현실분석과 이론연구의 상호비판적 대화를 통해

26 Anton Boisen, "The period of beginnings," *Journal of Pastoral Care* 5-1 (Spring 1951), 15.

27 Glenn H. Asquith, "The case study method of Anton T. Boisen," *Journal of Pastoral Care and Counseling* 34-2 (June 1980), 86.

28 Anton T. Boisen이 Ralph Bonacker에게 보낸 미간행 서신 내용으로 위의 책 86에서 재인용. 보이슨은 또한 자신이 정신질환에 대한 연구에 몰두하기 시작하던 당시 프로이드의 존재자체도 알지 못했다고 고백하고 있다(Anton Boisen, "The Period of Beginnings," 15).

29 Seward Hiltner, *The Preface to Pastoral Theology*, 민경배 옮김, 『목회신학원론』(서울: 대한기독교서회, 1991), 24.

안톤 보이슨 Anton Boisen

형성되어야 한다고 주장했다.[30] 이러한 브라우닝의 실천신학방법론은 당대와 후대의 목회신학만 아니라 신학 전반에 지대한 영향을 끼쳤는데, 이로써 보이슨이 가졌던 생각은 직간접적으로 미국신학전반에 보이지 않는 큰 영향을 미치게 되었다.

멀리 조나단 에드워즈로부터 시작되어 윌리엄 제임스, 안톤 보이슨, 씨워드 힐트너, 단 브라우닝으로 이어지는 미국목회신학의 흐름을 우리는 한스 귄터 하임브로크 Hans-Günter Heimbrock 를 따라 **경험신학**(empirical theology)의 전통이라 부를 수 있다.[31] 비록 이러한 전통이 미국신학의 주류라고 말하기 어렵더라도 우리는 적어도 그것이 미국목회신학에 있어서만은 근간(根幹)을 이루었다고 말할 수 있다. 물론 브라우닝이 말하는 현실의 '경험'은 수세기전 에드워즈가 말한 '경험'과는 판이하게 달라진 것이었다. 에드워즈의 경험이 대각성기 사람들

30 Don S. Browning, *A Fundamental Practical Theology: Descriptive and Strategic Proposals* (Minneapolis: Fortress Press, 1991), 7.

31 Hans-Günter Heimbrock, "Practical Theology as Empirical Theology," *International Journal of Practical Theology* 14-2 (2010), 156.

이 그들 가운데 살아 역사하시는 하나님을 체험한 경험이었다면, 보이슨이나 브라우닝이 말한 경험은 보다 세속화된 현실 사회의 실존적 경험을 의미하는 것이었다. 그러나 우리는 적어도 보이슨에 이르기까지는 그러한 현실의 경험 속에서 하나님을 찾으려는 노력이 이어지고 있었음을 볼 수 있다. 이러한 노력은 그러나 그의 후대에 잘 이어지지 못하고 목회상담학은 심리학의 이론과 방법론에 치중하는 방향으로 흐르게 되었다. 그리하여 급기야 목회상담이 "심리치료의 포로"(therapeutic captivity)가 되었다는 비판을 받기에까지 이른다.[32] 1985년 미국목회신학협회(Society for Pastoral Theology, 약칭 SPT)가 설립된 이래 현재까지 미국목회상담학계에는 이러한 흐름에 대한 자성(自省)의 목소리와 잃어버린 신학을 되찾으려는 노력이 이어지고 있다. 그런데 문제는 그 신학을 어디서 찾을 것이냐는 문제이다.

신학과 심리학을 연결시키려는 미국목회상담자들의 노력은 사실 미국목회신학협회(Society of Pastoral Theology, 1985-)부터가 아니라 이미 목회상담운동의 출발점에서부터 이어져 온 노력이다. 그러나 아직까지 양자의 통합이 순탄하지 못하고 목회상담의 정체성이 여전히 논란의 주제가 되고 있는 것은 진정한 문제가 단지 '신학'(theology)에 있는 것이 아님을 말해준다. 필자의 생각에 진정한 문제는 신학이 아니라 하나님을 잃어버린 데 있다. 다시 말해 목회상담의 현장에서 하나님을 발견하고 그 하나님의 사역에 동참하는 목회적 실천이 이루어지지 못하고 있는 데 있다. 목회상담의 고유한 특성은 바로 현존하시는 하나님과 그 하나님의 치유에 있기 때문이다. 우리는 위에서

32 L. Gregory Jones, "The Psychological Captivity of the Church in the United States," in *Either/Or: The Gospel or Neopaganism*, eds. Carl E. Braaten and Robert W. Jenson (Grand Rapids, MI: Eerdmans, 1995), 97-112.

미국목회상담운동의 근원(根源)에 역시 미국 사회가 경험한 하나님의 치유의 능력이 있음을 살펴보았다. 개인적, 사회적으로 하나님이 실제 일으키신 변화의 경험과 그 경험을 통해 형성된 미국사회의 믿음, 즉 인간과 세상을 치유하시는 하나님의 능력에 대한 믿음이 바로 미국목회상담이 싹트고 성장한 기반이었다.[33] 보이슨은 바로 이러한 경험의 기반 위에서 사상적으로 성장한 사람으로서 그 치유의 근원이신 하나님을 알아가는 데 관심을 가졌던 사람이다. 이런 의미에서 그는 현대목회상담운동의 창시자이기 전에 먼저 동시대에 한국에 왔던 언더우드나 아펜젤러와 마찬가지로 미국대각성운동의 후예였다고 말할 수 있다.

다시 근원으로(*Ad Fontes*)

한국의 현대 목회상담학은 보이슨 이후 이미 상당히 심리학과 상담기법위주로 흐른 미국목회상담의 지배적 영향아래 형성되었다고 할 수 있다. 때문에 태생적으로 목회적 경험을 통해 하나님을 알아가고자 한 경험신학의 전통과는 거리를 지닐 수밖에 없었다고 생각된다. 한국 신학교의 전공과정이 '목회신학'이 아니라 '목회상담학'이란

33 손운산 등은 다음과 같이 이 점을 지적하고 있다. "우연찮게도 미국에서 비롯된 목회상담 운동도 미국 교회의 영적 대각성이 19에기 말엽 종교심리학 연구로 이어지다가 비로소 현대적 상담 운동으로 싹트기 시작하였다. 그런데 우리 한국 교회의 영혼 돌봄/상담도 이와 유사하게 영적 대각성을 통하여 그 내면세계에 대한 강한 관심과 보살핌 속에서 비로소 그 뚜렷한 모습을 드러내게 되었다"(손운산 외, "한국 교회의 목회 돌봄과 상담의 자취와 전망," 『한국기독교신학논총 50집』 [2007], 216).

명칭으로 귀착된 것이 이런 저변의 사정과 관련된 것이라고 볼 수 있다. 그런데 이제껏 우리가 따르던 미국의 목회상담학이 오늘날 정체성의 위기에 놓인 상황에서 우리 한국의 목회상담학 역시 신학이 부재한 기법만의 학문이라는 오해와 비판을 대면하고 있다.

필자가 생각하는 한국 목회상담학의 문제는 단지 '신학'을 잃어버린 데 있다기보다 목회적 실천에 있어 하나님을 잃어버린 데 있다. 위에서 우리는 초기 한국교회의 부흥의 바람을 타고 초기교회 성도 가운데 상호 돌봄의 문화가 일어났던 역사를 살펴보았다. 이것은 곧 한국교회 목회 돌봄의 시발점에 하나님이 계셨음을 의미하는 것이다. 미국목회상담운동 역시 두 차례의 대각성운동을 통해 하나님이 일으키신 개인적, 사회적 변화의 경험을 배경으로 시작되었다는 사실을 위에서 살펴보았다. 다시 말해 미국목회상담운동의 시발점에도 역시 하나님이 계셨다. 그렇다면 결국 오늘의 어려움의 원인은 우리의 실천 속에서 그와 같은 하나님을 잃어버린 데 있으며 그 어려움을 극복하기 위한 길은 그러한 하나님의 치유의 능력을 목회 실천 가운데 다시 회복하는 길이라 할 수 있다. 필자는 이것이 가능한 일이라고 믿는다. 어느 시대를 막론하고 하나님은 살아 계시며 우리 가운데 일하고 계시기 때문이다. 이것은 정치, 경제, 사회문화와 같은 거시적 차원에서도 그러하고 교회공동체, 가정, 개인상담과 같이 보다 작은 단위의 돌봄의 영역에서도 그러하다. 목회상담이 삼자적 대화(*trilogue*)라는 것은 목회상담자가 사람의 문제를 바라볼 뿐 아니라 그 자리에 함께 계시며 상담자 자신보다 먼저 일하고 계신 하나님을 바라보아야 한다는 것이다. 사람의 일도 주목해야 하지만 하나님께서 그 가운데서 하시는 일도 주목해야 한다. 목회상담에 필요한 신학은 어떤 다른 종류의 신학보다 그 목회상담의 현장에 함께 계시며 개입하시는 하나님을 아는 신학이다. 이러한 임상적 경험신학과 심리상담의 연결이 우리에게 진정 필요한 목회상담의 방법이다. 이제 필자는 다음 장에서 이 같은 목회신학의 방법에 대해 좀 더 구체적으로 논의하려 한다.

Ⅱ 장

목회상담과 신학

목회신학의 방법론

잊혀진 하나님

미국 목회상담자들과 수련감독들을 대상으로 실시한 인터뷰조사에서 바바라 맥클루어 Barbara J. McClure 는 대상자들에게 "당신의 목회상담에서 신학은 어떤 비중을 차지합니까?"라는 질문을 던졌다. 응답자 다수는 자신의 상담에서 신학적 관점은 거의 드러나지 않는 편이라고 답했고 그 중 한 응답자는 다음과 같이 대답했다.

> "상담센터가 명시적으로 고백하는 신학 같은 것은 없습니다. 그것은 부차적인 것이라고 할 수밖에 없군요. 우리 일에 있어 그것은 주된 부분을 차지하지 않습니다. 신앙은 지지되기보다 오히려 의문에 붙여질 때가 많습니다. 이런 분위기에서 상담자가 자신의 신학을 주장한다는 것은 좀 어색한 일이 돼 버리지요."[1]

상담자가 상담실에서 자신의 신학을 표명하는 것이 어색한 일이

---

1 Barbara J. McClure, *Moving Beyond Individualism in Pastoral Care and Counseling: Reflections on Theory, Theology, and Practice* (Eugene, OR: Cascade Books, 2010), 31.

돼 버린 이러한 상황은 전문화된 미국목회상담의 현실일 뿐 아니라 오늘날 한국의 전문목회상담에서도 이미 일반화되어 버린 일일지 모른다. 정연득에 의하면 "왜 목회상담/기독교상담적 관점에 대해서는 이야기하지 않는 겁니까?" 또는 "당신이 이 상담에서 사용한 목회상담/기독교상담적 관점은 도대체 무엇입니까?"라는 질의가 오가는 것이 최근 한국목회상담협회 임상사례모임의 풍경이다.[2] 이것은 현재 한국의 목회상담/기독교상담적 관점 가운데 "목회상담자만이 보여줄 수 있는 독특한 관점"이 발견되지 않는 데 대한 안타까움의 토로이다. 정연득에 의하면 이 같이 목회상담에서 목회상담만의 독특한 관점이 드러나지 않게 된 오늘의 상황은 목회상담의 정체성에 대한 물음으로 우리를 인도한다.[3] 이렇게 목회상담의 정체성에 대해 논의하면서 우리가 먼저 물어야 할 질문은 그처럼 목회상담을 다른 일반상담과 구별짓는 그 "목회상담자만이 보여줄 수 있는 독특한 관점"이란 대체 무엇인가 하는 물음이다.

정연득과 같은 목회상담학자들이 "목회상담만의 독특한 관점"을 이야기할 때의 이 "관점"이라는 용어는 현대 목회상담학의 기초를 놓은 씨워드 힐트너 Seward Hiltner 의 "목양적 관점"(shepherding perspective)의 개념을 함의하는 것이라 볼 수 있다. 박민수도 이러한 힐트너의 "관점"(perspective) 개념을 가져와 목회상담의 특징을 기술한다. 그에 의하면 어떤 것을 목회상담이라고 할 수 있느냐의 문제는 그 상담자가 안수 받은 목회자인가 아닌가의 문제가 아니라 그가 "그리스도가 보여준 목회적 관점을 가질 수 있는가의 문제"이다.[4] 그런데 여

2 정연득, "정체성, 관점, 대화: 목회상담의 방법론적 기초," 『목회와 상담』, 23 (2014), 233.
3 위의 글, 234.

기서 필자가 지적하고 싶은 점은 목회상담의 독특성을 목회상담자가 가진 관점(perspective)에서 찾으려 할 때 우리의 관심이 자칫 목회상담자에게만 머물러 있을 수 있다는 점이다. 다시 말해 목회상담을 목회상담되게 하는 그 특성을 목회상담자와 내담자의 관계에서만 찾으려 할 수 있다는 것이다. 목회상담을 목회상담되게 하는 그것이 상담자가 가진 "그리스도의 관점"이라고 할 때 이 "관점"은 상담자가 내담자를 바라보는 관점을 의미한다. 그런데 이 관점이 그리스도의 관점이냐 물을 때 실상 우리가 먼저 물어야 할 것은 상담자가 그 내담자와 함께 계시며 그를 향하고 계신 그리스도를 먼저 바라보고 있느냐는 점이다. 상담자가 이 그리스도를 먼저 바라볼 때에라야 그는 비로소 지금 그 곳에서 그리스도의 관점이 어떤 것임을 알고 그 관점을 함께 가질 수 있을 것이기 때문이다. 힐트너는 목회상담을 특징짓는 관점을 목자가 한 마리 양을 찾는 데 전심을 기울이는 마음, 또는 "자상하게 염려하는 마음"(tender and solicitous concern)이라 했다.[5] 그런데 이 마음은 상담자의 마음이기 전에 먼저 그리스도가 내담자를 향해 품은 마음이다. 따라서 목회상담이 진정 목회상담다워지는 것은 상담자가 내담자만 아니라 두 사람 사이에 계신 그리스도를 바라보고 그것을 통해 그 내담자를 향하신 그리스도의 마음을 품게 될 때라고 할 수 있다. 다시 말해 목회상담이 웨인 오츠Wayne E. Oates가 일찍이 지적한 것처럼 단지 양자간 대화가 아니라 하나님을 포함한 삼자간 대화

---

4 권수영 외, "한국 교회 목회적 돌봄과 상담의 자취와 전망," 『한국기독교신학논총』 제50집 (2007), 232.

5 Seward Hiltner, *Preface to Pastoral Theology*, 박근원 옮김, 『목회신학원론』(서울: 대한기독교서회, 1968), 19.

6 Wayne E. Oates, *The Presence of God in Pastoral Counseling* (Waco, TX: Word Book Publisher, 1986), 23.

(trilogue)가 될 때라 할 수 있다.[6]

필자는 요컨대 목회상담이 정체성의 위기를 맞게 된 것은 목회상담이 목회상담의 현장에 계신 하나님을 잊어버리고 일반상담과 마찬가지로 단지 내담자와 목회상담자 자신에게만 집중하게 되었기 때문이라고 생각한다. 그렇다면 목회상담이 그것의 진정한 독특성을 되찾기 위해 필요한 일은 목회상담자가 자신과 내담자를 바라볼 뿐 아니라 그 두 사람 사이에 이미 참여하고 계신 하나님을 재발견하는 일이다. 어떤 상담이 진정 목회상담으로서의 정체성을 가졌느냐는 문제는 그 상담자가 어떤 신학적 관점을 가졌느냐, 어떤 기독교적 방법을 사용하느냐의 문제이기 전에 그 상담자가 두 사람 가운데 함께 계신 하나님을 바라보고 그 하나님의 실천에 참여하고 있느냐의 문제라 할 수 있다. 목회상담이 교회의 사역이라는 말[7]의 의미는 그 사역이 본질적으로 우리 자신이 아니라 그리스도의 사역이라는 의미이다. 이 사역의 주체는 그리스도이며 목회상담자는 그 사역에 동참자가 되어야 한다. 다시 말해 목회상담의 독특성은 우리가 내담자와의 관계 속에서 그리스도를 만나고 그 그리스도의 실천에 참여하는 데 있다. 따라서 목회상담의 독특성을 되찾기 위해 우리는 먼저 목회상담의 경험 속에서 어떻게 그리스도를 발견하며 그의 실천에 참여할 수 있는지에 대해 고민해야 한다. 본 장은 바로 이러한 실천의 방안으로서 목회신학방법론을 정립하는 데 목적이 있다. 이를 위해 우리는 먼저 이제까지 목회신학의 역사를 한 번 되돌아볼 필요가 있을 것이다.

---

7 이관직, "목회상담의 정체성," 안석모 외, 『목회상담 이론 입문』(서울: 학지사, 2009), 25.

보이슨의 경험신학과 브라우닝의 실천신학

우리가 어떻게 임상현장에서 그리스도를 발견하며 그의 실천에 참여할 수 있는가 묻기 전에 먼저 물어야 할 질문은 과연 우리가 임상현장의 경험을 통해 참 하나님을 만날 수 있느냐는 물음이다. 다시 말해 우리의 목회적 경험이 우리가 하나님을 더 깊이 알아가는 통로가 될 수 있느냐는 물음이다. 우리는 이런 물음에 대해 경험적, 직관적으로 쉽게 그렇다고 대답할 수 있다. 그러나 실상 이런 과정을 신학적으로 규명하는 일은 그리 간단한 일이 아니다. 신학의 목적이 하나님을 더 깊이 알아가는 데 있다고 할 때 이렇게 하나님을 알아가는 데 있어 경험이 중요하다는 사실은 누구도 부인하지 않을 것이다. 그러나 서구신학의 경우 목회현장의 경험이 신학의 중요한 자료가 되어야 한다는 생각이 지금으로부터 단지 1세기전인 20세기초에야 비로소 대두되었다는 사실은 우리를 놀라게 한다. 한스귄터 하임브로크Hans-Gűnter Heimbrock에 따르면 20세기초 이렇게 미국에서 임상경험을 통한 신학의 방법, 즉 임상적 경험신학(clinical empirical theology)의 방법을 제안한 것이 바로 안톤 보이슨Anton Boisen이었다.[8]

우리가 기억할 사실은 보이슨이 그의 임상목회교육(CPE: clinical pastoral education)을 처음 시작할 때 그러한 자신의 시도를 '신학'의 한 방법으로 생각했다는 점이다. 다시 말해 그는 그것이 살아 계신 하

8 Hans-Gűnter Heimbrock, "Practical Theology as Emprical Theology," *International Journal of Practical Theology* 14-2 (2010), 156.

나님을 더 깊이 알아가는 방법이라 생각했다. 그는 이런 의미에서 그의 신학적 시도가 기존 신학과 다르지 않으나 다만 다른 점이 있다면 그것은 동일한 기독교적 문제에 대해 책이 아니라 "살아 있는 인간 문서"의 탐구를 통해 접근하려고 한 점이었다고 술회한다.[9] 보이슨이 "살아 있는 인간 문서"(living human documents)의 탐구라고 표현한 것은 목회상담자와 내담자 사이의 인격적 만남의 경험을 의미한다. 그의 신학 방법은 그러므로 인간상호간의 경험을 통해 하나님을 알아가는 방법이라고 할 수 있다. 이렇게 20세기초 보이슨에 의해 시작된 임상적 경험신학(empirical theology)의 방법은 그의 제자였던 씨워드 힐트너 Seward Hiltner 의 목회신학론을 거쳐 단 브라우닝 Don S. Browning 의 실천신학(practical theology)에 지대한 영향을 끼치게 된다.[10]

브라우닝의 실천신학은 그러나 보이슨의 경험신학과 몇 가지 중요한 차이점을 가지고 있다. 첫째는 주된 관심에 있어서이다. 브라우닝의 『근본실천신학 *A Fundamental Practical Theology*』(1991) 서두에서 밝히고 있는 바와 같이 그의 실천신학은 전통적인 신학의 주제인 "하나님은 어떤 분인가?"하는 문제보다 "오늘날 기독교공동체가 변화된 현실 속에서 어떤 의미를 가지는가?"하는 문제에 집중되어 있다.[11] 즉 변화된 현실 속에서 기독교가 어떻게 적합성(relevance)을 가질 것이지 하는 문제가 그의 주된 고민이었던 것이다. 이러한 고민은 사실 20세기후반의 변화된 미국사회현실, 곧 기독교적인 대답이 더 이상 당연한 것으로 받아들여질 수 없게 된 현실 상황을 반영하는

9 Anton Boisen, "The Period of Beginnings," *Journal of Pastoral Care* 5-1 (Spring 1951), 15.

10 Hans-Gűnter Heimbrock, "Practical Theology as Emprical Theology," 156-57.

11 Don S. Browning, *A Fundamental Practical Theology: Descriptive and Strategic Proposals* (Minneapolis, MN: Fortress Press, 1991), 1.

것이다.[12] 브라우닝이 채용한 이른바 **개정 상관관계적 방식**(revised correlational approach)이란 이러한 현실 문제에 대해 세상의 다른 답들과 기독교적 대답 사이의 동등한 합리적 대화를 통해 대안을 찾아가려는 노력이라 할 수 있다. 브라우닝에게서 우리가 발견할 수 있는 보이슨과의 연속성은 현실 경험에서부터 출발한다는 점이다. 그러나 브라우닝이 경험하는 현실은 더 이상 보이슨이 말하는 그 '현실'처럼 기독교신앙이 당연시되는 현실이 아니었다.

이처럼 달라진 현실에 접근하는 브라우닝의 신학방법론은 또 한 가지 보이슨의 방법과 중요한 차이점이 있는데 그것은 브라우닝의 신학방법이 현실 경험 자체보다 그것에 대한 이론적 대화에 치중한다는 점이다. 그의 신학방법은 위에서 말한 대로 현실에 대한 기독교적 해석과 다른 해석들간의 간학문적 대화(interdisciplinary dialogue)이다. 이것은 현실 경험과의 직접적 대화라기보다는 그것에 대한 이론적/반성적 대화이다. 이러한 이론적/반성적 대화 가운데 현실의 경험은 다시 한 번 소외될 수 있는데, 이것이 바로 크레이그 밴 갤더 Craig Van Gelder 가 브라우닝의 "해석중심 접근방식"에 대해 지적하는 문제이다.[13] 밴 갤더가 지적하는 브라우닝의 문제는 한 마디로 접근방식이

---

12 이에 대한 보다 상세한 논의는 이재현, "목회상담에서의 상관관계적 방법에 대한 비판적 재고: 칼 바르트(Karl Barth) 신학의 관점에서,"『목회와 상담』 26 (2016), 276-82를 참조하라.

13 크레이그 밴 갤더(Craig Van Gelder)는 브라우닝 실천신학의 이러한 한계에 대해 다음과 같이 지적한다. "그가 선호한 해석중심의 접근방식은 그의 연구대상이었던 미국 흑인공동체교회의 살아 계신 하나님과 직접적으로 소통하는 방식을 결국 이해하지 못했다"(Craig Van Gelder, *The Ministry of the Missional Church: A Community Led by the Spirit* [Grand Rapids: Baker Books, 2007], 104). 여기서 밴 갤더가 말하는 그 "미국 흑인공동체교회의 살아 계신 하나님과 직접적으로 소통하는 방식"이란 브라우닝 자신이 그의 책에서 이야기하고 있는 "찬양대와 회중 사이, 독창자와 회중 사이, 설교자와 회중 사이의 신명 나는 대화"이다(Don S. Browning, *A Fundamental Practical Theology*, 243). 이것은 역동적인 정서적 교감과 비언어적 메시지 교환이 활발히 이루어지는 현장 속에서의 대화로서 밴 갤더에 의하면 이것은 브라우닝의 이론중심의 접근으로는 이해하기 어려운 대화이다. 그것은 경험에 대한 이론적 대화가 아니라 경험 속에서의 대화이기 때문이다.

여전히 실천중심적이라기보다는 경험에 대한 이론적 해석에 치중하는 해석중심적 방식이라는 것이다.

또 한 가지 브라우닝에게서 발견되는 보이슨과의 중요한 차이점은 현실의 경험 속에서 하나님을 만날 수 있다는 생각이 보이슨에게서만큼 분명치 않다는 점이다. 이 점이 바로 레이 앤더슨Ray S. Anderson이 브라우닝의 실천신학방법론의 문제로 지적하는 것으로 앤더슨이 그것의 수정안을 제시하는 이유이다.[14] 앤더슨은 기본적으로 칼 바르트Karl Barth 신학의 견지에서 **그리스도의 실천**(Christopraxis)이 우리 삶의 경험 속에 이미 내재되어 있다고 주장한다. 따라서 신학적 성찰은 그처럼 "우리 삶 속에 이미 작용하고 있는 그리스도의 실천과 성경에 계시된 그리스도의 실천 사이의 대화"로 이루어져야 한다고 말한다.[15] 앤더슨이 제안하는 이러한 새로운 접근방식은 외견상 브라우닝의 신학방법론과 크게 다르지 않아 보인다. 그러나 실상 양자는 중요한 차이점을 가지고 있는데 그것은 앤더슨의 실천신학방법이 현실 속에 당면한 문제를 보기 앞서 먼저 그 현실 속에서 그리스도를 발견하고자 한다는 점이다. 또한 앤더슨의 방법은 당면한 문제의 해법을 세상과의 대화를 통해 찾기 이전에 세상 속에서 그리스도를 발견하고 그 그리스도 안에서 문제를 극복해 가려 한다. 이러한 앤더슨의 실천신학방법은 경험에 대한 해석보다 경험 속에서 하나님을 만나고 알아가는 과정을 중요시한다는 점에서 오히려 브라우닝보다 보이슨의 경험중심적 접근에 더 가깝다고 생각된다. 또한 그것은 보이슨의 경험신학과 목회상담운동의 모태가 되었던 미국대각성운동의 정신,

---

14 Ray S. Anderson, *The Shape of Practical Theology: Empowering Ministry with Theological Praxis* (Downers Grove, IL: InterVarsity Press, 2001), 29.

15 위의 책, 30.

칼 바르트 Karl Barth

즉 하나님을 아는 것이 진정한 인간문제 해결의 길이라는 신념에도 더 충실한 방식이라 할 수 있다.

칼 바르트 Karl Barth 와 목회상담

필자는 우리의 현실 속에서 우리보다 앞서 일하시는 하나님을 발견하고 그러한 하나님의 실천에 동참하는 길이 오늘날 인간 내면의 문제를 포함한 인간의 실존적 문제 해결의 지름길이라고 믿는다. 이런 견지에서 필자는 앤더슨의 수정된 실천신학방법이 브라우닝의 원안(原案)보다 더 타당한 접근방법이라 생각한다. "기독교공동체가 어떻게 변화된 현실 속에서 의미를 지닐 수 있을 것인가?"라는 브라우닝의 고민은 우리가 오늘의 현실 속에서 그리스도의 실천에 동참할 때 절로 해결되어갈 문제라고 믿기 때문이다.

여기에서 필자는 앤더슨의 실천신학방법론의 근간을 이룬 칼 바르트Karl Barth의 신학을 소개하고자 한다. 그리고 이러한 신학적 관점에 기초한 목회신학방법론을 제시해보고자 한다. 이것은 무엇보다 목회상담의 현장에 함께 계시는 그리스도를 발견하고 그의 실천에 동참하는 데 주안점을 두는 신학적 접근이다. 이것은 단지 이론적 접근이 아니라 내담자와의 관계에서 경험된 그리스도를 성경에 비춰 식별하고 내담자와의 관계에서 그 그리스도의 실천에 동참하고자 노력하는 실천중심의 접근방법이다. 필자는 이것이 내담자와 상담자 모두 하나님을 더 깊이 경험하고 알아가는 길일 뿐 아니라 두 사람이 함께 정신적 성숙과 온전함을 이루어가는 길이 될 것이라 믿는다. 바르트의 기독론적인 인간관(Christological anthropology)에 따를 때 우리가 하나님을 더 깊이 알아가고 그리스도와 연합되는 길이 곧 온전한 인간성 회복에 이르는 길이기 때문이다.

먼저 논의할 것은 칼 바르트 신학에 대한 바른 이해에 관해서이다. 이러한 논의가 먼저 필요하다고 생각되는 이유는 이제까지 현대신학과 목회상담학에 점철되어 온 바르트 신학에 대한 오해 때문이다. 우리가 이제까지 현대목회신학의 역사를 돌아보며 발견하게 되는 사실은 한 세기에 걸친 그 역사 속에 바르트 신학을 자신의 목회신학이나 목회상담론에 가져온 목회신학자/목회상담학자들이 손에 꼽을 만큼 소수에 지나지 않는다는 점이다. 이것은 폴 틸리히Paul Tillich의 신학이 힐트너와 브라우닝을 위시하여 미국의 대표적 목회신학자들의 방법론적 기초를 이루었다는 사실과 뚜렷한 대조를 이룬다. 이것은 아마도 미국목회상담학자들 가운데 널리 퍼져 있던 바르트 신학에 대한 오해로 말미암은 것이라 추정된다. 그 오해란 한 마디로 바르트 신학이 실천신학과는 정반대로 현실의 콘텍스트에는 무관심하고 기독교 텍스트에만 치중하는 신학이라는 오해이다. 우리는 바로 이와 같은 오해를 브라우닝에게서 발견할 수 있는데,[16] 필자는 이것이 그가 가진 틸리히신학의 틀로 바르트 신학을 바라본 데 따른 것이라고 생각한다. 틸리히의 신학방법은 인간 실존과 하나님의 계시를 서로 상반되는 항으로 전제하고 양자간의 상호연결(correlation)을 도모하는 접근방식이다.[17] 그러나 바르트 신학은 이와 달리 하나님의 계시가 인간의 실존과 별개로 존재하는 대립항이 아니라 인간 실존 가운데 나타나는 것이라고 주장한다. 성육신하신 예수 그리스도가 하나님의 자기 계시라는 것은 그의 임재가 우리 현실 속에 하나님께서 자신을 나타내신 사건임을 의미한다. 바르트 신학에서 하나님의 말씀과 인간의 현실 경험은 서로 분리되지 않는다. 따라서 하나님의 말씀에 대한 바르트의 강조가 브라우닝의 생각처럼 인간 현실에 대한 외면을 의미하지 않는다. 오히려 바르트 신학의 주된 관심이 인간 현실 속에 나타나신 하나님에게 있다.

아쉬운 점은 브라우닝처럼 바르트에 대해 비판적인 목회신학자들뿐 아니라 바르트 신학에 우호적인 입장에서 바르트 신학을 자신의 목회상담방법론에 도입하려고 한 소수의 목회상담학자들 역시 바르트 신학에 대한 크고 작은 오해와 오류를 드러내고 있다는 사실이다. 이들이 어떻게 바르트 신학을 이해했고 어떻게 바르트 신학을 그들의 목회상담학에 적용했는지 간략히 살펴보면 다음과 같다.

---

16 브라우닝은 바르트가 "하나님의 자기계시를 이해하는 데 있어 인간의 이해, 행동, 실천의 역할을 전혀 인정하지 않는다"고 비판한다(Don S. Browning, *A Fundamanetal Practical Theology*, 5). 그러나 이러한 브라우닝의 생각은 바르트 신학의 주된 강조점들 중 하나가 하나님의 자기 증거에 있어 인간의 역할이라는 사실을 보지 못하고 있는 것이다.

17 Paul Tillich, *Systemic Theology 1* (Chicago, IL: the University of Chicago Press, 1951), 61.

1) 에두아르트 트루나이젠Eduard Thurneysen의 이분법

트루나이젠의 『목회 돌봄 신학 *A Theology of Pastoral Care*』(영역판 1962)에는 실상 바르트에 대한 언급이 없다. 그럼에도 불구하고 그것이 오랫동안 "바르트적 목회신학"으로 간주되어 온 것은 트루나이젠이 바르트와 절친했던 까닭에 그의 견해가 특히 미국의 목회상담학자들에게 바르트적인 견해로 받아들여졌고 그로 말미암아 바르트 신학에 대한 그들의 편견을 형성했기 때문이다.[18]

이처럼 미국목회상담학자들에 의해 바르트의 견해와 동일시된 트루나이젠의 견해는 목회상담과 심리치료를 분명히 구분하는 태도로 특징지어진다. 그에 의하면 목회상담자의 주된 역할은 "말씀의 선포"로 심리치료자의 역할과 확연히 구분된다.[19] 여기서 우리가 묻게 되는 질문은 과연 이러한 견해가 진정 바르트의 견해라고 볼 수 있는가 하는 질문이다. 사실 목회상담과 관련하여 바르트에 대해 오해가 많은 이유는 바르트 자신이 목회상담에 대해 거의 말하지 않았기 때문이다. 우리는 다만 바르트가 『교회교의학 *Church Dogmatics*』 Ⅳ/3에서 "영혼돌봄"(soul care), 즉 목회 돌봄 사역에 대해 짧게 언급하고

---

18 『목회돌봄과 목회상담 사전 *Dictionary of Pastoral Care and Counseling*』(1990)은 이러한 저간의 사정에 대해 다음과 같이 기술하고 있다. "에두아르트 트루나이젠은 바르트적 목회신학의 대변자로서 미국의 목회상담자들에게는 별로 알려지지 않거나 선호되지 못했다. 종종 그는 임상적 목회상담의 안티테제로 간주되곤 했다."(J. R. Burck and R. J. Hunter, "Pastoral Theology, Protestant," in *Dictionary of Pastoral Care and Counseling*, ed. Rodney J. Hunter [Nashville, TN: Abingdon, 1990], 868). 이 같은 반(反)바르트적 정서에 대해 데보라 헌싱어는 "미국 목회상담학계에 편만해 있는 반바르트적 성향이 일정 부분 트루나이젠의 책임이라는 것이 사실일까?"라는 물음을 던지는데(Deborah van Deusen Hunsinger, *Theology and Pastoral Counseling: A New Interdisciplinary Approach*, 이재훈·신현복 옮김, 『신학과 목회상담: 새로운 상호학문적 접근』[서울: 한국심리치료연구소, 2000], 142, 각주 14번), 필자는 이러한 헌싱어의 의심이 타당한 것이라 생각된다.

19 Eduard Thurneysen, *A Theology of Pastoral Care*, 박근원 옮김, 『목회학원론: 복음주의 목회의 이론과 실제』(서울: 한국신학연구소, 1975), 174.

있는 것 정도를 찾아볼 수 있다.[20] 이 짧은 언급 속에 주목할 만한 것은 바르트가 목회 돌봄의 독특성이 "하나님의 구원과 그의 나라를 증거하는 능력"에 있다고 말한 부분이다.[21] 일견 이것은 목회 돌봄의 역할이 "말씀의 선포"라고 한 트루나이젠의 말과 일맥상통한 것으로 보인다. 그러나 우리는 바르트가 말한 "하나님 나라의 증거"를 트루나이젠이 말하는 "말씀의 선포"보다 훨씬 더 포괄적인 의미로 이해할 필요가 있다. 그것을 단지 언어적인 성경말씀의 선포로만 이해할 것이 아니라 세상 속에서 교회공동체의 실존과 실천을 통해 하나님 나라를 증거(witness)하는 일로 이해할 필요가 있다. 성경에서 예수 그리스도가 하나님의 말씀이라고 할 때 그 "말씀"(logos)은 단지 성경말씀이 아니라 예수 그리스도의 인격을 포함한 그의 현존 자체를 의미한다. 교회공동체의 사명이 하나님을 증거하는 일이라는 바르트 주장은 교회가 세상 속에서 그리스도의 현존(presence)에 동참함으로써 하나님을 증거해야 한다는 의미이다. 여기에서 증거(witness)는 언어적인 말씀의 선포 뿐 아니라 인격적인 관계 속에서 사람들에게 하나님의 사랑을 나타내는 실천적 증거를 포함한다. 우리는 바르트 신학에 대한 이와 같은 좀 더 포괄적인 이해를 토마스 오든에게서 엿볼 수 있다.

2) 토마스 오든 Thomas Oden 의 유비적(analogical) 목회상담

20 Karl Barth, *Church Dogmatics*, IV/3, trans. G. W. Bromiley (Edinburgh: T&T Clark, 1961), 885-887.

21 위의 책, 887.

오든은 바르트의 유비적 계시 개념을 도입하여 목회상담의 의의를 밝히려고 시도한 최초의 목회상담학자이다. 바르트에 의하면 하나님의 자기 계시는 이 땅의 유비적 매체를 통해 이루어진다. 예컨대 하나님을 지칭하는 '주'나 '아버지'라는 말도 일종의 유비이다.[22] 그 단어들은 원래 이 세상에 있는 대상을 지칭하는 말이지만 하나님께서 그 대상과 하나님 사이의 유비를 설정하시고 그것을 통해 자신을 증거하신다. 여기서 오든은 이 같은 언어 뿐 아니라 내담자에 대한 상담자의 무조건적 수용 같은 돌봄의 행위 역시 같은 원리로 하나님을 증거하는 유비가 될 수 있다고 주장한다.[23]

이 같은 오든의 주장은 확실히 다른 목회상담학자들이 놓친 바르트 신학의 목회적 함의를 찾아낸 것으로 바르트 신학에 대한 보다 깊은 이해를 보여주는 것이라 할 수 있다. 그러나 오든의 바르트 해석은 동시에 오류를 내포하고 있다. 이러한 오류는 예컨대 그가 칼 로저스 Carl Rogers 의 무조건적인 긍정론을 내재적으로 이미 "신학적"이라 말하거나[24] 로저스의 심리학을 "기독론 없는 구원론"(a soteriology without Christology)이라 부르는 데서 드러난다.[25] 드보라 헌싱어 Deborah van Deusen Hunsinger 는 이 같은 두 범주 사이의 "혼동"을 바르트 신학을 올바로 이해한다면 마땅히 지양해야 할 오류라고 비판한다.[26]

필자는 오든의 이 같은 오류가 바르트 신학에서 가장 중요한 핵

---

22 Thomas C. Oden, *Kerygma and Counseling: Toward a Covenant Ontology for Secular Psychotherapy*, 이기춘·김성민 옮김, 『목회상담과 기독교신학: 바르트 신학과 로저스 심리학의 대화』 (서울: 다산글방, 1999), 136.

23 위의 책, 143.

24 "로저스는 이미 어떤 의미에서 신학자이며, 그의 모든 작업이 일종의 비신화화(또는 아마 비케리그마화) 신학이라고 파악하는 것이 그의 깊은 의도에서 벗어나지 않는다"(위의 책, 96).

25 위의 책, 126.

26 Deborah Hunsinger, 『신학과 목회상담: 새로운 상호학문적 접근』, 82-83.

심을 놓친 데 말미암는 것이라고 생각한다. 그가 놓친 것은 바로 하나님의 계시와 구원에 있어 유일한 매개자(mediator)인 예수 그리스도이다. 바르트 신학의 견지에서 그가 말한 "기독론 없는 구원"은 불가능하다. 오든의 생각처럼 상담자의 행위가 세상에 하나님을 증거하는 매체가 될 수 있지만 그리스도와 무관한 자리에서 그가 그렇게 할 수는 없기 때문이다. 그리스도와 무관한 곳에서 상담자가 오든의 말처럼 "구원의 매개자"가 될 수 없다.[27] 우리에게 구원의 매개자가 될 수 있는 것은 오직 예수 그리스도이다. 따라서 상담자는 내담자와의 관계 속에서 이 예수 그리스도의 실천에 동참함으로써만 하나님을 나타내고 심리적 차원의 '구원'을 이룰 수 있다. 사람들을 구원하고 그것을 통해 하나님을 증거하는 일은 오직 예수 그리스도만 하실 수 있는 일, 즉 하나님 자신만이 하실 수 있는 일이기 때문이다.[28]

3) 드보라 헌싱어 Deborah Hunsinger 의 칼케돈 해법

오든의 목회신학을 "서로 다른 두 범주 사이의 혼동"이라고 비판한 헌싱어는 신학과 심리학의 관계설정에 있어 트루나이젠의 이분법(dichotomy)과 오든의 혼동(confusion)을 동시에 지양하는 제3의 방안을 제시한다. 그것은 곧 신학과 심리학의 관계를 칼케돈 원칙

27 위의 책, 107.

28 오든은 바르트를 따라 자연주의신학을 비판하지만(Thomas Oden, 『목회상담과 기독교신학』, 147-51), 인간 안에 스스로 자신을 실현하는 잠재성이 있다고 믿는 로저스의 심리학을 "신학"이라고 부르는 그의 생각은 자연주의신학의 혐의가 있다. 바르트는 인간이 자기 안에서 하나님을 발견할 수 있다고 하는 자연주의신학에 반대하면서 인간은 오직 하나님의 자기계시를 통해서만 하나님을 알 수 있다고 주장한다(Alister E. McGrath, *Christian Theology: An Introduction* [Oxford: Blackwell Publishing, 2011], 164).

(Chalcedonian Principles)에 따라 상호구별(distinction)되면서도 동시에 불가분의 연관성(inseparability)을 지닌 관계로 설정하는 것이다.

헌싱어는 그녀의 책에서 이러한 그녀의 관계설정방식을 구체적인 한 가지 예를 통해 예시하는데 그것은 내면의 하나님상(像)에 대한 간학문적 접근(interdisciplinary approach)을 통해서이다. 먼저 그녀는 애너 마리아 리주토 Ana-Maria Rizzuto 의 대상관계심리학의 관점에서 내면의 하나님상을 설명한다. 그리고 이어서 그러한 리주토의 심리학적 관점이 어떻게 하나님의 자기 계시에 관한 바르트 신학의 관점과 양립할 수 있는지 논증한다. 심리학적 관점에 따르면 내면의 하나님상은 어린 시절 부모와의 관계를 통해 형성된 일종의 중간대상(transitional object)이다. 그러나 바르트 신학에 따르면 그와 같은 인간 내면의 창조물도 하나님이 그것을 사용하시면 이 땅에서 하나님을 증거하는 유비적 매체가 될 수 있다. "하나님은 어떤 대상을 통해서도 자신을 나타내실 수 있기" 때문이다.[29] 그런데 헌싱어에 의하면 하나님이 이렇게 어떤 대상을 통해서든 자신을 나타내실 수 있다는 것은 동시에 그렇게 하시지 않을 수도 있다는 의미이다. 어린 시절 부모와의 관계에서 형성된 내면의 하나님상(像)은 그러므로 진정한 하나님을 나타낼 수도 있고 그렇지 않을 수도 있다. 헌싱어에 의하면 그것이 진정한 하나님이냐 아니냐의 문제는 신학적으로 판단할 문제이지 심리학적으로 판단할 문제가 아니다.[30]

결론적으로 헌싱어의 주장은 목회상담에 있어 신학과 심리학의 관점은 서로 양립할 수 있다는 것이며 상담자는 내담자와의 관계에

---

29 Deborah Hunsinger, 『신학과 목회상담』, 191.

30 위의 책, 242.

있어 이 두 가지 관점(언어)을 병용하는 **이중언어사용자**(bilinguist)가 될 필요가 있다는 것이다.[31] 그런데 이 같은 헌싱어의 주장은 신학과 심리학의 **차별성**(distinction)을 강조하고 있지만 그녀가 말한 양자 간의 **불가분의 연관성**(inseparability)을 규명하는 데는 불충분한 것으로 보인다. 헌싱어는 그녀의 책 결론에서 현실 경험에서 두 범주 사이의 연결은 다만 "일시적이며 우연적"(contingent and ad hoc)인 일일 뿐이라고 말한다.[32] 이렇게 헌싱어가 두 범주 사이의 연관성을 단지 우연한 일이라 말할 때 양자의 불가분성과 더불어 또 한 가지 논리적 근거를 상실하는 것은 그녀가 말한 두 범주 사이의 **비대칭성**(asymmetry)이다. 즉 심리학에 대한 신학의 상대적 우위가 의문에 던져진다. 왜냐하면 서로 연관성이 없는 두 범주 사이의 상대적 우위를 말하기 어렵기 때문이다. 신학의 우위는 다만 신학적 관점에서만 말할 수 있을 뿐 그것과 무관한 심리학의 영역에서는 근거 없는 주장이 되고 만다. 결국 심리학적 영역에서도 기독교적 관점의 우위를 주장하기 위해서는 먼저 기독교적 관점에서 양자의 연관성이 규명되지 않으면 안 된다. 그런데 헌싱어의 방법론은 양자간에 어떤 필연적 연관성이 있음을 부정함으로 실제 그 이전의 이분법적인 접근에 비해 새로울 것이 없다는 비판에 직면할 수밖에 없다.[33]

---

31 위의 책, 32.

32 위의 책, 378.

33 보니 밀러 맥러모어는 결론적으로 헌싱어의 시도가 70년대 토마스 오든의 『케리그마와 상담 *Kerygma and Counseling*』에서 크게 더 나아가지 못한 그다지 새로울 것이 없는 시도라고 평가한다(Bonnie J. Miller-McLemore, "Review; *Theology and Pastoral Counseling, A New Interdisciplinary Approach*," *Pastoral Psychology* 46-4 [Mar 1998], 303-4).

새로운 연결점: 관계적 유비(*analogia relationis*)

이제 필자는 헌싱어가 멈춘 자리에서 다시 신학과 심리학의 연결을 모색한다. 필자는 그 길을 바르트의 기독론적 인간론(Christological anthropology)에서 찾는데 그것은 곧 오든이 간과한 기독론(Christology)을 신론과 인간론 사이의 매개항으로 재정립하는 길이다.

헌싱어는 자신의 방법론이 바르트 신학에 기초하고 있다고 하지만 심리적 영역에 나타난 하나님의 자기 계시를 단지 "우연"이라고 보는 그녀의 견해는 실상 바르트 신학을 제대로 적용한 것이라 보기 어렵다. 바르트에 의하면 세상에서 자신을 나타내시는 하나님은 자유롭지만 변덕스러운 분이 아니다.[34] 따라서 이 세상에서 자신을 나타낼 대상을 선택할 때 그의 선택도 자유롭지만 자의적(恣意的: arbitrary)이지 않다. 때문에 세상 속의 어떤 대상을 통한 하나님의 자기계시는 단지 우연일 수 없다. 바르트에 의하면 세상에서 자신을 나타낼 대상을 선택하시는 하나님의 선택은 그의 본원적인 의지적 결정에 잇닿아 있다. 여기서 하나님의 본원적 결정이란 바로 예수 그리스도를 세상에서 당신이 어떤 분이심을 나타내실 자로 미리 정하신 그의 선재적 결정을 말한다.[35] 따라서 예수 그리스도 이외의 선택된 다른 매개적

34 바르트는 하나님의 이 본원적 결정에 대해 다음과 같이 말한다. 즉 "우리가 하나님이 절대적인 선택의 자유를 가졌다고 할 때 그것을 단순한 변덕이나 맹목성과 구별할 필요가 있다. … 인간적 변덕과 달리 하나님의 선택은 곧 예수 그리스도 안에서 완수될 그의 본원적인 의지적 결정, 다시 말해 하나님의 아들을 보내심으로 이루고자 하는 그의 구원사적 목적에 기초해 있다고 말해야 한다"(Karl Barth, *Church Dogmatics* II/2, 25).

대상은 하나님의 본원적 선택인 이 예수 그리스도와 어떤 일치성(correspondence)을 갖는다. 예컨대 어떤 심리적 대상이 진정한 하나님을 증거하는 매체가 된다는 것은 그것이 예수 그리스도와 그러한 일치성을 내포하고 있다는 것이다.

여기서 우리가 그 심리적 대상과 예수 그리스도와의 일치성을 설명하기 위해 참조할 필요가 있는 것이 바르트의 **관계의 유비**(*analogia relationis*) 개념이다. 예수 그리스도가 하나님의 자기 계시라고 하는 것은 그리스도의 인간성과 하나님의 신성 사이에 차별성과 동시에 어떤 일치성이 있다는 것을 의미한다. 이 일치성을 성경은 그리스도가 "보이지 않는 하나님의 형상"이라는 말로 표현한다(골 1:15). 그리스도가 하나님 형상이라는 이 표현에 대해 역사적으로 다양한 해석이 있어 왔지만 바르트는 이것을 관계의 유비라는 개념을 통해 해석한다. 이러한 해석은 그리스도의 말씀에 기초한 것인데, 그것은 곧 아버지께서 자신을 보내신 것이 아버지께서 "나를 사랑하심 같이 저희도 사랑하신 것을 알게 하려 함"이라는 말씀(요 17:23)이다.[36] 바르트는 이러한 말씀에 기초하여 그리스도가 하나님의 형상인 것은 하나님께서 세상을 사랑하신 사랑이 그리스도가 사람들을 사랑하신 그 사랑을 통해 세상에 나타났기 때문이라고 설명한다. 다시 말해 하나님이 세상을 사랑하신 사랑이 그리스도가 이 땅에서 그의 사람들을 죽기까지 사랑하신 사랑 속에 유비적으로 표현되었다는 것이다. 이것을 그림으로 표현하면 아래와 같다.

---

35 위의 책.

36 Karl Barth, *Church Dogmatics*, Ⅲ/2, 220-21.

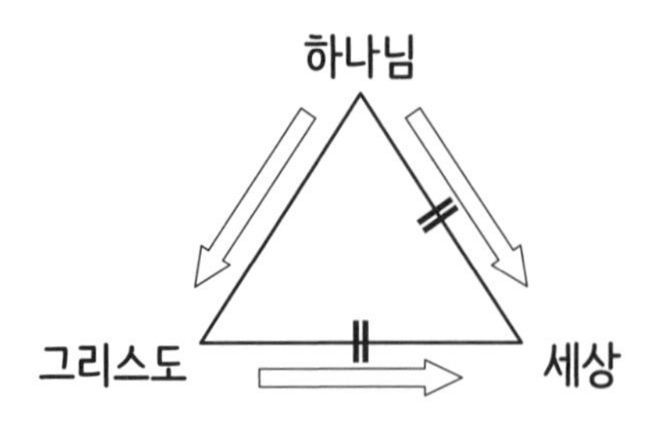

[도식 1] 삼자(三者)관계 1

바르트는 이와 같은 관계의 유비 개념을 그의 기독론에 적용할 뿐 아니라 그의 인간론(anthropology)과 교회론(ecclesiology)으로까지 확장한다. 즉 세상 속에서 이처럼 하나님의 사랑을 나타내도록 택함(election)받은 존재는 비단 그리스도만이 아니라 우리들, 곧 세상 속의 그리스도인들이기도 하다는 것이다. 바르트에 의하면 태초에 인간은 서로의 관계 속에서 바로 이와 같이 하나님의 사랑을 나타내도록 지음 받았다. 이것이 바로 바르트가 해석하는, 인간이 하나님의 형상으로 지어졌다는 말의 의미이다. 그런데 인간은 타락으로 말미암아 그러한 하나님 형상을 잃어버렸다. 다시 말해 서로간에 더 이상 하나님의 사랑을 나타내는 삶을 살기보다 미워하고 상처 주는 관계가 되어 버렸다. 그러나 이 땅에 오신 예수 그리스도로 말미암아 우리에게 다시 하나님의 원래 계획을 구현하는 길이 열렸다. 즉 이 땅에서 예수 그리스도의 실천에 동참하는 삶을 통해 다시 서로의 관계 속에 하나님의 형상을 나타낼 수 있게 되었다는 것이다. 다시 말해 서로의 관계 속에서 하나님을 증거하는 삶의 길이 열렸다. 교회는 바로 이러한 새로운 삶을 구현하도록 부르심 받은 공동체이다. 이것을 다시 그림으로 표현하면 아래와 같다.

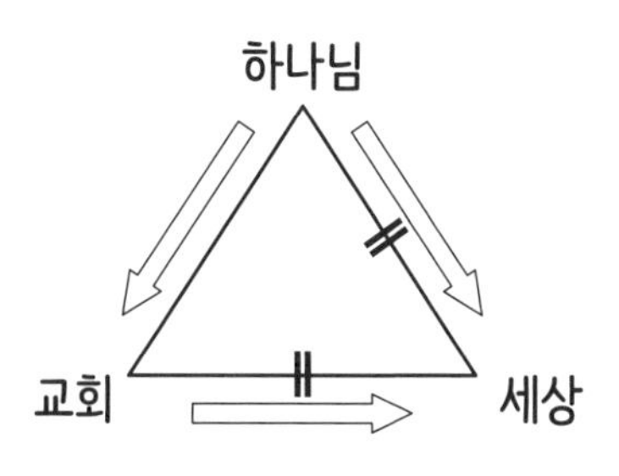

[도식 2] 삼자(三者)관계 2

그러면 이와 같은 바르트의 교회론은 목회상담에 관한 이 책의 논의와 어떻게 연결되는가? 우리가 먼저 기억해야 할 것은 목회상담이 교회의 사역이라는 사실이다.[37] 다시 말해 목회상담은 이 땅에서 그리스도의 실천에 참여하며 하나님을 증거하도록 부르심 받은 사람들, 즉 교회공동체(*ecclesia*)의 사역이다. 위의 바르트의 논의에 따를 때 교회공동체가 이처럼 세상 가운데 하나님을 증거하는 길은 그리스도가 세상에서 사람들을 사랑하신 그 사랑으로 그의 교회도 세상 사람들을 사랑하는 길이다. 바르트의 기독론적 인간론에 따를 때 이 같은 사랑의 실천은 또한 하나님께서 창세 시에 우리 인간에게 뜻하신 본원적 인간성을 회복하는 길이기도 하다. 목회상담이 교회의 사명이라는 것은 그것이 바로 이 세상을 향한 하나님의 사랑에 동참하는 일이라는 것이며 그 가운데 하나님의 형상, 즉 본원적 인간성을 성

37 이관직, "목회상담의 정체성," 『목회상담 이론 입문』, 25.

취하는 길이라는 것을 의미한다. 여기서 하나님의 형상을 회복한다는 것은 무엇보다 하나님의 사랑을 인간상호관계 속에서 구현하는 것을 의미한다. 상담자는 내담자와의 관계 속에 함께하시는 하나님을 바라보고 내담자를 향한 그 하나님의 사랑을 실천적으로 증거한다. 이 때 내담자는 상담자를 통해 사랑의 하나님을 만나게 되며 그 하나님의 사랑을 받아들이고 내면화하는 가운데 치유와 성숙을 이루게 된다. 이 과정에서 상담자 또한 내담자를 향한 하나님의 마음을 자기 안에 품으면서 자신을 향한 하나님의 사랑도 알게 되고 그리스도와 더욱 친밀한 관계를 이루게 된다. 이러한 과정을 통해 두 사람이 함께 그리스도의 형상을 이루어가는 것이다. 이것을 다시 그림으로 표현하면 아래와 같다.

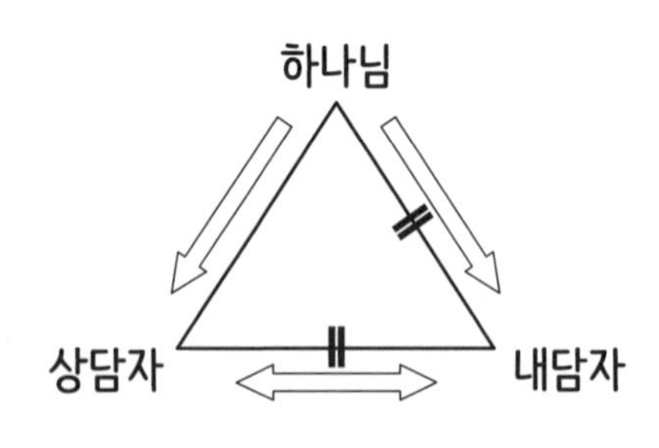

[도식 3] 삼자(三者)관계 3

하나님의 사랑이 상담자와 내담자의 관계 속에 나타난다는 것은 실제로 하나님의 사랑이 두 사람 사이에 심리적으로 경험된다는 의미일 수밖에 없다. 그리고 이것은 또한 사랑의 하나님이 두 사람의 관계 속에서 일어나는 감정이나 생각, 심리적 이미지 등을 통해 자신을 계시하신다는 의미이다. 헌싱어가 바르트의 "제2의 대상"(second objectivity)개념을 빌어와 올바르게 설명하고 있는 것처럼 내면의 하나님 상(像)과 같은 심리적 대상을 통해서도 하나님은 이처럼 자신을 나타내실 수 있다.[38] 그러나 이처럼 하나님이 인간의 심리적 대상을 통해 자신을 나타내시는 일은 헌싱어의 말처럼 단지 "우연한"(coincident) 일이 아니다.[39] 그것은 위에서 설명한 유비의 원리로 말미암은 것이다. 다시 말해 상담자의 실천이 그들 가운데 계신 그리스도의 실천과 일치함으로 말미암아 그들 마음에 하나님이 알려지게 되는 것이다. 이와 같은 실천적인 하나님 이해는 성경을 통한 하나님 이해와 연결됨으로 보다 온전한 하나님 이해로 깊어질 수 있다. 목회상담은 단지 내담자를 돕는 과정일 뿐 아니라 이와 같은 실천을 통해 하나님을 더 깊이 알아가는 '신학적 과정'이라고 할 수 있다.

그리스도를 아는 길, 온전함에 이르는 길

바르트에 의하면 우리가 하나님을 알 수 있는 것은 하나님이 우리에게 자신을 알게 하시기 때문이다.[40] 그러면 하나님은 어떻게 우리

38 헌싱어는 바르트의 말을 인용하여 "하나님의 자기계시는 직접적인 것이 아니라 간접적인 것이며 하나님은 자기자신이 아닌 다른 어떤 기호나 사물, 대상 등을 통해서 자신을 계시하신다"는 점을 강조한다. 그리고 이러한 원리에 근거하여 심리내적 하나님 상(像) 역시 하나님께서 자신을 나타내시는 유비적 매체가 될 수 있다고 주장한다(Karl Barth, *Church Dogmatics*, Ⅱ/1, 16; Deborah Hunsinger, 『신학과 목회상담』, 200).

39 Deborah Hunsinger, 『신학과 목회상담』, 378.

40 Karl Barth, *Church Dogmatics*, Ⅱ/1, 63.

에게 이렇게 자신을 알게 하시는가? 우리는 하나님이 우리에게 자신을 알게 하시는 통로를 크게 두 가지로 나누어 볼 수 있는데, 그 하나는 성경이며 다른 하나는 우리가 현재의 삶 속에서 그리스도와 함께하는 경험이다.[41] 우리가 하나님을 알아가는 것은 이 중 어느 한 가지만을 통해서라기보다 이 두 가지 통로로 주어진 계시를 서로 연결하는 **영적 식별**(spiritual discernment)의 과정을 통해서라고 할 수 있다. 바로 이와 같은 식별의 과정을 통해 하나님을 더 온전히 알아가는 길에 대해 설명하고 있는 것이 앞에서 소개한 레이 앤더슨의 실천신학방법론이다.

앤더슨의 실천신학방법을 목회상담에 적용할 때 그것은 내담자와의 관계 속에서 상담자가 만난 그리스도를 성경에 계시된 그리스도에 비춰보면서 그리스도를 더욱 깊이 알아가는 과정이 된다. 이러한 과정을 우리가 **임상적 경험신학**이라고 부른다면 필자는 이러한 신학적 실천 과정이 내담자와의 대화를 통해 내담자를 이해하고 돕는 목회적 실천과 따로 분리될 수 없다고 생각한다. 하나님은 우리가 내담자와의 관계 속에서 그리스도의 마음과 행위에 동참하는 과정을 통해 우리에게 자신을 알게 하시기 때문이다. 이와 같은 하나님 이해는 머리보다는 가슴으로 이루어지는 하나님 이해라고 할 수 있다. 즉 내담자와의 관계 속에서 일어나는 감정이나 심상(心象)을 통해 우리

---

41 위르겐 몰트만(Jűrgen Moltmann)은 하나님의 계시와 인간의 경험이 상호배치되는 것이 아님을 강조한다(Jűrgen Moltmann, *Geist des Lebens*, 김균진 옮김, 『생명의영』[서울: 대한기독교서회, 1992], 19). 다시 말해 인간 경험이 하나님 자기계시의 통로가 될 수 있다고 말한다. 몰트만은 바르트와 자신의 견해를 비교하며 바르트가 "하나님의 계시와 인간 경험을 상호배타적인 것으로 파악"했다고 말하지만(위의 책, 21), 이것은 바르트를 잘못 이해한 것이다. 실상 바르트는 우리가 하나님을 안다는 것은 하나님을 경험할 수 있다는 의미라고 함으로 경험이 하나님을 아는 통로임을 긍정했다(Karl Barth, *Church Dogmatics*, Ⅰ/1, 198). 다만 바르트의 주장은 우리가 하나님을 직접적으로가 아니라 간접적으로 경험하고 알 수 있다는 의미로 이해할 수 있다. 바르트는 하나님이 자신을 계시하시는 것이 직접적으로가 아니라 하나님과 다른 제2의 대상의 매개를 통해서라고 말한다(Karl Barth, *Church Dogmatics*, Ⅱ/1, 16).

에게 주어지는 하나님 이해이다. 필자는 이와 같이 가슴과 행함을 통한 하나님 이해가 머리를 통한 하나님 이해와 연결될 때 우리가 보다 온전한 하나님 이해에 이를 수 있다고 믿는다. 이런 의미에서 임상적 경험신학은 보다 온전한 하나님 이해의 과정이라고 할 수 있다. 이것은 인격체이신 하나님을 머리로만 아니라 마음으로 알고 또한 실천을 통해 알아가는 전인적인 앎의 과정이면서 동시에 성숙의 과정이기 때문이다. 이것은 바로 에베소서의 말씀대로 우리가 "**함께 지식에 넘치는 그리스도의 사랑을 알고 그 너비와 길이와 높이와 깊이가 어떠함을 깨달아**"(엡 3:18-19) 가는 과정이며 또한 이렇게 "**하나님의 아들을 믿는 것과 아는 일에 하나가 되어 온전한 사람을 이루어 그리스도의 장성한 분량에 이르는**"(엡 4:18-19) 과정이라고 할 수 있다.

위의 에베소서 말씀처럼 이 과정은 상담자 혼자가 아니라 내담자와 함께 그리스도를 알아가는 과정이며 이 앎의 과정은 또한 두 사람의 치유와 성숙과도 분리되지 않는다. 그들이 그리스도를 더 깊이 알아가는 길이야말로 그들이 진정한 온전한 삶에 이르는 길이기 때문이다. 우리가 목회상담의 목적이 내담자의 심리적 문제 해결이나 정신건강 증진에 있다고 생각할 때 다시 한 번 생각해 보아야 할 것은 무엇이 진정한 정신건강이며 무엇이 진정 온전한 삶인가 하는 점이다. 존 스윈튼John Swinton은 이러한 물음에 대해 진정한 정신건강이란 단순히 심리적 문제가 없는 것이 아니라 "그러한 문제에도 불구하고 인간으로서 인간답게 살아가는 힘, 하나님과 함께 살아가는 힘, 하나님의 형상을 이루어가는 힘"이라 정의한다.[42] 이러한 힘을 길러주시

---

[42] John Swinton, *From Bedlam to Shalom: Towards a Practical Theology Towards a Practical Theology of Human Nature, Interpersonal Relationships, and Mental Health Care* (New York, NY: Peter Lang, 2000), 72.

기 위해 하나님은 때로 우리에게 문제를 허용하신다. 그렇다면 우리의 목적은 단지 문제를 없이하는 것이 아니라 그것을 이기고 인간답게 살아갈 힘을 함께 길러가는 것이어야 한다. 필자는 우리가 함께하는 것이 바로 그러한 힘을 기르는 길이라고 믿는다. 우리가 함께하는 것이 우리가 가진 문제에도 불구하고 우리가 하나님의 형상을 이루고 온전함을 이루어가는 길임을 믿는다. 진정으로 온전한 인간성은 혼자서 이룰 수 있는 것이 아니다. 진정으로 온전한 인간성을 이루는 길은 함께 그리스도를 알아가고 그리스도를 닮아가는 길이다.

목회상담과 내면의 하나님상(像)

기독교적 관점에서 본 내면의 하나님상

심리학의 패러다임 전환

"이 그림에서 당신은 무엇이 보입니까?"라고 물으면 어떤 이들은 오리라고 대답하고 또 다른 이들은 토끼라고 대답할 것이다. 이러한 차이는 그림을 보는 관점에 따라 그 대상이 다르게 보일 수 있다는 사실을 말해준다. 미국의 과학철학자 토마스 쿤Thomas S. Kuhn은 이 같이 사람들이 자신의 경험을 해석하는 관점이나 방식이 변화하는 현상을 "패러다임의 전환"(paradigm shift)라고 지칭하면서, 역사적으로 과학의 변혁은 이와 같은 패러다임의 전환으로 말미암은 사건이었다고 설명한다.[1]

우리는 이와 비슷한 패러다임의 전환을 비록 쿤이 예로 든 우주과학의 경우만큼 극적인 것은 아니지만 심리학에서도 역시 찾아 볼

1 Thomas S. Kuhn, *The Structure of Scientific Revolutions*, 조형 옮김, 『과학 혁명의 구조』(서울: 이화여자대학교출판부, 1980).

수 있다. 그것은 인간의 심리적 결핍이 근원적으로 어디로부터 말미암았느냐는 질문에 대해 이른바 대상관계이론(object relations theory)이 제시한 새로운 관점에 의해서였다. 자신의 이론을 "대상관계이론"이라고 처음 지칭했던 로널드 페어베언 W. Ronald D. Fairbairn 은 손가락을 빠는 어린아이의 행동을 해석하면서 프로이트와 의미 있는 시각차를 보여주었다. 프로이트가 이 아이의 행동을 구강기적 성욕의 발현이라는 견지에서 바라봤다면 페어베언은 이와 달리 이 아이의 행동의 근원에 엄마의 젖가슴에 대한 그리움이 있다고 보았다.[2] 일견 작아 보일 수 있는 이러한 차이는 실상 매우 의미 있는 관점의 전환을 시사하는 것이다. 그것은 곧 인간의 심리적 결핍이나 고통이 근원적으로 성욕의 좌절이라기보다 중요한 관계의 상실로 말미암는다는 관점으로의 변화이다. 프로이트의 성욕원인설의 근저에 인간을 다른 동물과 같이 본능적 존재로 보는 진화론적 세계관이 있었다면,[3] 페어베언의 이러한 새로운 시각의 배후에는 인간의 기원을 실락원(失樂園)

2 W. R. D. Fairbairn, *Psychoanalytic Studies of the Personality* (New York, NY: Routledge, 2001), 33-34.

의 사건으로 보는 기독교적 세계관이 있었다. 마리 호프만과 로웰 호프만 Marie T. Hoffman and Lowell W. Hoffman 은 인간의 근원적 욕구가 성적인 것이 아니라 관계적인 것이라고 하는 페어베언의 시각이 그의 기독교신앙에 뿌리를 둔 것이라고 주장한다.[4] 그리고 그 근거로 다음과 같은 페어베언의 진술을 인용한다.

> 프로이트는 기독교신앙을 성숙한 성인의 태도와는 거리가 먼 것으로 보았다. … 그러나 기독교적 관점에서 봤을 때 인간에게 필요한 것이 하나님과 멀어진 관계의 회복, 두려움을 내쫓는 완전한 사랑인 것과 마찬가지로 심리치료의 관점에서 (내가 볼 때) 환자가 필요로 하는 것 역시 죄로부터의 구원과 매우 유사한 상태, 마귀로부터의 자유와 유사한 상태이다.[5]

요컨대 호프만 부부의 주장은 페어베언의 대상관계이론이 인간의 고통이 하나님과의 관계상실로 비롯되었다는 기독교적 세계관에 바탕을 두고 있다는 것이다. 이런 기독교적 세계관이 비단 페어베언뿐 아니라 도널드 위니컷 Donald Winnicott 이나 해리 건트립 Harry Guntrip 같

---

3 진화론이 프로이트에게 끼친 영향에 대해서는 많은 연구들이 지적하고 있다. 일례로 Lucille B. Ritvo, *Darwin's Influence on Freud: A Tale of Two Sciences* (Yale University Press, 1990). 한편 서구이성중심주의 전통과 프로이트의 연관성에 대해서도 많은 논의가 있어 왔는데 그 중에서 특별히 플라톤의 영혼삼분설과 프로이트의 성격구조론 사이의 유사성에 대한 논의는 Richard Askay and Jensen Farquhar, *Apprehending the Inaccessible: Freudian Psychoanalysis and Existential Phenomenology* (Evanston, IL: Northwestern University Press, 2006), 59-71를 참조하라.

4 Marie T. Hoffman and Lowell W. Hoffman, "Religion in the life and work of W. R. D. Fairbairn," in *Fairbairn and the Object Relations Tradition*, eds. Graham S. Clarke and David E. Scharff (London: Karnac Books Ltd, 2014), 69.

5 W. R. D. Fairbairn, "Psychotherapy and the Clergy" in *From Instinct to Self: Applications and early contributions*, eds. David E. Scharff and Ellinor Fairbairn Birtles (New York: J. Aronson, 1994), 394; Marie T. Hoffman and Lowell W. Hoffman, "Religion in the life and work of W. R. D. Fairbairn," 76에서 재인용.

은 주요 대상관계심리학자들의 사상적 배경이기도 했다는 점을 감안할 때,[6] 대상관계이론은 겉으로 보이는 것보다 고전 프로이트 심리학과 훨씬 더 많이 다른 이론이라고 할 수 있다. 이 새로운 심리학은 이제껏 원인으로 보았던 것을 결과로 보기 시작했기 때문이다. 대상관계이론을 계승한 하인즈 코헛 Heinz Kohut 은 프로이트가 가장 근원적이라 보았던 성욕의 전개(sexual exhibition)를 건강한 자기대상관계의 실패로 말미암은 일종의 보상행위로 설명했다.[7] 같은 맥락에서 중독과 같은 심리적 문제들 역시 건강한 관계 형성의 실패로 인한 결과로 간주됐다.[8] 본 장에서 우리는 이 같은 관점의 전환이 목회상담에 던져주는 함의가 무엇인지 생각해 볼 것이다. 우리는 특별히 인간 내면의 하나님상(the internal image of God)에 대한 기존의 심리학적 해석을 이 같이 다른 관점에서 재조명해 보려 한다. 우리가 대상관계이론과 자기심리학의 달라진 관점을 끝까지 밀고 가서 인간의 가장 근본적인 문제가 단지 부모와의 관계가 아니라 인간의 진정한 부모인 하나님과의 관계 상실로 말미암은 것이라 가정한다면 이런 관점에서 내면의 하나님상은 어떻게 다르게 이해될 수 있을까? 이러한 질문에 답하기 위해 우리는 먼저 하나님상에 대한 기존의 심리학적 논의들을 간략히 개관할 필요가 있을 것이다.

---

6 도널드 위니컷은 독실한 감리교도의 가정에서 성장했고, 해리 건트립은 그 자신이 감리교 목사로서 심리치료자가 되기 전에 18년간 목회를 했다(Theresa Tisdale, "Ecumenical spirituality, Catholic theology and object relations theory," in *Christianity & Psychoanalysis: A New Conversation*, eds. Earl D. Bland and Brad [Downers Grove, IL: InterVarsity Press, 2014], 82-84). 한편 미국 자기심리학의 창시자 하인즈 코헛(Heinz Kohut)은 유대인출신으로 기독교에 우호적인 시각을 가진 사람이었고, 인간중심상담의 칼 로저스(Carl Rogers)는 독실한 오순절 신앙인이었던 어머니의 아들로 자라나 한 때 신학을 공부한 경력이 있는 상담가였다.

7 Heinz Kohut, *The Restoration of the Self*, 이재훈 옮김, 『자기의 회복』(서울: 한국심리치료연구소, 2006), 171-172.

8 Allen M. Siegel, *Heinz Kohut and the Psychology of the Self*, 권명수 옮김, 『하인즈 코헛과 자기심리학』(서울: 한국심리치료연구소, 2002), 118.

심리학자들이 본 내면의 하나님상(像)

프로이트 Sigmund Freud 는 "하나님이 자신의 형상대로 인간을 만드셨다"는 기독교 명제를 뒤집어 "인간이 자신의 형상대로 하나님을 만들었다"고 주장했다.[9] 이것은 곧 하나님이란 인간이 자신의 이상적 자기대상을 투영하여 만들어낸 허상(illusion)일 뿐이라는 생각이다. 기본적으로 이와 동일한 견지에서 사람들 내면의 하나님상(像)을 바라보고 그것의 형성과정을 설명하고 있는 것이 애너마리아 리주토 Anna-Maria Rizzuto 의 『살아 있는 신의 탄생 *The Birth of the Living God*』(1979)이다. 리주토에 의하면 사람들 내면의 하나님은 주로 어린 시절 부모와의 관계를 통해 아이의 마음 속에 처음 형성된다.[10] 그것은 실제 그 아이의 부모를 닮아 있기도 하지만 많은 경우 실제 부모와 다른, 그 아이의 환상(幻想)이나 두려움을 표상하기도 한다. 그렇지만 어느 경우나 그것은 실제 부모와의 경험을 통해 형성되었고 그 경험을 반영하는 내적 대상이라고 할 수 있다. 리주토는 위니컷의 개념을 빌어 이러한 내면의 하나님상을 일종의 중간대상(transitional object)이라고 이해했다.[11] 이는 그것이 어린 아이의 곰인형이나 담요와 같이 아이가 부모를 대신하는 대상으로 삼으면서 아이의 내면 속에서 생명력을 얻게 된 대상이라는 것이다. 그러나 이 내면의 하나님상이 곰

---

9 Sigmund Freud, *The Psychology of Everyday Life* (Mineola, NY: Dover Publications, 2003), 19.

10 Ana-Maria Rizzuto, *The Birth of the Living God*, 이재훈 외 옮김, 『살아있는 신의 탄생』(서울: 한국심리치료연구소, 2000), 87.

11 Ana-Maria Rizzuto, 『살아있는 신의 탄생』, 329.

인형과 다른 점은 곰인형은 일정 시기가 지나면 그 생명력을 잃어버리지만 이것은 그것과 달리 그 사람의 마음 속에 일생 동안 살아 있으면서 중요한 순간마다 그의 생각과 감정에 작용하는 "특별한 중간대상"이라는 점이다.[12]

이와 같은 리주토의 주장은 기독교신앙을 가진 심리학자들 사이에 많은 논란을 일으켰다. 예컨대 스탠리 리비 Stanley Leavy 같은 심리학자는 "우리의 신앙이 퇴행적인 환상이나 심리적 페티시즘(fetishism)과 동일시되어서는 안 된다"고 반박했다.[13] 이것은 기독교신앙을 위니컷의 중간현상(transitional phenomena)과 같은 심리적 현상으로 보는 것이 심리학적 환원주의라는 비판이었다.[14] 한편 윌리엄 마이쓰너 William Meissner 는 이에 비해 훨씬 리주토의 이론에 긍정적인 입장을 나타냈다. 마이쓰너에 의하면 교회의 신앙고백이나 교리가 사람들 신앙의 객관적 측면을 형성한다면 내면의 하나님상은 그들의 신앙의 주관적 측면을 보여준다.[15] 마이쓰너는 사람들이 어떤 정서적, 감각적 매개 없이 보이지 않는 하나님을 믿는 것은 어려운 일이며 이런 의미에서 내면의 하나님상은 영적 실체에 접근하는 데 장애물이 아니라 오히려 통로가 될 수 있다고 보았다.[16] 그런데 사실 리비의 비판을 온전히 넘어서기 위해서 마이쓰너는 이러한 인간 마음의 창조물이 어떻게 그렇게 진정한 하나님을 아는 통로가 될 수 있는지 좀 더 구체적

12 위의 책, 329.

13 Stanley A. Leavy, "A Pascalian Meditation on Psychoanlysis and Religious Experience," *Cross Currents* (Summer 1986), 154.

14 Ibid.

15 William W. Meissner, "The Role of Transitional Conceptualization in Religious Thought," in *Psychoanalysis and Religion*, ed. Joseph H. Smith (Baltimore, MD: The John Hopkins University Press, 1990), 112.

16 위의 글, 106.

으로 설명했어야 했다. 그러나 우리는 적어도 1980년대 당시 마이쓰너의 리비와의 논쟁에서는 이에 대한 충분한 대답을 찾을 수 없다.

마이쓰너는 그러나 그가 충분히 대답하지 못한 이 문제에 대한 고민을 2000년대에 이르기까지 이어왔던 것으로 보인다. "병에 구름을 담기: 신비적 경험에 대한 심리학적 고찰"(2005)이란 글에서 그는 과거 리비가 자신에게 던졌던 질문과 본질적으로 같은 질문을 자신에게 던진다.[17] 여기서 그는 하나님을 만나는 것 같은 신비적 경험이 인간의 심리내적 사건이라면 거기에는 심리학으로 설명할 수 있는 부분이 분명히 있다고 주장한다.[18] 그러나 이것은 그 같은 신비적 경험이 전부 심리학으로 설명될 수 있다는 의미는 아니다.[19] 마이쓰너에 따르면 그것이 어려운 이유는 하나님과 우리의 만남이 우리의 행위가 아니라 하나님의 행위에 의한 일이기 때문이다. 마이쓰너는 이러한 하나님의 개입이 어떤 것인지 이 글에서도 더 이상 구체적으로 설명하려 하지 않는다. 그는 그렇게 하는 것이 심리학의 범위를 넘어서는 일이라 생각했기 때문이었다.

한편 마이쓰너가 이렇게 심리학의 범위를 넘어서는 일이라 주저했던 논의를 과감하게 심리학의 이름으로 시도한 사람이 있었으니, 그는 유대인 심리학자인 모세 스페로 Moshe H. Spero 였다. 스페로는 흥미롭게도 내면의 하나님상을 서로 다른 두 종류로 구분했다. 하나는 소

---

17 William W. Meissner, "On Putting a Cloud in a Bottle: Psychoanalytic Perspectives on Mysticism," *Psychoanalytic Quarterly* 74-2 (2005): 528.

18 구체적인 예로 마이쓰너는 이냐시오 로욜라(Ignatius Loyola)의 하나님 체험이 어떻게 그의 어린 시절 부모와의 관계 경험과 연관되어 있는지 심리학적으로 분석한다(William W. Meissner, *Ignatius of Loyola: the psychology of a saint* [London: Yale University Press, 1992]). 그러나 마이쓰너가 강조하는 바는 이냐시오의 신비적 체험이 그렇다고 그의 부모와의 관계 경험으로 전부 설명될 수 없다는 것이다. 그러한 체험은 하나님의 개입으로 말미암은 것이기 때문이다.

19 William W. Meissner, "On Putting a Cloud in a Bottle," 533.

문자 하나님 표상(god-representation)이고 다른 하나는 대문자 하나님 표상(God-representation)이다. 전자는 우리가 일반적으로 말하는 하나님상, 즉 과거의 중요한 인간관계경험을 통해 형성된 심리적 하나님상을 말하고 후자는 하나님이 직접적으로 인간 내면에 자신을 투사하여 생성된 특별한 하나님상을 말한다. 스페로에 의하면 전자의 하나님상은 인간경험의 한계로 말미암아 결국 왜곡된 하나님상일 수밖에 없는 반면 후자의 하나님상이야말로 진정한 하나님상이라 할 수 있다. 때문에 심리치료의 관건은 내담자 안에 있는 전자의 인간적 하나님상이 소거되고 후자의 하나님상이 더욱 선명해지는 데 있다.[20]

리주토와 같은 심리학자들은 스페로의 이러한 독특한 견해에 대해 부정적으로 반응했다. 리주토가 볼 때 스페로의 "심리학"은 심리학이라 보기 어려운 것이다.[21] 그 이유는 첫째 증명할 수 없는 신의 실재(實在)를 전제하기 때문이었고, 둘째 하나님이 아무런 심리적 매개 없이 직접적으로 인간 내면에 자신을 투사한다는 스페로의 주장이 그녀가 보기에는 매우 비과학적으로 보였기 때문이었다. 또 한 가지 리주토가 스페로의 이론을 거부한 이유는 내면의 하나님상이 개인의 심리발달과 무관하게 형성될 수 있다는 스페로의 주장이 설득력 없다고 판단했기 때문이었다. 하나님에 대한 인식이 개인의 경험이나 환경, 문화 등과 무관하게 형성된다는 가정은 경험적으로 보더라도 타당성이 없다는 것이 리주토의 생각이었다.[22]

20 Moshe H. Spero, *Religious Objects as Psychological Structures: A Critical Integration of Object Relations Theory, Psychotherapy, and Judaism* (Chicago, IL: The University of Chicago Press, 1992), 146.

21 Ana-Maria Rizzuto, "Psychoanalytic Treatment and the Religious Person," in *Religion and the Clinical Practice of Psychology*, ed. Edward P. Shafranske (Washington DC: American Psychological Association, 1996), 418.

22 위의 글.

마이쓰너는 이러한 리주토의 비판에 대체로 동조적이었다. 하나님의 직접적 개입을 말하기 시작할 때 그 논의는 이미 심리학의 범주를 넘어선다는 것이 그의 일관된 입장이었다. 그러나 마이쓰너는 이처럼 기존입장을 반복하면서도 동시에 자신의 입장에 대해 유보적인 태도를 보이기도 한다. 스페로에 대한 비평 마지막에 "내면의 하나님이라는 것이 하나님의 실재를 믿기 때문에 생겨난 것이라면 과연 우리가 어디까지 신앙과 심리의 구분을 고수할 수 있을까?"라고 자문(自問)하는 것이 그것이다.[23] 이러한 마이쓰너의 자문은 신앙인이자 심리학자로서 그가 처한 딜레마를 드러내는 것이라 할 수 있다.

필자는 그런데 우리 목회상담학자들은 이러한 마이쓰너의 딜레마로부터 상대적으로 자유롭다고 생각한다. 왜냐면 목회상담은 이미 그 출발점에서부터 하나님의 실재와 우리 삶에의 개입을 전제하기 때문이다. 그러나 이것이 인간의 심리작용과 무관하게 하나님이 직접적으로 자신을 인간내면에 투사하신다는 스페로의 주장을 우리가 그대로 받아들여야 한다는 의미는 아니다. 인간의 심리와 하나님의 심리내적 개입 사이의 연관성은 여전히 미제(謎題)로 남아 있다. 이 미제를 푸는 것이 바로 이 책의 과제이기도 한데 먼저 우리는 지금까지 목회상담학자들이 위와 같은 심리학자들의 견해를 어떻게 자신들의 논의에 수용해 왔는지 살펴볼 필요가 있다.

23 William W. Meissner, "The God Question in Psychoanalysis," *Psychoanalytic Psychology* 26-2 (2009), 226.

목회상담이 안은 포이에르바흐의 도전

목회상담학자들은 그러면 내면의 하나님상에 대한 위의 심리학적 논의들을 어떻게 받아들였는가? 이 물음에 대한 답으로 우리가 살펴볼 수 있는 예가 내면의 우상(偶像)에 관한 목회상담학자 머얼 조단 Merle R. Jordan 의 논의와 이러한 조단의 논의를 자신의 목회상담방법론에 적용한 권수영의 시도이다.

조단은 목회상담의 과제가 한 마디로 내면의 우상을 무너뜨리는 일이라고 보았다.[24] 즉 내담자의 마음 속에서 하나님의 자리를 차지하면서 그의 삶을 지배하는 거짓 신을 마음 가운데서 몰아내도록 돕는 것이 목회상담자의 소임이라는 것이다. 조단이 말하는 거짓 신은 어린 시절 역기능적인 부모와의 관계를 통해 형성된 왜곡된 내적 권위를 뜻하는데, 우상숭배란 이 내적 권위의 목소리에 굴복하는 내담자의 삶의 방식을 지칭한다. 조단은 이 같이 부정적인 과거의 경험으로 말미암아 내담자 안에 형성된 역기능적인 하나님상(像)을 인간 내면에서 작용하는 신학이란 의미로 "작용적 신학"(operational theology)이라 불렀다. 그가 생각하는 목회상담자의 역할은 바로 이러한 내면의 왜곡된 "신학"을 올바른 신앙에 기초하여 바로잡는 일이었다.[25]

조단의 "작용적 신학"(operational theology)이란 용어는 힐트너(Seward Hiltner)의 "작용중심신학"(operation-centered theology)이

---

24 Merle Jordan, *Taking on the Gods: the Task of the Pastoral Counselor*, 권수영 옮김, 『신(神)들과 씨름하다』(서울: 학지사, 2011), 20.

25 위의 책, 23.

란 용어를 연상시킨다. 그러나 두 용어의 의미는 실제로 서로 다른데, 전자가 내면화된 왜곡된 신학을 의미한다면 후자는 하나님을 알아가기 위한 한 방법으로서 경험을 통한 신학을 지칭하는 말이기 때문이다. 그러나 권수영은 머리가 아닌 가슴의 신학이란 의미에서 양자의 공통점을 발견하고 힐트너와 조단의 방법론을 자신의 목회신학방법론에서 서로 연결시키고자 한다. 이러한 권수영의 목회신학방법론은 요컨대 신학과 심리학 사이의 "방법론적 긴장을 가지고 인간의 심리 가운데 작용하는 하나님을 탐험하면서, 내담자와 상담자 가운데 일하시는 하나님의 변화의 사역에 동참하는"[26] 방안이다. 권수영은 이러한 접근이 신학과 심리학을 "양쪽에서 똑 같은 거리와 무게를 두고 함께 사용하는"[27] 방법임을 강조하는데, 이것은 그의 방법론이 힐트너의 "양방통행론"에 기초한 것임을 시사한다.[28] 즉 임상현장에서 신학적 성찰이 실천과 신학 사이의 양방향대화가 되어야 한다는 힐트너의 주장을 그대로 따른 것이다.[29] 한편 이러한 권수영의 목회상담은 "내담자의 작용적 신을 드러내고 내담자와 상담사가 함께 경험하는 참 하나님 앞에 무력화시키는" 조단(Jordan)의 방법론을 동시에 취하고 있는데,[30] 이로써 우리는 권수영의 접근방식이 힐트너와 조단의 접근방식을 임상현장에서 한 데 아우르려는 시도임을 알 수 있다.

그러나 우리는 이러한 권수영의 논의에서 한 가지 아쉬운 점을 발견한다. 그것은 곧 그가 말하는 바 임상현장에서 "내담자와 상담사

---

26 권수영, 『기독[목회]상담 어떻게 다른가요』(서울: 학지사, 2007), 45.

27 위의 책, 44.

28 씨워드 힐트너의 목회신학에 대한 권수영의 이해는 권수영, "기독[목회]상담사의 신학적 성찰: 임상현장에서의 상관관계적 방법," 『신학과 실천』 32 (2012), 376-77을 참조하라.

29 Seward Hiltner, 『목회신학원론』(서울: 대한기독교서회, 1991), 22.

30 권수영, 『기독[목회]상담, 어떻게 다른가요?』, 41-42.

가 함께 경험하는 참 하나님"에 대해 어떤 분명한 신학적/심리학적 근거도 제시하고 있지 않다는 점이다. 임상현장에서 그의 말처럼 "머리가 아니라 가슴으로" 경험되는 하나님이 내담자의 "작용적 신"과 같은 또 하나의 거짓 신이 아니라 성경이 말하는 참 하나님이라는 것을 우리가 어떻게 알 수 있는가? 단지 "신앙고백적 신학"을 기준으로 임상현장에서 만난 "작용적 신"을 판단한다면 어떻게 이것이 "양방향 대화"가 될 수 있는가?

필자는 이 같은 문제는 비단 권수영만 아니라 그가 기대고 있는 브라우닝이나 힐트너의 문제이며 더 나아가 그들의 스승이었던 보이슨Anton Boisen 역시 해결하지 못한 문제라 생각한다. 여기서 보이슨이 답하지 못한 문제란 그가 제안한 경험신학(empirical theology)이 해결하지 못한 문제라는 의미로 그것은 곧 **인간 상호간의 경험이 어떻게 하나님을 아는 통로가 될 수 있는가** 라는 문제이다. 인간의 경험에 근거한 신학은 루드비히 포이에르바흐Ludwig Feuerbach의 지적처럼 실상 '신학'이 아니라 인간 자신을 하나님에게 투사한 또 하나의 인간학이 아닌가? 우리가 이러한 도전을 바르트를 따라 포이에르바흐의 도전이라고 부른다면,[31] 이 포이에르바흐의 도전은 사실상 당대 독일의 자유주의신학만 아니라 현대 미국과 한국의 목회신학이 부딪힌 문제이기도 하다. 더욱이 이 문제는 현대목회신학이 그냥 무시하고 지나가도 좋은, 그런 주변적인 문제가 아니다. 이 문제는 사실 현대목회신학의 근간(根幹)을 흔들 수 있는 중요한 문제이다. 인간 경험을 통해 참 하나님을 아는 것이 불가능하다면 보이슨의 경험신학뿐 아니라

31 Karl Barth, "Ludwig Feurbach," in *Theology and Church: Shorter Writings 1920-1928*, trans. Louise Smith (New York: Harper & Row, 1962), 231.

루드비히 포이에르바흐 Ludwig Feuerbach

힐트너의 "작용중심신학"도, 브라우닝의 "개정 상관관계적 방법"도, 권수영의 "양쪽에서 똑 같은 거리와 무게를 두는 방법"도 모두 타당성을 잃고 만다. 그것들은 모두 인간 자신의 경험을 성경의 계시와 나란히 놓고 있기 때문이다. 현대목회신학은 그런데 사실상 아직도 이 물음, 인간 자신의 경험이 어떻게 진정한 하나님을 아는 길이 될 수 있느냐는 포이에르바흐의 물음에 분명히 답하지 못하고 있다.

현대목회신학에게 포이에르바흐의 도전은 실제로 직접 포이에르바흐에 의해서가 아니라 프로이트를 통해 주어졌다. 주지하듯이 "하나님이 인간 마음의 창조물"이라는 프로이트의 명제는 신학이 인간 자신의 투영(projection)일 뿐이라는 포이에르바흐의 비판을 심리학적으로 재구성한 것이라 할 수 있다. 따라서 우리는 프로이트 심리학을 목회상담에 가져오기 위해 결국 이 프로이트 심리학 속에 내포된 포이에르바흐의 도전에 맞닥뜨릴 수 밖에 없다. 즉 인간 상호간의 경험이 어떻게 하나님을 아는 통로가 될 수 있느냐는 물음에 먼저 답해야 한다. 이런 문제에 대해 우리가 취할 수 있는 첫 번째 해법은 성경만을 신뢰하고 현재의 어떤 인간적 경험에도 의심의 눈길을 던지는 것이다. 이런 태도를 취한다면 우리는 성경과 교회의 신앙고백만을 신뢰하면서 그것을 근거로 인간의 경험을 판단하고 그 경험의 우상을 깨뜨리는 머얼 조단의 방법을 임상적으로 채용할 수 있다. 이와 다른 방법으로는 스페로처럼 인간 경험이 만들어낸 내면의 하나님상(像)을 살아 계신 하나님의 직접적 자기 투사와 구분하는 것이다. 이런 이원론적 입장을 취한다면 목회상담은 스페로의 주장대로 내담자 안의 인간적 경험의 잔영(殘影)을 제거하고 하나님의 직접적인 자기 계시만이 더욱 선명해지도록 돕는 일이 된다.[32] 마지막으로 우리가 취할 수 있는 길은 비록 그것이 인간 자신의 경험의 투영이기는 하지만 그럼에도 불구하고 하나님께서는 두 사람 사이에 일어나는 감정이나 심리적 대상을 통해 당신을 계시하신다고 보는 입장이다. 이런 관점에서 목회상담은 두 사람 사이에 경험되는 그러한 감정이나 심상(心象)을 무조건 배제하기보다 그것들을 통해 간접적으로 계시되는 하나님을 성경에 비춰 분별하는 과정이 된다. 이 책에서 필자가 제안하는 입장이 바로 이런 것으로 다음에서 우리는 이러한 입장에 어떠한 신학적/심리학적 근거가 있는지 생각해 볼 것이다.

바르트의 인간론과 대상관계심리학

인간 내면에 하나님이 직접적으로 자신을 투사하신다는 스페로

32 Moshe H. Spero, *Religious Objects as Psychological Structures*, 146.

Moshe Spero의 주장은 사실 내면의 하나님상에 얽힌 복잡한 문제들을 푸는 하나의 단순한 해법을 제공하는 것처럼 보인다.[33] 그러나 이러한 스페로의 주장은 리주토의 지적처럼 기존의 심리학적 발견들과 잘 조화되지 않을 뿐 아니라 기독교적 관점에서 보더라도 타당하지 않다. 기독교의 관점에서 하나님은 하나님과 인간 사이를 매개하는 예수 그리스도를 통해 자신을 계시하신다. 즉 예수 그리스도가 하나님의 자기 계시(self-revelation)인 것이다. 여기서 그리스도는 우리 가운데 인간으로 오신 인간 예수 그리스도를 뜻하고, 이것은 곧 우리 자신의 인간성과 다르지 않은 그리스도의 인간성이 바로 하나님께서 우리 가운데 당신을 나타내시는 매체(medium)라는 것을 의미한다. 그런데 스페로의 이론에는 이런 그리스도의 인간성이라는 매개항이 없다.

사실 스페로의 이론은 그가 가진 유대교적 사고의 특징을 보여준다. 그것은 곧 신성과 인성이 서로 교류할 수 없다는 사고이다. 대문자 하나님 표상(God-representation)과 소문자 하나님 표상(god-representation)의 구별이 바로 이러한 사고를 반영한다. 그런데 이러한 사고와 달리 기독교신앙은 참 하나님과 참 인간이 한 사람 안에서 함께 나타남을 고백한다. 그것은 바로 예수 그리스도 안에서다. 바르트는 그리스도 안에서 우리가 발견하는 참된 인간성이 곧 참 하나님의 형상(*imago Dei*)이라고 고백한다.[34] 하나님과 인간은 서로 전혀 다

33 실제로 이러한 스페로의 방법론을 목회상담에 받아들여 적용한 예로서는 Carrie Doehring, *Internal Desecration: Traumatization and Representations of God* (Lanham, MD: University Press of America, 1993)을 들 수 있다, 어린 시절 성폭행을 당한 여성들에 대한 이 연구에서 캐리 도어링은 그 여성들이 가진 하나님 이미지의 긍정적 변화를 스페로의 이론을 빌어 설명하고 있다(위의 책, 130).

34 Karl Barth, *Church Dogmatics*, III/2, 219.

른 존재이지만 그럼에도 불구하고 하나님은 그리스도가 보여준 참다운 인간성을 통해 자신을 나타내신다. 이 역설적인 사실을 설명하기 위해 바르트는 '유비'(analogy)라는 개념을 도입했다.

바르트는 특별히 그리스도의 인간성에서 발견되는 하나님 형상을 '관계의 유비'(*analogia relationis*)로 설명했다. 바르트에 의하면 그리스도에게서 하나님의 형상은 그의 안에 있는 어떤 내적 속성이라기보다 이 땅에서 그가 사람들과의 관계 속에서 보여주신 하나님의 사랑으로 나타나는 것이다. 하나님의 형상은 먼저 성부와 성자 사이의 친밀한 관계 속에 발견되는 것이면서 또한 세상에서 하나님의 사랑으로 사람들을 사랑하신 그리스도의 사랑에 나타나는 것이다. 즉 **"아버지께서 나를 사랑하신 것 같이 나도 너희를 사랑하였다"**(요 15:9)고 하신 그 사랑 속에 나타나고 있는 것이다. 여기서 우리는 하나님이 그 아들과 세상을 사랑하신 사랑이 그 아들이 세상에서 사람들을 사랑하신 사랑과 서로 유비적인 것을 발견할 수 있다. 바르트에 의하면 그리스도가 하나님의 형상인 것은 바로 이 같은 관계적 유비로 말미암은 사실이다.

바르트는 이 같은 관계적 유비를 비단 그리스도에게서 뿐 아니라 그의 안에서 부르심 받은 사람들, 즉 그의 교회에서도 발견한다. 다시 말해 교회 가운데 발견되는 하나님의 형상 역시 이 관계의 유비로 설명한다. 즉 우리 가운데 하나님의 형상이 나타나는 것은 그리스도가 우리를 그렇게 사랑하신 것처럼 우리가 우리를 사랑하신 하나님의 사랑으로 서로를 사랑할 때라는 것이다. 다시 말해 우리가 성령으로 말미암아 서로를 향한 하나님의 사랑에 참여하게 될 때 우리 가운데 하나님의 형상이 나타나게 된다. 이러한 설명에 따르면 세상 사람들 가운데 하나님의 형상을 찾아볼 수 없게 된 것은 그들이 서로를 하나님의 사랑으로 사랑하지 못하기 때문이다. 나아가 우리는 사람들 내면의 왜곡된 하나님상에 대해서도 동일한 이유로 설명할 수 있다. 즉 사람들 내면의 하나님상이 왜곡된 것은 그들에게 중요한 사람들과의 관계 속에서 그들이 하나님의 사랑을 충분히 경험하지 못했기 때문이다. 바르트에 의하면 부모는 아이에게 "하나님의 표상"(God's primary and natural representatives)이 된다.[35] 이것은 그 부모의 소명이 아이에게 그리스도께서 하신 것처럼 하나님의 사랑을 나타내는 데 있다는 것이다. 이것은 부모가 이러한 그들의 소명을 잘 실천하지 못할 때 그 아이들의 마음 속에 비단 부정적인 자기상만이 아니라 왜곡된 하나님상이 자리잡게 할 수 있음을 시사한다. 여기서 왜곡된 하나님상은 부모와의 경험이 진정한 하나님을 아는 지식과 무관함을 증명하는 것이 아니라 오히려 부모와의 경험이야말로 하나님을 바로 알기 위한 중요한 통로가 됨을 역으로 증명하는 것이다.

『현대사상에 비추어 본 칼 바르트의 인간론 *Karl Barth's Anthropology in light of Mondern Thoughts*』(1990)이란 논문에서 저자 대니얼 프라이스 Daniel Price 는 칼 바르트의 인간론과 현대심리학, 특히 대상관계심리학을 상호비교한다. 그에 의하면 양자는 비록 출발점이 다르지만 서로 의미 있는 유사성을 가지고 있다. 프라이스가 지적하는 양자의 유사성은 무엇보다 양자가 공통적으로 인간을 서로의 관계 속에서 형성되고 변화되는 **관계적 존재**(relational being)로 보고 있다는 점이다.[36] 이처럼 서로의 관계 속에 형성되고 변화되는 인간적 요소들 중에는 물론 우리 내면의 자기상이나 하나님상 같은 내

---

35 Karl Barth, *Church Dogmatics*, Ⅲ/4, 245.

36 Daniel J. Price, *Karl Barth's Theology in Light of Modern Thought* (Grand Rapids, MI: Eerdmans, 2002), 243.

적 대상들이 포함될 수밖에 없다. 그런데 이처럼 우리의 인간 관계 속에서 우리의 자기상뿐 아니라 하나님상도 형성, 변화된다는 것은 우리가 대상관계이론이 아니라 바르트의 관계적 인간론을 통해서도 충분히 유추할 수 있는 부분이다. 그리고 우리는 바로 이 점에서 대상관계이론과 바르트 인간론의 일치점을 찾을 수 있다.[37] 물론 이처럼 두 이론을 연결하려는 시도는 기존의 심리학과 신학의 경계를 허무는 시도로서 심리학자들뿐 아니라 신학자들의 우려를 살 수 있는 시도이다. 그러나 우리가 프라이스의 말처럼 '모든 진리는 하나'라는 것을 인정한다면,[38] 신학적 진리와 심리학적 진리를 기성(旣成)의 학문 범주에 따라 단지 이분법적으로 구별하는 것만이 정당하다고 할 수 없다.

사실상 바르트의 인간론과 현대심리학의 차이는 연구대상의 차이가 아니라 그 대상에 대한 기본적 관점(basic assumption)의 차이이다. 양자는 모두 인간에 대한 이론이다. 그렇지만 양자는 그 인간에게 가장 중요한 것이 무엇인지 보는 관점에 중요한 차이가 있다. 구체적으로 바르트의 인간론이 인간에게 가장 우선적인 관계가 하나님과의 관계라고 보았다면 대상관계심리학은 부모와의 관계가 인간에게 가장 우선적인 것이라 보았다.[39] 전자가 부모를 하나님의 표상이라 보았다면 후자는 하나님을 부모의 투영이라 보았다. 그런데 이러한 두 관점의 차이는 절대 서로 좁혀질 수 없는 것이라 할 수 없다. 그 이유는

37 프라이스는 바르트의 인간론과 대상관계심리학 사이의 이러한 연결가능성을 지적하지만 실제로 바르트나 대상관계심리학의 논의를 확장시켜 양자를 통합하려는 시도로까지는 나아가지 않는다. 결국 프라이스의 논의는 신학과 심리학 각각의 경계를 존중하는 한에서 양자를 비교하여 양자의 공통점과 차이점을 밝히는 데 머물고 있다(위의 책, 171).

38 위의 책, 172.

39 위의 책, 233.

이미 심리학의 관점이 기독교에 보다 가까이 이동해 왔기 때문이다. 서두에서 언급한 바와 같이 대상관계심리학과 자기심리학은 고전정신분석학으로부터 한 두 차례 중요한 변화를 거쳐 왔다. 대상관계심리학과 자기심리학은 인간의 성충동이 아니라 현실에 없는 이상적 부모를 향한 갈망이 인간의 가장 근원적인 욕구라고 보았다. 바로 이러한 이상적 대상욕구와 현실 사이의 간격으로 말미암아 인간의 여러 심리적 문제와 고통이 야기된다고 본 것이다. 서두에서 필자는 이러한 대상관계이론의 기본전제가 인간 고통의 근원을 하나님과의 관계상실에서 찾는 기독교적 세계관의 영향을 받았다고 지적했다. 그러나 대상관계이론은 신학처럼 명시적으로 하나님을 전제하는 대신 다만 인간 안에 현실에 없는 이상적 대상에의 갈망이 있다는 인간론적 전제로부터 출발한다. 그렇다면 우리가 이 같은 대상관계심리학의 기본전제를 보다 명시적인 기독교적 전제로 바꾸고 그 위에서 대상관계심리학을 재구성해 볼 수 있을 것이다.

영원에의 갈망과 하나님상(像)

이만홍과 황지연은 "인간이 이상화된 부모상을 찾아서 평생을 헤매는 존재"라는 현대심리학의 전제가 사실상 매우 신학적인 것이라 지적한다.[40] 이것은 인간이 "모두 하나님의 잃어버린 자들이었고 이

40 이만홍·황지연, 『역동심리치료와 영적 탐구』(서울: 학지사, 2007), 244.

에 그들이 잃어버린 부모, 쫓겨나온 자신의 집을 영원히 그리워하며 찾는" 존재라는 기독교적 관점에 부합하기 때문이다.[41] 우리는 이와 같은 점에 기초해서 대상관계이론의 전제를 기독교적 관점에서 재구성해 볼 수 있다. 이렇게 재구성된 전제는 곧 모든 인간 안에 그들이 스스로 인식하든 인식하지 못하든 잃어버린 하나님을 향한 갈망이 있다는 것이 된다.

인간 안의 이러한 본원적 갈망에 대해 이제까지 심리학은 어떻게 설명해 왔을까? 이에 대한 한 가지 답을 우리는 프랑스시인 로망 롤랑Roman Rolland이 "대양감"(大洋感: oceanic feeling)이라 부른 자신 안의 어떤 본원적 감정에 대해 프로이트에게 질문했을 때 프로이트가 한 대답에서 찾을 수 있다. 롤랑이 말한 대양감이란 자신을 둘러싼 세계와 혼연일체가 되는 무아(無我)의 느낌을 뜻했는데, 프로이트는 이것을 자아가 아직 분화되기 이전에 유아가 엄마의 젖가슴과 융합되어 있던 기억의 잔재라고 설명한다.[42] 프로이트에 의하면 종교란 사람들이 이런 유아적 기억으로 회귀하고자 하는 심리로부터 말미암은 것이다. 이러한 프로이트의 설명은 그러나 하나님이 실제로 없음을 증명한다기보다는 다만 인간 안에 있는 본원적 갈망을 바라보는 그의 무신론적 관점을 드러내는 것이라 할 수 있다. 이러한 프로이트의 무신론적 관점에 대해 프라이스Daniel J. Price는 기독교신앙이 단지 유아적 욕구의 투사일 뿐이라는 프로이트의 무신론이야말로 아버지를 제거하려는 강한 유아적 욕구의 투사라고 말할 수 있지 않겠느냐고 반문한다.[43] 프라이스의 지적은 요컨대 영원에 대한 인간의 본원적 갈

41 위의 책, 244.

42 Sigmund Freud, *Civilization and Its Discontents*, trans. Joan Riviere (Mansfield Centre, CT: Martino Publishing, 2016), 2.

지그문트 프로이트 Zigmund Freud

망을 아무리 심리학적으로 설명하더라도 그런 설명이 기독교신앙의 진리를 부정하지는 못한다는 것이다.

프라이스는 그러나 그렇다고 그런 감정의 실재가 기독교신앙의 진리를 증명하지도 못한다는 점을 인정한다. 이와 관련해서 그는 슐라이에르마허 F. Schleiermacher 에 대한 바르트의 비판을 인용한다. 슐레이에르마허는 기독교신앙의 본질이 인간의 절대의존감정(the feeling of absolute dependence)에 있다고 보았다. 슐레이에르마허가 말한 절대의존감정이 영원을 갈망하는 인간의 마음을 지칭하는 또 다른 이름이라고 한다면, 슐레이에르마허는 바로 이것의 심리적 실재가 기독교신앙의 진리를 증명한다고 보았던 것이다. 그러나 바르트는 이렇게 인간의 심리에서부터 출발한 신학은 결국 심리학일 뿐 진정한 신학이 될 수 없다고 지적한다.[44] 신학은 하나님의 자기 계시(self-revelation)에서 출발해야 한다는 것이 일관된 그의 주장이다. 필자는 여기

43 Daniel J. Price, *Karl Barth's Theology in Light of Modern Thought*, 290-91.
44 위의 책, 287.

서 바르트가 말하는 하나님의 자기 계시가 단지 성경말씀에 국한된 것은 아니라고 믿지만 잠시 이에 대한 논의는 차치할 때 인간의 심리적 현상에서 기독교신앙의 근거를 찾을 수는 없다는 바르트의 주장은 확실히 타당한 것이라고 말할 수 있다. 그러나 그럼에도 불구하고 우리는 그러한 인간의 심리적 실재에서 여전히 하나님의 증거는 아니더라도 하나님의 흔적을 발견할 수 있다. 즉 이만홍과 황지연이 말하듯이 "이상적 부모를 평생 찾아 헤매는 인간"에게서 그들이 알지 못하지만 실재하시는 그들의 하나님과 그들 사이의 잃어버린 관계성을 적어도 유추할 수 있다.

그렇다면 이러한 기독교적 시각에서 내면의 하나님상을 어떻게 설명할 수 있을까? 우선 그것은 영원을 갈망하는 인간의 마음이 그려낸 "이상적 부모상"이라 할 수 있다. 물론 그것은 직접적으로는 하나님이 아니라 인간 안에 있는 결여가 만들어낸 대상이다. 그러나 인간 안에 있는 그러한 결여와 그로 말미암은 영원에의 갈망이 하나님에 의해 우리 안에 선험적으로 주어진 것이라고 한다면 그로 말미암아 우리가 마음에 그리는 이상적 대상 역시 하나님께서 당신을 향해 우리를 부르시는 손짓이라고 이해할 수 있지 않을까? 혹은 하나님께서 우리로 하여금 당신을 더듬어 찾도록 드리우신 그림자라고 할 수 있다. 그런데 하나님이 당신의 모습을 찾아 유추할 수 있도록 우리에게 주신 자료들 중 가장 중요한 한 가지는 바로 우리 육신의 부모이다. 다시 말해 하나님은 우리가 우리 부모와의 관계를 통해 당신을 유추하고 그려 볼 수 있도록 설정해 놓으셨다. 그런데 바르트에 의할 때 이보다 훨씬 더 본원적인 하나님의 설정은 바로 우리 부모이전에 예수 그리스도를 통해 우리가 하나님이 어떤 분이심을 아는 것이다. 따라서 우리가 우리 부모를 통해 하나님이 어떤 분이심을 알 수 있는 것은 그만큼 우리 부모의 사랑이 우리를 향한 그리스도의 사랑을 반영하기 때문이다. 또한 이것은 역으로 그 부모의 모습이 그리스도의 사랑을 그만큼 반영하지 못할 때 그 자녀의 하나님 이해의 왜곡이 일어날 수 있다는 것을 시사한다. 우리는 바로 이렇게 해서 자녀의 마음속에 형성되는 것이 왜곡된 하나님상(像)이라 볼 수 있다.

그러나 우리가 기억해야 할 것은 내면의 하나님상이 비록 그처럼 왜곡된 것일 수 있지만 그렇다고 할지라도 원래 그것은 하나님께서 우리로 하여금 당신을 더듬어 찾도록 만들어 놓으신 장치라는 사실이다. 다시 말해 그것은 하나님이 자신이 어떤 분이심을 우리에게 알게 하고자 사용하시는 유비들 중 하나이다. 재차 강조하는 것처럼 하나님이 어떤 분이심을 우리로 알게 하는 가장 본원적인 유비(analogy)는 우리 가운데 오신 예수 그리스도이다. 그러나 하나님은 그 외에도 다양한 지상적 매체를 통해 우리에게 당신이 어떤 분이심을 알게 하신다.[45] 우선적으로 하나님이 우리에게 자신을 알리실 때 사용하는 매체는 성경이나 설교와 같은 언어적 매체이다. 2천년전 제자들과 같이 예수 그리스도를 직접 만나볼 수 없는 우리에게는 이 같은 언어적 매체가 가장 중요한 계시의 통로가 된다. 그러나 그렇다고 해서 그 밖의 현재 우리 삶의 경험이 더 이상 하나님의 계시의 통로로서 의미를 잃는 것은 아니다.[46] 하나님의 계시는 언제나 말씀과 경험 두 가지 모두를 통해 우리에게 주어진다. 성경이 우리로 하여금 하나님이 어떤 분이심을 알게 하는 것은 그 성경이 바로 이 땅에 오신 예수 그리스도

45 하나님의 계시의 매체에 대한 필자의 이해는 역시 바르트신학에 기초한 것이다. 바르트의 유비적 계시론에 대한 보다 상세한 소개는 박형국, "계시와 현존: 계시의 매개에 대한 바르트의 변증법적 유비론," 『장신논단』 40 (2011), 209-32를 참조하라.

46 위의 글, 213.

에 대한 증언이기 때문이다. 그런데 그 증언은 곧 예수 그리스도에 대한 당시 사람들의 경험의 증언이다. 오늘날에도 마찬가지로 우리가 하나님이 어떤 분이심을 알게 되는 것은 성경의 증언을 통해서만 아니라 그것과 더불어 우리 삶 속에서 주어지는 경험적 증거들을 통해서이다. 즉 우리의 현재적 경험이 성경의 증언과 일치하는 그 곳에서 우리는 하나님이 어떤 분이심을 알게 된다.

바르트는 어떤 매체가 우리로 하여금 하나님을 알게 하는 것이 그 매체 자체가 가진 내적 속성으로 말미암은 것이 아니라는 점을 강조한다. 그것이 하나님의 계시의 통로가 되는 것은 비록 그것이 하나님을 나타내기에 본질적으로 부적절한 것이지만 하나님께서 그것을 들어 사용하시기 때문이다.[47] 이 점에 있어서는 언어나 다른 비언어적 매체 사이에 본질적인 차이가 없다. 예컨대 "아버지"라는 단어의 일반적 의미가 하나님을 가리키기에 본질적으로 부적절한 것과 마찬가지로 한 사람이 자신의 아버지에 대해 가진 감정이나 이미지 역시 본질적으로 하나님을 나타내기에 부적절한 매체이다. 그러나 그럼에도 불구하고 하나님은 그런 다양한 매체들을 통해 우리에게 자신을 알게 하신다. 다시 말해 자신과 본질적으로 다른 대상들 속에서 자신을 나타내신다. 우리는 사람들 내면의 하나님상 역시 이 점에 있어 마찬가지라고 볼 수 있다. 사람들 내면의 하나님상은 하나님보다는 사람들 자신의 경험을 반영하고 있다는 점에서 본질적으로 하나님을 표현하기에 부적절한 것이다. 그러나 하나님께서는 그럼에도 불구하고 그것을 들어 당신을 알게 하는 통로로 사용하신다. 그러나 이 말은 그것이 이처럼 하나님을 알게 하는 통로로 사용되게 된 것이 단지 우연

47 Karl Barth, *Church Dogmatics*, II/1, 179.

이며 우발적이라는 의미는 아니다.[48] 바르트에 의하면 하나님의 선택은 자의적(恣意的)인 것이 아니라 예수 그리스도를 하나님의 계시로 정하신 그의 본원적 결정에 상응하는 것이다.[49] 다시 말해 그 대상이 예수 그리스도와 본질적으로 서로 다르면서도 서로 일치하는 특성(correspondence)에 기초한 것이다.[50] 근본적으로 이러한 원리는 창세 시에 우리 인간을 하나님의 형상으로 창조하신 원리와 맞닿아 있다. 즉 우리 인간은 본질적으로 하나님과 다르지만 우리 인간들 서로의 관계가 하나님과 우리의 관계를 반영하는 것으로 만드신 원리와 맞닿아 있다. 내면의 하나님상이란 이와 같은 우리의 관계적 경험의 산물로서 우리 인간의 상호관계가 하나님과 우리의 관계를 반영하는 만큼 하나님을 반영하는 심리적 대상인 것이다. 요컨대 그것은 **반영의 반영**(reflected reflection), 혹은 **이중의 반영**(double reflection)이라고 할 수 있다.

여기서 우리는 그러나 인간의 타락으로 말미암아 이처럼 하나님을 반영해야 할 우리의 관계가 하나님의 원래 창조 계획을 벗어났고 결과적으로 우리 내면의 하나님상들 역시 하나님을 바르게 반영하지 못하는 왜곡된 것들이 되었음을 기억해야 한다. 따라서 우리는 모든 인간 내면의 하나님상이 진정한 하나님을 반영한다고 말할 수 없다.[51] 그러나 그럼에도 불구하고 이제 우리가 다시 우리 안의 내적 경험을 통해 하나님을 만날 수 있게 된 것은 역시 우리의 여전한 불완전함과

48 Deborah Van Deusen Hunsinger, 『신학과 목회상담』, 378.

49 Karl Barth, *Church Dogmatics*, Ⅱ/2, 25.

50 Karl Barth, *Church Dogmatics*, Ⅲ/2, 218.

51 이것이 바로 바르트가 존재의 유비(*analogia entis*)를 비판하는 이유이다. 바르트의 유비론에 대한 보다 상세한 설명은 Hans Urs Von Balthasar, *The Theology of Karl Barth*, trans. Edward T. Oakes (San Francisco, CA: Ignatius Press, 1992), 161-65를 참조하라.

죄성에도 불구하고 그러한 우리 가운데 하나님의 형상을 회복하시는 성령의 사역이 시작되었기 때문이다. 우리는 이러한 성령의 사역으로 말미암아 우리 가운데 계신 그리스도의 삶에 다시 참여할 수 있게 되고 이로 말미암아 다시 우리의 관계 안에서 다시 하나님을 만나볼 수 있게 되었다. 요컨대 예수 그리스도의 죽음과 부활로 말미암아 우리에게 불가능한 것이 다시 가능한 현실이 된 것이다. 이것이 의미하는 바는 곧 우리의 관계적 경험과 내적 경험이 우리 안에서의 하나님의 자기 계시의 통로가 되었다는 것이다. 즉 예수 그리스도로 말미암은 구속(救贖)이 우리로 하여금 우리 자신의 지성만 아니라 우리의 감정과 상상력을 통해 하나님을 경험하고 알 수 있게 하였다는 것이다.

인간 경험과 하나님의 자기증거(self-witness)

지금까지 우리는 우리 내면의 하나님상이 하나님의 자기 계시의 한 방법이 될 수 있음을 살펴보았다. 거듭 강조하건대 이것은 우리 안의 하나님상이 우리 자신의 인간적 경험이나 소망의 투영이 아니라는 의미가 아니다. 그것은 우리의 인간적 경험과 소망의 투영인 동시에 하나님의 자기 계시가 될 수 있다는 의미이다. 사실상 앞에서 말한 포이에르바흐의 도전, 즉 **인간경험에서 출발한 신학이 진정한 신학일 수 있느냐**는 문제제기에 내포된 것은 곧 인간경험이 하나님의 계시가 될 수 없다는 이분법적 전제이다. 따라서 포이에르바흐의 도전을 넘어서는 길은 바로 이러한 이분법적 시각을 극복하는 데 있다. 이러한 이분법을 극복하는 길은 그렇다고 단순히 인간과 하나님의 차이를 무시하고 양자를 동일시하는 인간적 신학(anthropo-theology)에 있지 않다. 위에서 우리는 바르트를 따라 그 이분법을 극복하는 길을 참 하나님으로서 참 인간이 되신 그리스도에게서 찾을 수 있었다. 또는 이러한 그리스도의 현존에 참여함으로 하나님과 하나되는 교회에서 찾았다. 이 같은 교회는 온전히 그리스도와 하나된 그들의 삶의 경험을 통해 참 하나님을 만난다.

이런 의미에서 인간학은 그리스도 안에서 신학이 될 수 있다. 다시 말해 우리는 우리 자신의 인간적 경험을 통해 하나님을 알 수 있다. 여기서 우리의 인간적 경험은 당연히 우리의 심리적 경험을 포함한다고 할 때 우리는 위의 말을 바꾸어 그리스도 안에서 우리의 심리학이 신학이 될 수 있다고 말할 수 있다. 이것은 우리 안에서 일어나는 감정이나 심리적 움직임을 통해 우리가 우리 안에서 자신을 계시하시는 하나님을 식별할 수 있다는 의미이다. 이것이 전혀 이상한 일이 아닌 것은 원래 인간이 자신 안에서 하나님을 만나고 알아가도록 지어진 존재이기 때문이다. 필자는 이것이 바로 인간이 하나님의 형상(*imago Dei*)으로 지어졌다는 말의 내포적 의미라고 생각한다. 관계적 인간론의 견지에서 이것을 조금 다르게 표현하자면 인간은 인간 서로의 관계 속에서 하나님을 찾고 더듬어 알아가는 존재로 지어졌다. 모든 인간 안에 있는 이상적 자기대상(self-object)에의 갈망은 바로 이처럼 서로의 관계 속에서 하나님을 더듬어 찾는 몸짓이라 할 수 있다. 내면의 하나님상은 이러한 인간의 마음이 그린 그림이면서 동시에 마치 부모가 아이의 손을 붙잡고 자신의 형상을 그리듯 하나님께서 그 인간의 마음을 통해 그리신 당신의 형상이다. 따라서 우리가 우리 마음의 경험 속에서 진정한 하나님을 발견하려면 우리는 단지 우리 마음을 따라가는 것이 아니라 우리 마음을 이끄시는 성령의 인도를 따라야 한다. 필자는 우리의 기도가 바로 이와 같은 과정이어야 하고 목회 돌봄의 과정 역시 이처럼 성령의 인도하심을 따라 서로의 관계 속에서 하나님을 발견하고 하나님을 알아가는 과정이어야 한다고 믿는다. 이런 의미에서 목회 돌봄과 영성지도는 본질적으로 동일한 과정이라고 할 수 있다.

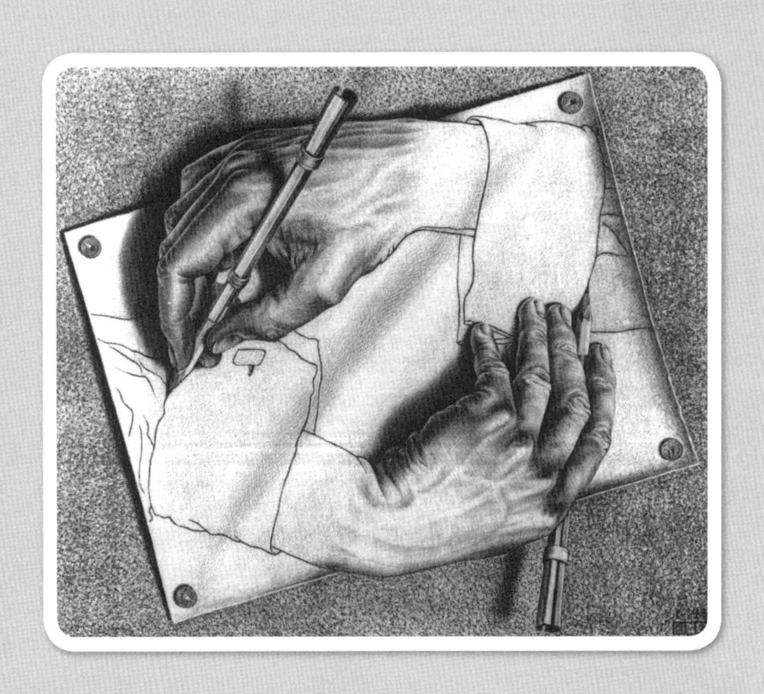

Ⅳ장

목회상담과 영성

하나님의 공감과 인간의 공감

영성과 상담의 통합

영성지도와 심리상담의 통합은 최근 한국 목회상담의 지대한 관심사가 되고 있다. 여러 기독교상담과 목회상담전문가들이 '영성치유'나 '영성상담'을 위한 연구모임을 결성하고 그것을 통해 영성상담의 방법론과 전문성수립을 위한 방안을 모색하고 있다. 그런데 짧은 기간 이처럼 많은 관심을 받게 된 '영성상담'이 구체적으로 무엇을 의미하는지 사실 아직은 매우 불분명한 것이 현실이다. 그럴 수밖에 없는 이유가 우선 '영성'이란 말이 기독교 안에서만 보더라도 실로 다양한 전통에서 다양한 의미로 사용되고 있으며, '상담' 역시 그 이론과 방법에 있어 매우 다양한 접근들을 의미할 수 있기 때문이다. 기존의 심리치료와 영성지도를 연결하는 구체적 방법론이나 방향성에 대한 논의와 합의가 아직 충분히 이루어지지 못한 이러한 상황에서 '영성상담'은 저마다 자기 나름의 의미로 사용하는 매우 불분명한 개념일 수밖에 없다.

필자는 그러나 그럼에도 불구하고 우리가 오늘날 영성지도와 심리상담의 통합을 이야기할 때 그것의 목적과 의미에 대해 간략히 정리하는 것이 전혀 불가능한 일은 아니라고 생각한다. 기독교 영성지도는 기본적으로 피지도자의 하나님과의 관계 성숙을 목적으로 한다. 반면 심리상담은 주로 내담자의 이제까지 중요한 인간관계에서 비롯된 심리적 문제들을 다루면서 그러한 문제의 해결을 위해 노력한다. 다시 말해 심리상담은 내담자의 인간관계 성숙을 지향하는 실천이라 할 수 있다. 그렇다면 이 두 실천의 통합은 결국 "수평적 차원인 인간과 인간간의 관계와 수직적 차원인 인간과 하나님간의 관계에서의 성숙을 (함께) 지향하는" 노력이라고 정의할 수 있다.[1] 이러한 노력의 배후에는 우리 삶에 있어 인간관계의 문제와 하나님 관계의 문제가 서로 긴밀히 연결되어 있으며 두 관계에서의 성숙이 함께 이루어질 때 비로소 우리가 그리스도인으로서 온전한 성숙에 이르게 된다는 믿음이 전제되어 있다. 사실 지금까지 영성지도와 목회상담이 서로 분리된 채 이루어져 온 것은 사실상 서로 긴밀히 연결된 이 두 문제를 따로 분리해서 접근해 왔다는 것을 의미한다. 소위 영적인 문제와 심리적 문제를 나누어서 이분법적으로 다루어 왔던 것이다. 최근 영성지도와 목회상담의 통합은 그러므로 이러한 이제까지의 이분법적인 접근의 한계와 문제점을 인식하고 그것의 극복방안을 모색하는 것이라 할 수 있다. 필자 역시 이러한 인식을 함께 하며 함께 통합의 길을 모색하는 사람들 중 한 명으로 본 장에서는 이를 위한 기초적 논의로서 특별히 상담관계와 하나님 관계 사이의 상호관련성을 조명하는 데 초점을 맞추려 한다.

1. 이만홍·김미희, "심리치료와 영성지도에 있어서의 치유관계," 『심리치료와 기독교 영성』(서울: 로뎀포레스트, 2017), 122.

영성지도와 심리상담의 상호관계

먼저 우리는 영성지도와 심리상담의 상호관계라는 주제에 관하여 미국과 한국의 대표적인 세 사람의 견해를 살펴보는 것으로 시작하려 한다.

1) 제랄드 메이의 분리론

첫 번째 인물은 미국의 제랄드 메이 Gerald May 이다. 메이는 미국 살렘연구소(Salem Institute)를 이끈 인물들 중 한 사람으로서 기독교 영성가로 활동하기 전에 먼저 심리치료가로서 훈련 받았던 사람이다. 그의 저서들 중 『영성지도와 상담 *Care of Mind, Care of Spirit*』(1982)은 특별히 그가 경험한 영성지도와 심리상담의 상호관련성에 대해 논의한 책이다. 이 책에서 메이는 영성지도와 심리학이 서로에게 실제적으로 많은 도움을 줄 수 있다고 말한다.[2] 그러나 전반적으로 볼 때 메이의 견해는 영성지도와 심리상담은 그 목적과 방식에 있어 서로 분명히 구별되는 실천이기 때문에 이 두 가지를 하나로 통합하는 것은 바람직하지 않다는 것이다.[3] 메이에 따르면 심리상담자의 역할은 내담자의 심리적 문제를 파악하고 해결하는 데 있는 반면 영성지도자의 역할은 피지도자 안에서 하나님이 하시는 일을 식별하고 그

2 Gerald May, *Care of Mind Care of Spirit*, 노종문 옮김, 『영성지도와 상담』(서울: IVP, 2006), 17.

하나님을 따르도록 돕는 데 있다.[4] 메이는 때때로 하나님께서 우리의 심리적 경험을 통해 말씀하시고 일하실 때가 있다는 것을 인정한다.[5] 그러나 메이가 강조하는 바는 영성지도자가 피지도자의 심리적 경험이나 문제에 너무 집중하게 되면 그것이 오히려 피지도자가 진정한 하나님을 바라보는 데 방해가 될 수 있다는 것이다.[6]

사실상 메이가 경계하는 것은 피지도자가 하나님보다 자기 자신에게 더 주목하게 되는 일이다. 메이는 특별히 피지도자가 특정한 자기상(self-image)에 집착하게 되는 것을 경계한다.[7] 메이가 볼 때 피지도자가 이렇게 특정한 자기상에 집착한다는 것은 그것을 형성한 자신의 경험이나 인간관계에 집착하고 있다는 의미로, 이러한 집착은 그가 볼 때 하나님과의 관계 성숙에 걸림돌이 될 수 있다. 그에 따르면 하나님과의 관계 성숙은 우리가 바로 그와 같은 집착으로부터 벗어나는 일과 연결된다.[8] 여기서 우리는 메이가 말하는 영적 성장이 주로 자기초월(self-transcendence)과 관련됨을 알 수 있다.

비슷한 맥락에서 메이는 피지도자가 자신의 특정한 인간관계, 또는 그것과 연관된 하나님상(God-image)에 집착하는 것 역시 하나님과의 관계 성장에 걸림돌이 된다고 보았다. 메이가 실례로 드는 것은 바로 자신이 오래도록 놓지 못했던, 어린 시절 사별(死別)한 그의 아

---

3 위의 책, 20. 렌 스페리(Len Sperry)는 이런 의미에서 제랄드 메이를 영성지도와 심리치료의 통합에 대한 "부정적 관점"의 대표자로 꼽는다(Len Sperry, "영성지도와 심리치료: 개념적인 문제," in Gary W. Moon & David G. Benner eds., *Spiritual Direction and the Care of Souls: A Guide to Christian Approaches and Practices*, 신현복 옮김, 『영성지도, 심리치료, 목회상담, 그리고 영혼의 돌봄』[서울: 아침영성지도연구원, 2011], 333).

4 Gerald May, 『영성지도와 상담』, 149.

5 위의 책, 89.

6 위의 책, 91.

7 위의 책, 92.

8 위의 책, 98.

버지를 닮은 하나님상이다. 오랫동안 그는 무의식적으로 이 하나님상에 집착하므로 죽은 아버지와의 관계를 놓지 않으려 했던 것이다. 그 하나님상은 비록 그 자체로 긍정적인 것이었음에도 불구하고 그가 진정한 하나님을 만나고 그 하나님과의 관계에서 성숙하는 데 걸림돌이 되었다고 그는 고백한다.[9] 또한 메이는 역시 같은 맥락에서 피지도자가 영성지도자와의 사이에 전이감정을 일으켜 영성지도자에게 지나친 관심을 갖게 되는 것을 경계한다. 이 역시 하나님께 향해야 할 관심이 사람에게 쏠리는 현상이기 때문이다.

여기서 주목할 점은 메이가 지나친 관심의 대상이 되는 것을 경계한 인간의 심리적 경험, 인간관계 경험이 부정적인 것이기보다는 오히려 긍정적인 것이라는 점이다. 이것은 그가 긍정적 심리 경험 자체가 하나님과의 관계에 부정적인 영향을 끼친다고 보았기 때문은 아니다. 예컨대 그는 어린 시절 좋은 부모와의 관계를 통해 형성된 '기본적 신뢰감'(basic trust)이 이후 하나님과의 관계 형성에 밑거름이 될 수 있음을 인정한다.[10] 그러나 그는 (자기 자신의 경우처럼) 하나님과의 관계가 너무 그처럼 좋게만 그려진 부모상(像)과 결부되어 있을 경우 오히려 그것이 더 깊은 영적 성숙을 저해할 수 있음을 지적한다. 또한 반대로 그런 심리적 자원이 없는 사람이 오히려 자신의 그러한 심리적 결핍 때문에 더 깊이 하나님을 갈망하게 되고 결과적으로 더 깊이 하나님을 만나게 될 수 있음을 시사한다. 요컨대 메이가 강조하는 것은 그것이 긍정적이든 부정적이든 피지도자가 어떤 자신의 경험이나 자기상, 또는 하나님상에 붙잡혀 있는 것이 하나님과의 관

9 위의 책, 109.

10 위의 책, 90-91.

계성숙에 도움이 되지 않는다는 것이다. 이것은 그가 하나님과의 관계 성숙을 자기초월과 연결시켜 보기 때문이라고 볼 수 있다. 심지어는 영성지도자와의 관계조차도 지나치게 피지도자에게 중요해지는 것을 경계하는 이유는 그 관계 속에서 집중하게 되는 '자기'(self)가 피지도자의 영적 변화를 가로막는 하나의 걸림돌이 될 것을 우려하기 때문이다.

필자는 이와 같은 메이의 견해에 상당부분 동의하면서도 한 가지 재고해 볼만한 질문을 던져 본다. 그것은 곧 우리에게 있는 과거와 현재의 의미 있는 관계 경험이 비록 그처럼 우리의 하나님상을 어떤 모양으로 고착시킬 우려가 있는 것이 사실이라고 해도 역시 그것은 하나님과의 관계 발전에 있어 단순히 걸림돌이 아니라 징검돌로서의 역할을 해 온 것이 아니냐는 물음이다. 실상 어린 시절 좋은 부모, 특히 하나님을 사랑하는 부모와의 관계는 우리가 하나님과의 관계를 맺는 데 가장 중요한 징검돌이 되어 온 것이다. 부모 뿐 아니라 과거와 현재의 의미 있는 인간관계들, 신앙공동체 안의 관계들, 더불어 현재의 영적 지도나 목회상담의 관계에 대해서도 우리는 동일하게 말할 수 있다. 어떤 사람이 영적 지도를 통해 이제까지 매여 있던 심리적 경험이나 자기상으로부터 벗어나 더 깊은 하나님과의 관계로 나아가게 되는 것은 그 영성지도자와의 관계가 그에게 의미 없는 것이기 때문이 아니라 그 만큼 의미 있는 것이기 때문이다. 만일 영성지도자와의 관계가 피지도자에게 이처럼 의미 있는 관계가 아니고 두 사람 사이의 경험이 의미 있는 경험이 아니라면 그런 영적 변화는 아마 그 관계를 통해 이루어지기 어려웠을 것이다. 여기서 의미 있는 경험이란 곧 그 영성지도자와의 관계 속에서 피지도자가 새로운 자기를 발견하는 경험이라고 할 수 있다. 이 '새로운 자기'는 하나님 안에서 발견한 새로운 자기인 동시에 영성지도자와의 관계에서 발견한 자기인데, 이 때 영성지도자와의 관계는 하나님과의 관계와 서로 배치(背馳)되는 것이 아니라 서로 조응(照應)하는 관계이며 하나님과의 관계 성숙의 걸림돌이 아니라 징검돌이 되는 관계이다. 우리의 '자기'는 이처럼 의미 있는 관계들 속에서 극복되면서 동시에 재발견되는 것인데 이것은 하나님과의 관계에 있어서도 마찬가지이다. 필자는 다음 장에서 이러한 자기 형성의 과정을 하인즈 코헛Heinz Kohut 의 자기심리학에 기초해서 설명해 보려 하는데, 여기서 필자의 기본적인 생각은 이러한 심리적 자기 형성이 영적 성숙의 과정과 무관치 않다는 것이다. 영적 성숙은 메이가 보듯이 자기초월의 견지에서 이해할 수도 있지만 새로운 자기 형성의 과정으로도 이해할 수 있다. 이에 대한 보다 상세한 논의는 다음으로 미루고 먼저 다음에서 우리가 살펴 보려는 것은 지금까지 이야기한 메이의 견해와 비슷하면서도 의미 있는 차이를 보여주는 이만홍의 견해이다.

2) 이만홍의 상호보완론

이만홍은 오랜 임상경험을 가진 심리치료전문가로서 현재 한국에서 영성지도와 심리치료의 통합을 위한 노력에 앞장서고 있는 인물이다. 이런 이만홍의 견해는 일견 제랄드 메이의 견해와 크게 다르지 않아 보인다. 예컨대 심리치료의 역할이 내담자의 심리 문제해결에 있는 반면 영성지도의 역할은 피지도자로 하여금 삶과 기도에서 하나님을 바라보도록 돕는 데 있다고 보는 점 등에서 그의 생각은 메이의 생각과 일치한다.[11] 그는 심리상담자의 심리치료적 접근이 "인간심리 안에 관심을 가두어 두게 되어 하나님을 향한 주의집중에 지장을 줄" 수 있다는 주장에 대해서도 역시 상당부분 동의한다.[12] 그러나 이만홍의 생각은 그 결론에 있어 메이의 생각과 약간의 차이점이 있다. 그는 인간의 심리적 욕구와 영적 갈망이 서로 얽혀 있기 때문에 인간의 영적 측면과 심리적 측면은 서로 나누어 보기보다 오히려 통합적 접근을 통해 두 가지를 동시에 고려해야 한다고 주장한다. 영성지도자는 동시에 심리전문가가 되어야 한다는 것이다.[13] 다시 말해 영성지도와 심리치료는 상호보완적으로 이루어져야 하며 이상적으로는 동일사역자에 의해 행해져야 한다는 것이 그의 주장이다.[14]

이러한 이만홍의 생각은 영성지도에서 일어날 수 있는 전이(transference)를 이해하는 데 있어서도 메이 등의 생각과 의미 있는 차이를 보인다. 그는 내담자가 상담자에게서 이상화된 부모를 찾는

---

11 이만홍, 『영성치유』(서울: 한국영성치유연구소, 2006), 24.
12 위의 책, 24.
13 위의 책, 26-27.
14 위의 책, 24.

전이현상이 하나님을 향해야 할 내담자의 내적 갈망이 인간에게 향하는 일종의 왜곡 현상이라고 이해한다.[15] 따라서 이렇게 "인간 대상을 향해 사랑과 인정을 끝없이 갈망하던 내담자가 마침내 눈을 돌려 하나님을 바라보도록 도와주는 것이 전이의 진정한 해결"이며,[16] 바로 이를 위해 심리상담은 영성지도로 이어져야 하고 이상적으로는 한 상담자에 의해 이루어져야 한다는 것이다. 여기서 주목할 점은 이만홍이 전이를 단지 부정적으로만 보는 것이 아니라 긍정적 측면에서도 이해하고 있다는 점이다. 즉 전이현상에서 변화를 거부하는 내담자의 심리적 저항을 볼 뿐 아니라 자신도 알지 못한 채 참 부모인 하나님을 찾는 영혼의 갈망을 그 속에서 발견하고 있다. 이 때문에 그는 그가 지향하는 통합적 접근에서 이러한 전이현상에 대해 양면적인 태도를 나타낸다. 한편으로 그는 메이 등과 마찬가지로 상담자와의 관계 속에 전이현상이 일어나는 것을 매우 경계할 필요가 있다고 본다.[17] 실제로 그것이 내담자의 에너지와 감정을 하나님이 아니라 상담자에게 몰입하도록 만들 수 있기 때문이다. 그러나 또 한편으로 이만홍은 심리치료에서와 마찬가지로 영성지도에서도 역시 전이의 발생이 어느 정도 불가피한 일이며, 따라서 영성상담에서 그런 전이감정이 일어나는 것을 무조건 지양(止揚)하려 하기보다 오히려 그것을 기회로 삼아야 한다고 주장한다. 여기서 기회로 삼는다는 것은 위에서 말한 것처럼 그 사람의 갈망이 인간이 아니라 하나님을 향하도록 이끌어주는 기회로 삼는다는 것이다. 이를 위해 상담자는 일차적으로 심리상담의 방법을 통해 내담자로 하여금 자기 안에 있는 심리적 욕

15 위의 책, 57.

16 이만홍·황지연, 『역동심리치료와 영적 탐구』(서울: 학지사, 2009), 244.

17 이만홍, 『영성치유』, 59-60.

구와 갈망을 스스로 직면할 수 있도록 도울 필요가 있다. 그러나 내담자의 그러한 욕구와 갈망은 상담자 자신과의 관계를 포함한 인간관계에서 채워질 수 없다는 것을 깨닫게 하고 대신 하나님을 바라보도록 이끄는 것이 그가 말하는 "통합적 접근"이다. 바로 이 지점에서 그의 상담은 심리상담을 넘어 영적 지도로 넘어가게 된다. 따라서 이만홍이 지향하는 통합적 접근은 심리상담과 영적 지도를 단계적으로 시행하는 일종의 단계적 접근이라 할 수 있다.

요컨대 이상에서 살펴본 이만홍의 상담적 접근방식은 내담자로 하여금 상담자나 다른 어떤 사람을 통해서는 자신의 깊은 내적 욕구가 충족될 수 없다는 것을 깨닫게 하고 대신 하나님을 바라볼 수 있도록 돕는 방식이라 정리할 수 있다. 이만홍은 이러한 상담의 과정에 대해 묘사하기를 상담자는 주의 길을 예비하는 세례 요한처럼 내담자의 마음 속에서 점점 작아져야 하고 반면 예수님의 존재는 내담자의 마음에서 점점 커지고 중심에 자리잡게 되어야 한다고 말한다.[18] 다시 말해 이 과정에서의 상담자의 역할은 내담자의 전이욕구를 적절히 좌절시킴으로써 예수님께 자리를 내주고 물러나는 것이라는 의미이다. 그런데 이러한 이만홍의 지론에 대해서도 필자는 한 가지 함께 생각해 볼만한 물음을 던져보고 싶다. 우선 생각할 점은 내담자의 적절한 좌절(optimal frustration)이 내담자의 욕구를 좌절시키기 이전에 먼저 충분히 수용하고 공감하는 것을 의미한다는 점이다. 그렇다면 여기서 충분히 수용한다는 것은 단지 내담자의 '환상'을 불가피하게 어느 정도 허용해야 한다는 의미에 지나지 않는가? 아니면 그러한 감정의 수용을 통해 내담자가 상담자와의 관계에서 경험하게 되는 하

18 이만홍·황지연, 『역동심리치료와 영적 탐구』, 245.

나님이 비록 불완전할지언정 진정한 하나님을 찾아가는 과정에서 하나의 징검돌 역할을 한다는 것인가? 필자는 본 장에서 후자처럼 생각할 수 있는 근거를 몇몇 심리학자들과 신학자들의 이론 속에서 찾아보고자 한다. 이러한 논의에 들어가기 앞서 우리가 마지막으로 한 가지 더 살펴보기 원하는 것은 목회상담학자 권수영이 말하는 영성과 상담의 통합방안이다.

3) 권수영의 통합론

권수영의 방법적 고민은 기독상담자들의 역할이 내담자 안의 "왜곡된 하나님 이미지를 분별하여 내담자를 자유롭게 하는 일", 즉 자신의 내적 문제를 직면하도록 돕는 데서 끝날 것인가 라는 물음으로부터 출발한다.[19] 즉 "남은 내담자의 영적인 과제는 하나님이 처리하실 문제로 치부해도 되는가",[20] 이것이 아니라 상담자가 여기서 하나님과 내담자 사이를 잇는 보다 적극적인 역할을 감당할 수 있다면 그것은 어떤 역할인가 하는 질문으로부터 출발한다. 권수영의 답은 요컨대 상담자의 공감적 임재(empathic presence)를 통해 내담자가 하나님의 실재를 인식하도록 돕는 "촉매 역할"을 할 수 있다는 것이다.[21] 그 구체적인 실례는 다음과 같은 것이다.

---

19 권수영, "기독(목회)상담에서의 영성 이해: 기능과 내용의 통합을 향하여," 『한국기독교신학논총』, 46 (2006), 260.

20 위의 글, 260.

21 위의 글, 269.

상1: 저랑 기도할 준비가 되셨으면, 다시 한번 조용히 기도하면서 하나님의 음성을 들어 보세요. [내담자의 집중]

내1: [5분간 침묵 기도]

상2: 눈을 뜨시고 하나님의 음성을 어떻게 들으셨는지 말씀해 주실 수 있을까요?

내2: 네, 예전에 말씀 드렸던 것 같은데... 더 이상 나태한 죄악 가운데 있지 말고 돌아오라는 목소리가 들리네요.

상3: 제가 느끼기에는 그 목소리는 다소 무서운 목소리 같은데... 어떠세요. [상담자의 공감]

내3: 글쎄요...(침묵)

상4: **당신이 하나님 음성을 들을 때 당신이 어떻게 느낀다고 하나님께 말씀 드려 보시겠어요. 아니, 이렇게 하지요. 나를 하나님이라고 생각하시고 눈을 감으시고 자신이 어떻게 느낀다고 고백해 보세요. 자... (내담자의 손을 잡는다). [상담자의 임재를 통한 통합]**

내4: (오랜 침묵 후 떨리는 목소리로) 저... 사실 많이 힘들어요. 두렵기도 하고요. (울먹이는 목소리로) 저... 정말 무섭고 앞으로 어떻게 살아야 할지 또 사람 만나는 일이 제일 무서워서...제가 잘못한 것도 있지만 사람들은 너무나 나를 쉽게 내팽겨쳐 왔어요. 하나님, 아시잖아요. 정말 어떻게 이런 일이 내게 일어났는지 화도 나고 힘이 쫙 빠지기도 해요. 하나님, 이제는 저 좀 도와 주세요. (상담자의 손을 더욱 꽉 잡고 계속 흐느낀다)

상5: 너무 감사해요. 마음의 느낌을 처음으로 표현하는 일이 힘들었을 텐데... 하나님도 이런 이야기를 당신에게 할 것같이 느껴지는 데요. 얼마나 당신이 속마음을 나누는 것을 기다렸는지 모른다고... 앞으로는 어떠한 마음을 털어 놓아도 늘 기다리고 힘을 주고 싶으시다고... 정말 당신을 구원하고 인도하시는 성령으로 남고 싶다고 말이에요.

내5: (계속 흐느끼고, 오랜 침묵 후) 이제 기도를 다르게 할 수 있을 것 같아요. 사실 그간의 기도는 저만 독방에서 아무도 못 듣는 기도를 하는 느낌이었어요. 물론 하나님은 그 방에 안 계시고...정말 이제는 하나님을 느끼는 기도를 드릴 수 있을 것 같아요. [내담자의 영성의 내용과 기능의 통합] (강조 필자)[22]

사실 상4에서와 같이 상담자가 내담자의 손을 잡고 "나를 하나님이라 생각하라"며 감정고백을 유도하는 것은 영성지도에서만 아니라 전통적인 정신분석의 견지에서 보더라도 상당히 위험한 접근, 상담자가 매우 유의해야 할 행동이라 할 수 있다. 이것은 내담자의 전이감정을 증폭시켜 상담자와 하나님을 동일시하게 만들 우려가 있기 때문이다.[23] 그러나 이러한 문제점에도 불구하고 여기서 우리가 인정할 수밖에 없는 것은 이러한 상담자의 접근이 내담자의 왜곡된 하나님상이 변화되는 계기로 작용했다는 점이다. 권수영은 바로 이러한 내적 변화의 계기가 된 것이 상담자의 "공감적 임재"(empathic presence)라고 이야기한다.[24] 주로 하나님에 대해 사용하는 "임재"라는 용어를

22 위의 글, 269-70.

23 필자는 이와 같이 상담자와 하나님을 동일시하는 현상이 영성지도나 심리상담에서는 일반적으로 지양(止揚)되는 것이라고 할 수 있지만 사실상 일반 지역교회 목회현장에서는 흔히 일어나는 현상 중 하나가 아닌가 생각된다. 이로 말미암아 목회자의 권력남용과 같은 문제가 야기되는 것이 한국교회가 풀어야 할 문제들 중 하나이다. 그러나 여기서 우리는 이 같은 목회자의 '친밀한' 접근방식이 하나님과의 관계 증진의 매개로 활용되어 온 것이 한국 목회의 특징 중 하나이며 이러한 접근이 부정적인 측면과 더불어 긍정적인 측면도 있다는 점을 간과하지 말아야 한다. 이 긍정적 측면이란 내담자로 하여금 하나님을 자신과 가까이 계신 좋은 대상으로 느낄 수 있도록 돕는다는 점이다. 필자는 이것이 상담자가 그처럼 내담자에게 친밀한 접근을 통해 매개적인 자기대상(intermediary self-object)으로 기능했기 때문이라고 생각한다.

24 권수영, "기독(목회)상담에서의 영성 이해," 270.

권수영이 사용한 이유는 아마도 그러한 상담자의 공감적 임재가 내담자를 하나님의 임재 경험으로 이끄는 "촉매 역할"을 했다는 사실을 강조하기 위해서일 것이다. 그런데 권수영은 여기서 이러한 촉매 역할을 설명하는 어떤 심리학적/신학적 근거를 제시하고 있지 않은데, 필자가 다음에서 제시해 보려고 하는 것이 바로 이러한 심리학적/신학적 근거이다.

전이감정과 공감에 대한 심리학적 이해

위에서 본 권수영 논문의 사례를 우리가 심리학적 견지에서 다시 살펴본다면 우리는 특별히 내4에서 내담자가 하는 기도 중에 그의 안에 일종의 전이감정이 일어나고 있는 것을 감지할 수 있다. 그것은 이를테면 자신을 따뜻하게 대해주는 이상적 대상에게 기대고 싶은 의존감정이 상담자와의 관계에서 활성화되고 있는 것이다. 이에 대한 상담자의 반응은 상5에서 볼 수 있는 바와 같이 내담자를 "늘 기다리시면서 그에게 힘 주시기를 원하는" 하나님의 마음을 실제 자신 안에서 경험하면서 그런 마음으로 내담자에게 반응하게 되는 것이다. 이것은 내담자의 전이감정에 대한 반응으로 일어나는 일종의 역전이감정이라고 할 수 있는데 권수영이 "상담자의 공감"이라고 표현한 것은 바로 이와 같은 일종의 역전이 반응을 지칭하는 것이라 할 수 있다.[25] 물론 여기서 필자가 말하는 역전이는 고전정신분석학에서 말하는 협의의 역전이 (countertransference)와는 좀 다른 의미라고 할 수 있다. 여기서 필자가 말하는 전이/역전이는 로버트 스톨로로우 Robert D. Stolorow 등이 말하는 보다 포괄적인 의미의 전이/역전이, 서로에 대한 공감적 이해의 과정으로서의 전이/역전이이다.[26]

스톨로로우 등은 이전까지 대개 심리적 퇴행이나 변화에 대한 저항으로 간주되어 왔던 전이/역전이 현상을 새로운 관점으로 바라본다. 그들에 의하면 전이/역전이란 "두 사람 사이의 경험을 자신의 주관적 의미구조 안에서 파악하려는 노력으로 일종의 의미구성행위(organizing activity)"라 할 수 있다.[27] 이러한 의미구성행위로서의 전이/역전이는 단순히 자기의 부정적 경험의 반복이 아니라 자신의 과거 경험을 기초로 현재 상대방과의 경험을 이해하려는 노력이다. 이러한 과정에서 그 과거 경험의 의미조차 결과적으로 일부 변형/재구성될 수 있다. 물론 과거 경험, 특히 어린 시절의 경험은 이러한 의미구성에 있어 기본적 틀로 작용하기 때문에 그 의미구조가 쉽게 바뀌지 않는 것이 사실이다. 또한 이러한 기본적 의미구조를 섣불리 변화시키려는 시도 역시 바람직하지 못하다. 따라서 상호주관적 접근에서의 전이 치료는 전이를 통해 재연되는 내담자의 유아적 사고와 욕구/감정을 섣불리 직면시키려 하기보다 오히려 그러한 전이감정에 공감적으로 반응하는 가운데 내담자의 의미구조가 자연스럽게 재구성되도록 돕는 데 목적이 있다.[28]

사실상 스톨로로우 등이 제시한 전이와 전이 치료의 개념은 상당

---

25 위의 글, 269.

26 Robert D. Stolorow, George E. Atwood, and John M. Ross, "The Representational World in Psychoanalytic Therapy," *International Review of Psychoanalysis* 5 (1978), 250.

27 Robert D. Stolorow, Bernard Brandchaft, and George E. Atwood, *Psychoanalytic Treatment: An Intersubjective Approach* (Hillsdale, NJ: The Analytic Press, 1987), 36.

28 위의 책, 44.

부분 코헛 Heinz Kohut 의 자기대상전이(self-object transference) 개념에 이미 내포되어 있는 것이다. 코헛은 내담자가 상담자에게서 자기 이상을 거울처럼 반영해줄 대상을 찾거나 이상화할 대상을 찾는 과정을 자기대상 전이(self-object transference)라 불렀다. 코헛은 비록 이것을 프로이트의 용어로 전이라고 불렀지만 이것을 단순히 병리적인 현상이라고 보지 않았다. 오히려 이 자기대상전이를 내담자가 어린 시절 좌절되었던 자신의 내적 욕구를 상담자와의 관계에서 재활성화하여 결핍되어 있던 자기를 재건하려는 노력으로 보았다. 따라서 상담자가 이러한 내담자의 전이현상에 적절히 공감적으로 반응할 때 정체되었던 내담자의 자기발달이 재개될 수 있다고 본 것이다.

이상에서 간략히 살펴본 바와 같이 코헛과 스톨로로우의 전이 이해의 두드러진 특징은 역시 그것에 대한 상담자의 공감적 반응을 매우 중시했다는 점이다. 초기의 코헛은 상담자의 공감을 단지 내담자의 내면을 상담자가 대리적으로 성찰(vicarious introspection)하는 방안으로 보았다.[29] 그러나 이후 갈수록 코헛은 점점 공감의 이러한 도구적 기능을 넘어 내담자의 자기대상으로서 기능을 강조하면서 상담자의 공감이 그 자체로 치료적이라고 주장하기 시작했다.[30] 이것은 상담자의 공감이 내담자에게 필요한 자기대상을 제공함으로 내담자가 그것을 매개로 새로운 자기를 찾아갈 수 있도록 돕는, 자기 변화의 공간을 마련한다는 의미이다. 코헛에 의하면 비록 현재 내담자의 자기대상욕구가 매우 유치한 것이라 할지라도 상담자가 그런 자기대상욕

29 Heinz Kohut, "Introspection, Empathy, and Psychoanalysis: An Examination of the Relationship between Mode of Observation and Theory (1959)," in *The Search for the Self*, vol. 1 (New York: International Universities Press, 1978), 205-32.

30 Heinz Kohut, "Introspection, Empathy, and the Semicircle of Mental Health (1981)," in *The Search for the Self*, vol. 4 (New York: International Universities Press, 1991), 542.

하인즈 코헛 Heinz Kohut

구에 진정성을 가지고 공감적으로 반응할 때 내담자는 그것에 힘입어 정체되었던 자기발달과정을 재개할 수 있게 된다. 요컨대 상담자의 공감적 반응이 내담자의 내적 성숙을 가져올 수 있다는 것이다. 반면 상담자가 소위 객관적/중립적 입장에서 내담자의 욕구를 직면하려고만 할 때 그것이 자칫 내담자의 어린 시절 좌절의 경험을 되풀이하게 하므로 결과적으로 오히려 내담자의 치유와 성장을 저해할 수 있다.

여기서 우리가 되새겨 볼 만한 점은 이러한 코헛의 관점에 따를 때 상담자의 공감이 내담자의 하나님과의 관계 성장에 있어서도 직면보다 더 중요할 수 있다는 점이다. 코헛이나 스톨로로우가 말하는 자기구조에는 비단 자기 이해만 아니라 타인에 대한 이해와 하나님 이해 등이 모두 포함된다고 봐야 한다. 그 모든 것이 내담자의 자기구조(self structure) 안에 담겨 있기 때문이다. 따라서 상담에서 내담자의 자기대상전이는 내담자가 가진 하나님상이나 하나님 이해를 드러내는 것이 포함된다.[31] 상담에서 이처럼 내담자의 왜곡된 하나님상이 드러날 때 상담자는 섣불리 객관적 입장에서 그것의 왜곡이나 미성숙함을 직면하기보다 먼저 그 이면에 있는 심리적 요구를 그대로 수용하려고 할 필요가 있다. 왜냐면 그렇게 드러나는 내담자의 하나님상이 신앙고백적인 하나님 이해와는 달리 그의 심리구조와 연결된 것이라고 할 때 그것을 그렇게 단순히 객관적 입장에서 판단하고 고치려는 것은 별로 실효성이 없을 것이기 때문이다.[32] 심리구조는 그것을 먼저 수용하는 공감적 접근을 통해서 변화시킬 수 있다. 다시 말해 내담자의 심리적 하나님상을 변화시키기 위해서는 공감적으로, 즉 그의 안으로부터 그것의 의미를 이해하는 과정이 선행되어야 한다. 그래야만 내담자의 자기구조와 연결된 그것의 심리적 기능과 의미를 충분히 이해하는 바탕 위에 그것을 내담자의 자기구조와 더불어 통전적으로 변화시킬 수 있기 때문이다.[33]

스톨로로우 등에 따르면 내담자의 심리적 하나님을 이해하는 것은 내담자의 주관적 세계 안에서만 가능할 뿐 아니라 상담자 자신의 주관적 세계를 통해서 가능한 일이다. 이것은 상담자 역시 자신의 주관적 경험이나 주관적 심리구조를 떠나서 내담자의 심리를 이해할

---

31 "전이현상은 하나님상(*Imago Dei*)에 대한 개인적인 왜곡을 내포하고 있으며 이의 이해와 수정을 통하여 영적인 성숙이 올 수 있는 중요한 관건이 된다" 이만홍, 『영성치유』, 52.

32 리주토(Ana-Maria Rizzuto)는 어린 아이의 마음 속의 '왜곡된 하나님상'에 대해 지적하기를 "그것이 내포한 방어기제를 존중하지 않고 그것을 보다 '올바른' 하나님으로 교정하려고 하는 것은 아이의 내면 세계를 침범하여 조작하려는 행위에 해당한다"고 말한다(Ana-Maria Rizzuto, 『살아 있는 신의 탄생』, 391). 이러한 리주토의 표현은 다소 과장된 느낌이 있고 보다 객관적 판단력을 가진 성인의 경우는 그러한 "교정"에 대해 보다 수용적이라고 볼 수 있지만 그럼에도 불구하고 우리는 내면의 하나님상이 단지 머리 속의 이해가 아니라 심리적 구조라는 사실을 기억할 필요가 있다.

33 코헛은 생전의 그의 글들에서 그의 공감적인 접근방식이 "단지 환자 앞에 근사하게 존재하려는" 것이 아님을 이해시키려 했다(Allan Siegel, *Heinz Kohut and the Psychology of the Self*, 권명수 옮김, 『하인즈 코헛과 자기 심리학』(서울: 한국심리치료연구소, 2002), 290). 코헛은 『정신분석은 어떻게 치료하는가? *How Does Analysis Cure?*』(1984)에서 그의 접근방식이 전통적인 정신분석과 달리 객관적 입장에서 내담자로 하여금 자신의 핵심역동을 스스로 통찰하도록 하는 것이 아니라 내담자가 상담자와의 관계를 통해 새로운 자기를 구축하도록 돕는 데 목적이 있음을 밝혔다. 이런 그의 방식은 상담자와의 관계에서 내담자의 자기대상전이를 활성화시키고 그 내담자의 욕구의 공감과 적절한 좌절을 통해 내담자가 건강한 보상구조를 내면화하도록 돕는 데 초점이 맞춰진다(Allan Siegel, 『하인즈 코헛과 자기 심리학』, 243-48).

수 없기 때문이다. 이런 의미에서 내담자의 심리에 대한 상담자의 공감적 이해는 두 사람의 주관적 세계의 만남, 즉 **상호주관적 과정**이라 할 수 있다.[34] 앞에서 말한 것처럼 내담자의 심리에 대한 상담자의 공감적 이해는 내담자의 전이감정에 대한 일종의 역전이 반응이라 볼 수 있다. 그것은 내담자의 주관적인 경험과 의미구조 속에 들어가 그것을 이해하는 동시에 자기 자신의 주관적인 경험 안에서 상대방을 이해하는 과정이기 때문이다.[35] 다만 이것이 전통적인 의미의 전이/역전이와 다른 점은 전통적 의미의 전이/역전이가 내담자나 상담자 자신의 주관세계에 함몰되어 버리는 문제가 있는 반면 이런 상호주관적/공감적 이해는 자신의 주관적 경험 안에서 상대방의 세계를 이해하면서도 동시에 그런 자신의 주관성(혹은 상대방의 주관성)을 벗어나 그런 자신의 주관성(상대의 주관성)이 어떻게 현실을 굴절시키는지 반성하는 시각을 놓치지 않는 점이라 할 수 있다. 스톨로로우는 이렇게 상담자가 내담자의 주관적 심리를 자신의 주관적 심리 안에서 이해하면서도 동시에 그 주관적 세계를 벗어나 지속적으로 그것의 작용을 감찰하려는 노력을 "지속적인 공감적 탐색"(sustained empathic inquiry)이라고 불렀다.[36] 이러한 과정은 요컨대 상대방과 자신의 주관세계에 대해 내재와 초월의 순환으로 특징지어지는 과정이다. 내담자는 상담자와의 관계 속에서 바로 이러한 상담자의 노력에 호응(呼

---

34 Robert D. Stolorow, George E. Atwood, and Bernard Brandchaft, *Psychoanalytic Treatment*, 42.

35 도나 오렌지(Donna Orange)는 이런 견지에서 공감적 이해의 상호주관적 과정을 지칭하기 위해 상호전이(co-transference)라는 용어를 제안하기도 한다. Donna M. Orange, "Countertransference, Empathy, and the Hermeneutical Circle," in *The Intersubjective Perspective*, eds. Robert D. Stolorow, George E. Atwood, and Bernard Branchaft (Lanham, MD: Rowman & Littlefield Publishers, 2004), 181.

36 Robert D. Stolorow, "The Nature and Therapeutic Action of Psychoanalytic Interpretation," in *The Intersubjective Perspective*, eds. Robert D. Stolorow et. al. 44.

應)하면서 이제까지 붙들고 있던 자기를 벗어나 새로운 자기를 탐색하게 된다. 그런데 이렇게 내담자가 새롭게 찾아가는 '자기' 안에는 그의 심리적인 하나님상이 포함된다.

내담자의 내면의 하나님상에 대한 상담자의 지속적인 공감적 탐색은 대체로 두 가지 방향으로 진행될 수 있다. 첫째는 대개 내담자의 과거 부정적인 경험으로부터 말미암는 부정적인 하나님상에 대한 공감적 탐색이다. 위의 권수영의 사례를 예로 들자면 상담자는 내담자의 부정적 하나님상을 단지 머리로만 아니라 가슴으로 이해할 수 있는데, 이 때 가슴 속에 일어나는 느낌은 두려움, 거리감, 냉담함, 때로는 분노 등이라고 할 수 있다. 상담자는 이러한 느낌들과 자신이 아는 하나님 사이의 간격을 발견하지만 그것에 대한 판단을 잠시 유보하고 이제까지 내담자의 삶 속에서 그런 하나님이 어떠한 위치와 의미를 차지해 왔는지 공감적으로 이해한다.

그런데 내담자 안의 하나님에 대한 상담자의 공감적 이해는 단지 이런 부정적 하나님상에 대해서만 이루어지는 것이 아니다. 또 다른 방향에서 상담자는 내담자의 내면 속에 감춰져 있는 긍정적 대상에의 기대, 비록 성장과정에서 좌절되기는 했지만 여전히 그의 안에 남아 있어 상담 과정 속에 상담자 자신에게 투영되고 있는 이상적 대상을 공감적으로 이해한다. 이 때 상담자는 내담자를 자기동일시하면서 상담자 자신의 경험 속에서 만났던 좋은 하나님의 이미지를 가져와 그 내담자의 긍정적 하나님을 그려볼 수 있다. 또는 상담자 자신이 현재 내담자를 향해 품게 되는 긍정적 감정을 하나님께 투영하여 하나님을 그려볼 수도 있을 것이다. 그것은 예컨대 내담자의 고통을 안타깝게 바라보시는 하나님, 그가 자신의 낙심을 극복하고 당신에게 나아오기를 기다리시는 하나님, 그를 보듬고 도와 주기 원하시는 하나님 등이다. 권수영의 사례에서 다음과 같은 상담자의 말은 바로 이와 같은 하나님 이해를 내포하고 있다.

> 상5: 너무 감사해요. 마음의 느낌을 처음으로 표현하는 일이 힘들었을 텐데... 하나님도 이런 이야기를 당신에게 할 것같이 느껴지는 데요. 얼마나 당신이 속마음을 나누는 것을 기다렸는지 모른다고... 앞으로는 어떠한 마음을 털어 놓아도 늘 기다리고 힘을 주고 싶으시다고... 정말 당신을 구원하고 인도하시는 성령으로 남고 싶다고 말이에요.[37]

그런데 여기서 우리가 묻게 되는 질문은 그렇다면 과연 이러한 상담자의 하나님 이해란 상담자의 주관적 세계 안에서 일어나는 내담자에 대한 자기동일시나 하나님에 대한 자기동일시에 지나지 않는 것인가? 만일 그렇다면 어떤 근거로 이러한 상담자의 하나님 이해가 내담자의 하나님 이해보다 더 진정한 하나님 이해라고 볼 수 있는가? 단지 이것이 보다 성경적 하나님에 가깝기 때문에 그것이 참 하나님이라는 대답은 충분치 않다. 왜냐면 실제로 성경적인 하나님은 죄 가운데 있는 우리를 책망하기도 하시고 우리의 개인적 원망(願望)에 대해 침묵하시며 때로 우리를 영혼의 어두운 밤 속에 내버려두기도 하시는 분이기 때문이다. 단지 긍정적인 하나님상이기 때문에 우리가 그것을 진정한 하나님이라고 말할 수 없는 이유가 여기에 있다. 또한 메이Gerald May 등이 우리 자신의 감정을 투영한 하나님과 실재의 하나님을 동일시하지 말도록 경계하는 이유가 역시 여기에 있을 것이다.[38]

---

37 권수영, "기독(목회)상담에서의 영성 이해," 269.

메이가 말하고 있는 것처럼 위의 상담자가 가슴으로 느끼는 하나님이 진정한 하나님이라고 말할 수 있는 근거는 오직 한 가지, 곧 그것이 단지 상담자 자신의 감정의 투영이 아니라 성령의 감동하심으로 우리 안에 주어진 것이라는 사실이다.[39] 그런데 여기서 우리가 다시 묻게 되는 질문은 그러면 성령의 감동하심으로 주어진 하나님 이해는 우리 자신의 경험과 감정의 투영인 하나님 이해와 서로 다른 것이냐는 물음이다. 이 물음에 대한 필자의 답은 '아니다'이다. 우리의 감정의 투영을 성령의 감동하심과 이분법적으로 나누는 것은 둘을 동일시하는 것만큼 오류의 위험이 있다. 위에서 인용한 상담자의 하나님 이해는 상담자 자신의 감정의 투영이기 때문에 진정한 하나님 이해가 아니라고 할 수 없다. 그것은 상담자 자신의 감정의 투영인 동시에 성령의 감동하심에 의한 진정한 하나님 이해라고 볼 수 있다. 그러면 어떻게 이렇게 상담자의 감정의 투영이 성령의 감동하심과 일치할 수 있느냐는 물음은 우리가 단지 심리학적으로 답할 수 있는 문제가 아니다. 그래서 필자는 다음에서 위의 주장을 뒷받침해 주는 몇몇 신학자들의 논의를 소개하고자 한다.

38 Gerald May, 『영성지도와 상담』, 76.
39 위의 책, 76.

하나님의 공감에 대한 신학적 이해

1) 하나님의 공감적 내주(empathic indwelling)

위르겐 몰트만Jürgen Moltmann 은 그의 책『생명의 영 *The Spirit of Life*』(1992)에서 하나님의 계시와 인간의 경험은 서로 배치되지 않는다고 주장한다.[40] 이것은 곧 우리의 인간적인 경험을 통해서 하나님이 자신을 계시하실 수 있다는 의미이다. 필자는 이러한 몰트만의 주장이 우리의 일상적인 인간관계 경험이나 심리 경험에도 적용된다고 믿는다. 하나님은 예컨대 상담자와 내담자 사이에 경험되는 마음의 움직임이나 감정, 심상 등을 통해서도 당신이 어떤 분이심을 알게 하신다. 이것이 가능한 것은 몰트만에 따르면 하나님께서 성령으로 말미암아 그의 피조물인 우리 가운데 **내주**(內住: indwelling)하시기 때문이다. 이 때 하나님은 피조물인 인간과 여전히 구별되는 분이시기 때문에 몰트만은 이처럼 우리 안에 내주하시는 하나님을 “내재적 초월”(immanent transcendence)이라 부른다.[41] 상담 현장에서 이러한 하나님의 **내재적 초월**은 하나님이 우리 마음의 생각이나 감정, 심상과 단순히 동일시될 수는 없는 분이면서도 그러한 우리의 생각, 감정, 심상을 통해 자신을 나타내시는 분이라는 의미로 이해할 수 있다.

그런데 몰트만이 말하는 하나님의 내주, 또는 하나님의 **쉐히나**

---

40 Jürgen Moltmann, *Geist des Lebens*, 김진태 옮김, 『생명의 영』(서울: 대한기독교서회, 1992), 19.

41 위의 책, 56.

위르겐 몰트만 Jürgen Moltmann

(*Shekhinah*)는 하나님의 자기 계시 이전에 하나님의 공감을 의미한다. 그것은 그가 우리 가운데서 우리의 상황과 마음을 함께하신다는 의미이다.[42] 그런데 하나님이 이렇게 우리 안에 내재하시면서 동시에 초월하신다는 것은 그렇게 우리 안에서 경험되는 하나님이 하나님의 전부가 아니라는 것이다. 몰트만에 의하면 하나님의 쉐히나는 하나님의 자기분리(Ent-selbstung)를 함의한다.[43] 즉 하나님께서 유한한 인간의 현존 속에 동참하실 때 그는 그의 하나님되심으로부터 분리된다. 때문에 하나님은 바르트의 표현처럼 우리에게 자신을 나타내시는 동시에 감추어지시는 분이다.[44]

흥미롭게도 이러한 하나님의 공감적 내주와 상담자의 공감적 임재 사이에는 많은 유사성이 있다. 상담자의 공감 역시 일시적이나마 자신의 자리를 떠나 내담자의 삶의 자리에서 내담자의 마음을 함께 경험하는 일이기 때문이다. 이런 의미에서 이만홍이나 권수영 등이

42 위의 책, 80.

43 위의 책, 78.

44 Karl Barth, *Church Dogmatics*, II/1, 210.

상담자의 공감을 예수 그리스도의 성육신에 비교하는 것은 전혀 이상한 일이 아니다.[45] 하나님의 공감과 자기분리를 가장 극명하게 보여주는 것이 바로 예수 그리스도의 성육신이라고 할 때, 상담자의 공감은 이러한 예수 그리스도의 성육신에 비할 때 너무나 제한적이고 부분적인 실천에 지나지 않는다. 그러나 그럼에도 불구하고 상담자의 자아분리, 내담자의 깊은 내면에의 동참 등은 확실히 하나님의 공감적 내주와 많이 닮아 있다. 그런데 우리는 이러한 양자의 유사성을 단지 우연이라고 보아서는 안 된다.

하나님의 공감과 인간의 공감 사이의 유사성은 몰트만의 개념으로 하나님과 인간 사이의 **페리코레시스**(*perichoresis*), 즉 역동적 상호내주(mutual indwelling)로 말미암는 것이라 할 수 있다.[46] 몰트만에 의하면 세상을 사랑하시는 하나님은 자신을 우리에게 개방하신다.[47] 즉 자신을 열고 우리 인간을 그의 사랑 안으로 초대하시며 그의 사랑에 동참케 하신다. 이것의 결과로 하나님의 사랑에 동참하는 우리 인간의 마음과 우리의 관계 속에 동참하시는 하나님의 마음이 서로 일치(correspond)하게 된다.[48] 하나님의 마음과 인간의 마음 사이의 이러한 상호일치는 몰트만의 페리코레시스 개념뿐 아니라 바르트의 관

45 "나는 기독(목회)상담 중에 상처받은 타인을 상담하는 임상적 행위에서 성육신한 인간 예수의 모습을 발견한다. 한 인간을 이해하는 초기 작업은 그리스도가 인간의 몸을 입고 인간의 자리에 내려와 인간의 고통을 안으로부터 함께 느끼는 성육신적인 과정과 같다(권수영, 『기독(목회)상담 어떻게 다른가요: 심리학과 신학의 만남』(서울: 학지사, 2012), 62); "기독교 상담에서의 공감은 불완전한 인간인 상담자가 단절된 인간 실존의 한계를 잠시나마 뛰어넘어 역시 불완전한 인간인 내담자를 사랑으로 만날 수 있는 하나님의 선물, 하나님께 배운 방법이라고 할 수 있다. 하늘 높은 보좌를 버리고 비천한 인간의 자리에 내려와서 우리들의 실존을 공감한 그 사실, 그래서 너무도 쉽게 우리들이 그 분을 맞아들일 수 있는 길을 열어 준 것이 곧 복음이었듯이, 상담 현장에서의 공감이란 하나님 사랑모형의 좋은 실습이라고 할 수 있다(이만홍·황지연, 『역동심리치료와 영적 탐구』, 164-65).

46 Jürgen Moltmann, *Experiences in Theology: Ways and Forms of Christian Theology*, trans. Margaret Kohl (Augsburg, MN: Fortress Press, 2000), 322-323.

47 위의 책, 322.

48 위의 책.

계적 유비 개념으로도 설명될 수 있다.

2) 하나님과 인간 사이의 관계적 유비(*analogia relationis*)

필자는 앞 장에서 이미 하나님과 인간의 수직적 관계와 인간상호간의 수평적 관계 사이의 유비(analogy)가 이 땅에서 교회의 소명을 보여주는 것이라는 점을 바르트의 교회론(ecclesiology)에 의거하여 설명했다. 바르트에 의하면 교회공동체는 서로의 관계 속에서 그리스도의 사랑에 동참함으로써 세상에 하나님의 현존을 증거하도록 부르심 받았다. 그리스도의 사랑에 동참한다는 말의 의미는 그리스도께서 이 땅에서 하나님의 사랑으로 사람들을 사랑하신 것 같이 우리 역시 이 땅에서 서로 사랑하는 삶을 통해 하나님을 증거한다는 의미이다. 그런데 바르트에 의하면 이처럼 우리의 삶이 하나님을 증거하는 것은 우리 자신으로 말미암은 일이 아니다. 하나님은 오직 하나님 자신에 의해서 우리에게 알려지는 분이시기 때문이다. 우리를 통해 하나님이 나타나는 것은 우리 가운데서 하나님이 친히 행하시는 사랑으로 스스로 자신을 증거하시기 때문이다. 우리는 이처럼 우리 가운데서 행하시는 하나님의 사랑에 동참함으로써 하나님을 경험하고 서로에게 하나님을 증거하는 삶을 살게 된다.

하나님은 창조주이시지만 그의 피조물 가운데 함께하시는 분이라는 몰트만의 내재적 초월(immanent transcendence) 개념은 사실상 바르트의 『교회교의학 *Church Dogmatics*』에 이미 내포되어 있는 것이다. 바르트는 "하나님은 창조주이시지만 그의 피조물 안에 내주하신다"[49]고 말하고, 또한 "하나님은 그의 피조물과 완전히 다른 존재이면서도 그 피조물 자신보다 그들에게 더 가까이 계신 분"이라 묘사한다.[50] 이처럼 바르트는 몰트만보다 앞서 이미 하나님의 내재적 초월에 대해 이야기했다. 그러나 그럼에도 불구하고 몰트만이 바르트신학을 하나님의 초월성(transcendence)만을 강조한 신학이라고 비판하는 이유는 바르트가 하나님 자신은 인간에게 경험될 수 없다고 주장했기 때문이다.[51] 그러나 정확히 말해서 바르트는 우리가 하나님을 경험하는 것이 불가능하다고 말한 것이 아니라 우리가 하나님을 직접적으로 경험하는 것이 불가능하다고 한 것이다. 바르트는 우리가 하나님을 직접적으로가 아니라 간접적으로, 하나님과 다른 제2의 대상을 통해서만 경험할 수 있다고 했다.[52] 이것은 다시 말해 하나님이 어떤 다른 대상을 통해서 우리에게 자신을 나타내신다는 의미이다.[53]

바르트가 말하는 그 다른 대상은 우선적으로는 바르트가 하나님의 자기 계시라고 지칭한 인간 예수를 뜻한다. 그러나 그것은 또한 그 예수 그리스도의 인간성에 동참하는 우리들 자신이 될 수 있다. 그런데 바르트의 관계적 유비론에 의할 때 이 땅에서 하나님을 나타내는 제2의 대상은 우리들 개개인이라기보다는 우리들 서로간의 관계성(relationship)이다. 그리스도께서 이 땅에서 사람들과 맺으신 관계성이 하나님을 증거하듯이 우리들 서로간의 관계성이 하나님을 증거하는 것이 된다는 의미이다. 그런데 우리가 이런 바르트의 개념을 본 장

49 Karl Barth, *Church Dogmatics*, Ⅱ/1, 313.

50 위의 책, 314.

51 위의 책, 7.

52 George Hunsinger, *How to Read Karl Barth: The Shape of His Theology* (New York: Oxford University Press, 1991), 40.

53 하나님의 자기계시가 다른 피조물의 매개를 통해서 이루어진다는 바르트의 계시론에 대해서는 박형국, "계시와 현존: 계시의 매개에 대한 바르트의 변증법적 유비론," 『장신논단』 40 (2011, 4), 212-18을 참조하라.

의 맥락 속에서 재해석하자면 그것은 곧 하나님께서 우리들 상호 관계 속에서 자신을 나타내시는데 특별히 우리들 상호간에 경험되는 감정, 심상, 마음의 움직임을 통해 자신을 나타내신다는 것이 된다. 이것은 다시 말해 우리 상호간에 경험되는 그 감정, 심상, 마음의 움직임이 하나님을 나타내는 제2의 대상이 된다는 것이다. 물론 우리가 서로간에 경험하는 그런 마음과 감정은 일차적으로 하나님의 것이 아니라 우리들 자신의 것이다. 그런데 이것을 통해 우리가 하나님을 경험할 수 있는 것은 하나님께서 그러한 우리의 마음과 감정 속에서 자신을 나타내시기 때문이다. 바르트는 이것을 성령으로 말미암는 하나님과 인간 사이의 상호참여(mutual participation), 또는 **코이노니아**(*koinonia*)라고 표현하는데,[54] 이것을 우리는 다시 몰트만의 용어로 **페리코레시스**(perichoresis), 즉 하나님과 인간 사이의 역동적인 상호내주라고 지칭할 수 있다.[55] 바르트나 몰트만이 이 같은 용어들로 묘사하는 것은 곧 하나님과 우리의 마음이 상호내주하면서 상호조응한다는 것인데, 이것은 곧 그리스도께서 겟세마네 동산에서 하신 기도, 즉 **"아버지께서 내 안에, 내가 아버지 안에 있는 것 같이 그들도 다 하나가 되어 우리 안에 있게 하사 세상으로 아버지께서 나를 보내신 것을 믿게 하옵소서"**(요 17:21)라는 기도의 성취이다.

---

54 George Hunsinger, *Disruptive Grace: Studies in the Theology of Karl Barth* (Grand Rapids, MI: William B. Eerdmans, 2000), 140.

55 Jürgen Moltmann and Margaret Kohl eds., *A Broad Place: An Autobiography* (Minneapolis, MN: Fortress Press, 2008), 289. 몰트만의 "페리코레시스" 개념은 바르트가 말한 하나님과 인간의 "상호 참여(mutual participation) 개념과 크게 다르지 않다. 예컨대 바르트는 하나님과 인간의 연합과 하나님의 자기소통을 연결시키면서 "계시는 이러한 상호참여의 결과이다. 하나님을 아는 지식은 하나님과의 교제와 분리될 수 없다"고 말한다(Karl Barth, *Church Dogmatics*, II/1, 182).

3) 둘로 하나를 지으시는 하나님의 영

우리가 상담자의 공감과 하나님의 공감의 상호조응을 이해하기 위해 참고할 만한 또 하나의 신학적 논의는 미하엘 벨커 Michael Welker 의 영(spirit)의 기능에 대한 논의이다. 상담자가 내담자의 자리에 들어가 그의 마음을 함께 느끼는 과정으로서의 공감(empathy)은 사실상 투사적 동일시(projective identification)나 내사적 동일시(intro-spective identification) 같은 심리학 개념만으로는 충분히 설명되지 않는 "신비한 과정"인 것이 사실이다.[56] 우리는 이러한 신비한 과정을 벨커가 말하는 "영"(spirit)의 기능으로 이해해 볼 수 있다. 성경에 의거하여 벨커는 영의 기능이 서로 물리적으로 떨어져 있는 두 인격체를 하나로 연결하는 일이라고 정의한다.[57] 사도 바울이 고린도 교인들에게 "비록 내가 몸으로는 떨어져 있지만 너희가 모일 때 거기에 나도 영으로 함께 있다"(고전 5:3)고 한 것은 바로 영(spirit)의 기능이 서로 다른 인격체를 하나로 연결하는 일임을 시사한다. 이렇게 보면 다른 사람의 마음을 내 마음처럼 느끼는 공감(empathy)은 다름 아닌 인간의 영의 기능이다. 벨커에 의하면 하나님의 영(the Spirit of God)의 기능 역시 이와 다르지 않다. 하나님의 영이 우리에게 부어질 때 일어나는 현상은 본질적으로 서로 다른 존재인 하나님과 인간이 서로의 차이를 넘어 하나의 마음을 품게 되는 것이다. 우리가 이러한 벨커의 성

---

56 "프롬 라히만(Fromm-Reichmann)과 같은 정신분석적 심리치료사들은 공감의 순간들이 어떠한 설명도 할 수 없는 신비한 과정이라고까지 말한다"(권수영, 『기독[목회]상담 어떻게 다른가요』, 51).

57 Michael Welker, *The Theology and Science Dialogue: What can Theology Contribute: Expanded Version of the Taylor Lectures, Yale Divinity School 2009* (Neukirchen-Vluyn: Neukirchener Theologie, 2012), 49.

령론을 받아들인다면 우리가 비록 하나님과 함께할 수 없는 존재이지만 우리 서로를 향한 마음을 통해 우리가 하나님의 마음을 알 수 있게 되는 것은 바로 그처럼 둘로 하나를 지으시는 성령의 일이라 이해할 수 있다.[58] 요컨대 하나님의 마음과 우리 인간의 마음 사이의 역동적 상호참여는 이처럼 하나님의 영으로 말미암아 가능한 일인 것이다.

두 가지 영성의 길

위에서 필자가 주장한 것처럼 하나님의 마음이 우리가 서로에게 품은 마음과 상호 조응하는 것이 사실이라면 영적 식별은 심리적 분석과 식별을 수반할 필요가 있고 영성지도는 심리상담과 통합적으로 시행될 수 있다. 이런 통합적 접근을 위해 먼저 필요하다고 여겨지는 것은 영성신학에서 말하는 **부정신학**(negative theology)과 **긍정신학**(positive theology)의 길 사이의 통합이다. 이제까지 영성지도의 전통은 자신의 현존재를 넘어 하나님께 나아가는 부정신학의 길을 우선적으로 취해 왔다. 우리는 이러한 전통의 영향을 심리학과의 대화를 시도한 메이(Gerald May)에게서도 찾아 볼 수 있는데, 이를테면 피

58 이러한 벨커의 성령의 역할에 대한 이해는 몰트만 의 페리코레시스(perichoresis) 개념 등과 마찬가지로 역시 바르트 신학 속에 이미 내포되어 있다고 할 수 있다. 예를 들어 바르트는 "성령의 은사와 사역은 우리를 하나님의 사귐에 참여케 하시는 일, 다시 말해 예수 그리스도의 존재와 뜻과 행동에 참여케 하시는 것"이라고 말한다(Karl Barth, *Church Dogmatics*, IV/3-2, 538).

지도자의 자기상/하나님상이 긍정적인 것일 때조차 그것이 하나님과의 관계에 방해가 된다는 그의 생각에서 볼 수 있는 것이 바로 그런 전통의 영향이다. 우리는 이러한 시각을 심지어 이만홍과 황지연에게서도 찾아볼 수 있는데, 곧 내담자의 영적 성숙을 가로막는 심리적 걸림돌을 제거하는 것이 심리상담의 주된 역할이라는 그들의 주장에서이다.[59] 이러한 시각은 영성수련에서 하나님과 피조물인 우리들 사이의 비유사성을 강조하는 부정신학에 상응하는 시각으로 자기를 비움으로써 하나님께 나아가려고 하는 소위 무념적(無念的) 방식(apophatic way)에 가깝다.[60]

그런데 필자는 영성수련에도 무념적 방식만 아니라 유념적(有念的) 방식(kataphatic way)이 있는 것처럼 심리상담과 영성의 통합에 있어서도 부정신학의 길과 더불어 **긍정신학의 길**이 있다고 생각한다. 관상기도의 전통에 있어 이 긍정신학은 기본적으로 하나님과 피조물 사이의 유사성을 긍정하면서 비록 불완전한 피조물이라 할지라도 그 속에 하나님의 형상이 담겨 있다고 보는 관점이다. 긍정신학의 길이란 바로 이런 관점에서 그런 대상들과 거리를 두기보다 그런 대상들을 통해 하나님께로 나아가려는 방식이다.[61] 본 장에서 필자는 이와 비슷하게 내담자와 상담자 사이에 경험되는 감정이나 마음의 움직임을 통해 하나님을 만날 수 있다고 주장했다. 이만홍이 말하는 것처럼 내담자의 전이감정 속에 감춰진 인정과 사랑에의 갈망이 본질적으로 하나님을 향한 것이라면 우리는 그러한 내담자의 갈망을 부정하는 것이 아니라 긍정하는 가운데 그 안에서 하나님을 만날 수 있다고 믿

59 이만홍·황지연, 『역동심리치료와 영적 탐구』, 256.

60 유해룡, 『하나님 체험과 영성 수련』(서울: 장로회신학대학교출판부, 2002), 97.

61 위의 책, 97.

기 때문이다.

영성신학자 유해룡은 부정신학과 긍정신학 중 어느 한 가지만으로는 하나님과의 온전한 일치에 이를 수 없다고 주장한다.[62] 진정한 하나님께 나아가기 위해서는 하나님과 자신에 대한 고정된 상(像)들이 계속해서 극복되어야 하지만 또한 그러한 대상들을 통하지 않고는 하나님과의 관계를 맺는 것이 불가능하기 때문이다.[63] 요컨대 영적 성숙이란 하나님과 사람들과의 관계 속에서 그러한 자기상/하나님상들의 긍정과 부정의 변증법을 통해 참 하나님에게로 가까이 가는 과정이라고 할 수 있다. 다음 장에서 우리는 이러한 점근선적(漸近線的)인 과정으로서의 영적 성숙에 대한 논의를 계속 이어가려 한다.

---

62 위의 책, 97-98.

63 위의 책, 290.

V
장

목회상담과 영적 성숙

자기발견과 자기초월의 나선순환

인격 성숙과 영적 성숙

목회상담의 목적은 단순히 내담자의 심리적 문제해결이나 인격 성숙에 있는가 아니면 영적 성숙까지 함께 이루어 가는 데 있는가? 목회상담의 목적이 단순히 내담자의 심리 문제를 해결하는 것을 넘어 그의 영적 성숙에 있다면 목회상담자가 목표로 삼아야 할 영적 성숙이란 대체 어떤 것인가? 영적 성숙을 우리가 "내담자의 하나님과의 관계를 개선하는 것"이라고 규정한다면,[1] 이것은 내담자의 인격 성숙과 어떤 관계가 있는가? 영적 성숙은 인격 성숙과 무관한 문제인가? 아니면 내담자의 영적 성숙은 내담자의 인격 성숙을 수반하는가? 이와 같은 질문들이 이만홍과 황지연이 인격 성숙과 영적 성숙의 관계를 논의하면서 던지는 질문들이다. 특히 마지막 질문에 이르러 두 저자는 영적 성숙과 인격 성숙이 서로 반드시 일치한다고 보기 어렵다는 사실을 인정한다. 예컨대 인도의 성자 간디 Mahatma Gandhi 처럼 기독교적 관점에서 거듭난 기독교인으로 보기 어려운 사람이 인격적으로는 매우 성숙한 사람으로 평가될 수 있기 때문이다.[2] 반대로 하나님과

---

1 이만홍·황지연, 『역동심리치료와 영적 탐구』(서울: 학지사, 2009), 266.

의 관계는 아주 친밀한데 인격적으로는 아직 미성숙한 사람들도 있다. 이러한 문제에 대해 이만홍과 황지연의 결론은 "궁극적으로" 영적 성숙과 인격 성숙은 서로 일치할 수밖에 없다는 것이다.[3] 그 이유는 영적 성숙이란 결국 "예수를 닮아가는 것"인데 이것은 하나님과의 관계에 있어 그리스도의 본을 따르는 동시에 예수의 온전한 인격을 닮아간다는 의미이기 때문이다.[4]

필자는 목회상담의 목적이 인간상호간의 관계 속에서 하나님의 형상을 이루어가는 데 있으며, 이것이 하나님과 보다 성숙한 관계를 맺는 동시에 인간상호간에 보다 성숙한 관계를 이루어가는 과정이라는 데 동의한다. 그런데 사실상 이와 같은 목회상담의 목적에 크게 이의를 제기할 이는 거의 없을 것이다. 다만 이러한 기본목적을 어떻게 달성할 것이냐는 문제에 있어 서로 조금씩 다른 입장과 관점을 가질 수 있다. 예컨대 이만홍과 황지연의 경우 앞 장에서 이미 살펴본 것처럼 내담자의 영혼은 "그 성숙을 가로막고 있는 것을 잘 제거해 주기만 하면 스스로 자란다"고 전제하고, 내담자의 영혼이 하나님을 향해 자랄 수 있도록 그처럼 내담자의 마음밭을 준비하는 것이 상담자의 역할이라고 말한다.[5] 이것은 곧 내담자의 자아성숙이 "자신의 핵심역동을 의식에서 깨달아 알고 이해하게 되는" 것이라고 할 때 이런 자기이해를 도모하여 영적 성숙의 기초를 마련하는 것이 상담자의 과제라는 것이다. 이러한 접근방식의 특징은 심리상담과 영성지도의 통합을 지향하지만 실제로는 그 두 가지 접근을 단계적으로 적용하는 방식

2 위의 책, 261.
3 위의 책, 261.
4 위의 책, 269.
5 위의 책, 252.

이라고 할 수 있다.

이만홍과 황지연은 하나님과의 관계 부분은 심리치료 단계에서 보다 이후에 다루는 것이 안전하다고 이야기한다.[6] 그리고 그 이유를 내담자가 자신의 핵심감정이나 방어기제를 하나님의 뜻과 혼동할 수 있기 때문이라고 설명한다.[7] 그러나 그들은 한편으로 내담자의 영적 성숙이 자신의 핵심역동 속에서 "하나님의 섭리를 발견하는 것"이라 말하고 있다.[8] 그래서 심리상담을 통해 그러한 핵심역동을 잘 다루어 주는 것이 영적 성숙의 중요한 계기가 될 수 있다고 이야기한다.[9] 이것은 곧 내담자의 심리적 문제를 다루면서 하나님과의 관계 문제가 함께 풀어질 수 있다는 의미이다. 요컨대 이만홍과 황지연은 심리적 문제와 영적 문제가 이렇게 서로 "다르지 않은" 것을 인정하면서도 하나님과의 관계 문제를 내담자의 심리적 문제와 함께 다루기를 주저한다. 그들이 우려하는 문제는 역시 내담자가 신앙을 자신의 미성숙함을 방어하는 방어기제로 사용하는 문제이다.[10] 그러나 필자는 이러한 문제는 상담 중 하나님에 대해 이야기하지 않는다고 해서 넘어설 수 있는 문제가 아니라고 생각된다.[11] 내담자의 자기이해는 항상 그의 신앙, 다시 말해 그의 하나님 이해와 맞물려 있기 때문이다. 그러므로 만일 우리가 상담을 통해 내담자로 하여금 자신의 다른 사람들과의 관계의 문제뿐 아니라 그것과 맞물려 있는 하나님과의 관계

6 위의 책, 267.

7 위의 책, 268.

8 위의 책, 264.

9 위의 책, 267.

10 위의 책, 267.

11 또한 필자는 만일 상담자가 이렇게 하나님에 대해 이야기하는 것을 지양한다면 심리치료와 영성지도가 이상적으로는 "동일사역자에 의해 이루어져야 한다"(이만홍, 『영성치유』[서울: 한국영성치유연구소, 2006], 24)는 주장 역시 설득력이 적어지는 것이 아닌가 생각된다.

문제도 함께 발견할 수 있도록 돕는다면 이것은 차후의 영적 지도를 위한 준비가 아니라 그 자체가 영적 지도라고 할 수 있을 것이다.

여기서 필자가 강조하고 싶은 점은 내담자의 영적 성숙이 그가 이제껏 붙들고 있던 자기방어나 하나님상을 내려 놓을 때 잇따라 이뤄지는 어떤 과정이 아니라 내담자가 상담자 및 하나님과의 관계에서 새롭게 자기와 하나님을 바라보게 되는 과정 자체라는 것이다. 또한 이렇게 새롭게 하나님과 자기를 바라보게 될 때 비로소 이제까지 그의 방어적인 자아와 왜곡된 하나님상으로부터 온전히 벗어날 수 있다. 다시 말해 영적 성숙은 먼저 자기를 넘어섬으로 하나님을 만나게 되는 과정이 아니라 먼저 하나님을 만나고 그 안에서 새롭게 자기를 발견함으로써 이제까지의 자기를 넘어서게 되는 과정이다. 이제 다음에서 필자는 이러한 새로운 자기 발견으로서의 영적 성숙에 대해 하인즈 코헛(Heinz Kohut)의 자기심리학 개념을 빌어 좀 더 구체적으로 설명해 보고자 한다.

자기대상(self-object)으로서의 하나님

앞 장에서 우리는 상담 현장에서의 하나님의 공감적 내주(empathic indwelling)에 대해 몰트만 등의 신학적 개념들을 통해 고찰해 보았다. 그런데 하나님께서 상담자와 함께 내담자 안에서 그의 마음을 공감하신다는 것은 하나님께서 내담자에게 코헛이 말하는 자기대상(self-object)으로 기능할 수 있다는 것을 시사한다. 코헛에 따르면 대상의 공감적 반응은 내담자의 자기대상전이(self-object transference)를 일으키기 때문이다.[12] 그런데 여기에서 문제는 사람이 아닌 하나님이 내담자의 자기대상이 될 수 있느냐는 문제이다. 상담 현장에서 내담자의 자기대상 기능을 하는 것은 일차적으로 현재 내담자와 인격적 관계를 맺고 있는 상담자이다. 이에 비해 하나님은 두 사람의 대화의 주제가 되거나 마음에 떠올려진 이미지가 될 수 있을지언정 상담자처럼 직접 경험할 수 있는 인격체가 아니므로 내담자의 자기대상이 될 수 없다는 반론이 가능하다. 이런 문제제기에 대한 대답은 첫째 장정은이 주장하는 것처럼 상담 현장에서 내담자의 자기대상은 정확히 말해 상담자 자체가 아니라 내담자가 심리적으로 경험하는 상담자, 즉 내담자의 심리내적 대상이라는 것이다. 이런 의미에서 내담자의 자기대상경험은 내담자의 심리내적 경험이다.[13] 이것이 시사하는 바는 곧 "자기대상이 반드시 사람이 아닐 수도 있다"는 것이다.[14]

혹자는 그럼에도 다시 사람이 아닌 하나님이 어떻게 자기대상으로 경험될 수 있느냐 물을 수 있다. 이에 대한 대답은 위에서 이미 바르트 등의 개념을 빌어 설명했듯이 하나님은 직접적으로가 아니라 간접적으로 상담자와의 경험을 매개로 경험된다는 것이다. 내담자가 직접적으로 경험하는 것은 하나님이 아니라 상담자, 또는 그 외 다른 대상이다. 그러나 이 때 성령의 역동적 상호참여(perichoretic partici-

12 홍이화, 『하인즈 코헛의 자기심리학이야기 I』(서울: 한국심리치료연구소, 2011), 54-55.

13 Jung Eun Jang, *Religious Experience and Self-Psychology: Korean Christianity and the 1907 Revival Movement* (New York: Springer Nature, 2016), 25.

14 어네스트 울프(Ernest Wolf)에 의하면 "종교적 경험 역시 성인기의 자기 유지 기능을 하는 자기대상 경험 중 하나로 볼 수 있다."(Ernest S. Wolf, *Treating the Self: Elements of Clinical Self Psychology* (New York: Guilford Press, 1988), 53; Jung Eun Jang, *Religious Experience and Self-Pyshcology*, 25-26에서 재인용).

pation)로 말미암아 내담자가 경험하는 것은 단지 상담자가 아니라 그들을 향한 하나님의 마음이 된다. 이 때 상담자가 그 경험 속에서 내담자로 하여금 상담자 자신이 아니라 하나님을 바라보도록 이끈다면 이 때 내담자의 자기대상은 단지 상담자가 아니라 하나님이 된다.

여기서 강조할 것은 이처럼 내담자가 하나님을 자기대상으로 경험하는 것이 그의 심리내적 경험이라고 해서 그것이 실제적 경험이 아닌 것은 아니라는 점이다. 우리는 그것을 성령의 개입으로 말미암는 실제적인 하나님 경험으로 보아야 한다. 물론 이 때 하나님은 다만 상담자의 매개를 통해 간접적으로만 경험되고 내담자가 그 경험을 하나님 경험으로 인식하는 것 역시 상담자가 어떻게 그 경험을 해석하느냐에 많이 달려 있다. 이러한 상담자의 인도는 예컨대 자신 안에 일어나는 감정을 하나님의 마음으로 명명(命名)함으로써 내담자로 하여금 그를 긍휼히 여기시며 기다리시는 하나님을 마음 속에 떠올리게 하는 것 같은 방식으로 이루어진다. 그러나 그럼에도 불구하고 우리는 이것을 단순히 내담자의 마음 속에서 이루어지는 일이 아니라 하나님과 상담자의 구체적 "행동의 일치"로 말미암는 실제적인 하나님의 자기 계시의 사건으로 보아야 한다.[15]

코헛이 말하는 자기대상 전이는 구체적으로 세 가지, 곧 거울 전이(mirroring transference), 이상화 전이(idealizing transference), 그리고 쌍둥이자기대상 전이(twinship/alter-ego transference)이다. 먼저 거울 전이란 어린 아이가 부모와의 관계 속에서 자신의 과대자기(grandiose self)욕구를 수용해 주는 자기대상을 찾는 과정을 말한다.

---

15 "(바르트에 의할 때) 사람과 하나님 사이의 유비는 존재의 유비가 아니라 하나님과 그 하나님의 행동에 일치하는 사랑의 행동 사이의 유비이다"(Keith L. Johnson, *Karl Barth and the Analogia Entis* (New York, NY: T&T Clark, 2010), 216).

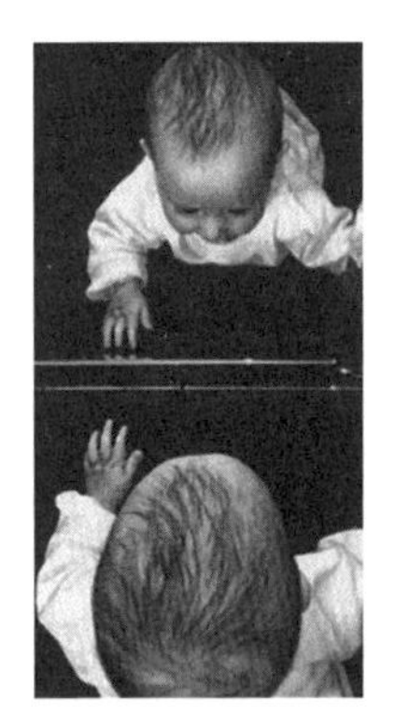
거울 속의 자기를 발견한 아기

한편 이상화 전이는 자신의 취약한 부분을 보호해주고 채워줄 수 있는 이상적 대상을 부모와 동일시하는 것이다.[16] 심리상담에서 상담자의 공감적 반응은 내담자의 어린 시절 부모와의 관계에서 좌절된 이러한 자기대상 욕구들을 다시 활성화하는데, 우리는 상담 현장에 함께 계시는 하나님 역시 상담자를 통해 이처럼 내담자 안에 감춰져 있던 자기대상욕구를 불러일으킨다고 볼 수 있다. 즉 상담자가 하나님의 마음으로 내담자를 바라보고 그의 안에 일어나는 마음을 하나님의 마음으로 해석하여 전달할 때, 내담자는 그것을 통해 하나님을 마음에 그리며 그 하나님의 눈을 통해 자신을 예컨대 참으로 사랑스럽고 소중한 존재로 인식하게 된다. 또한 그 하나님 안에서 연약하고 상처 입은 자신을 보호하고 붙드시는 이상적 부모를 발견한다.

한편 코헛이 말하는 쌍둥이 전이는 상대방에게서 자신과 닮은 대상을 발견하여 그것을 통해 자신의 소속과 정체성을 확인하는 심리과정이다.[17] 내담자는 일차적으로는 점점 친밀하게 느껴지는 상담자

16 위의 글, 281-82.

를 이 같은 쌍둥이 자기대상으로 동일시할 수 있다. 내담자는 그러나 그 뿐 아니라 상담자와 나누는 이야기 속에서 떠올리게 되는 그리스도나 제자들의 모습에서 자신의 쌍둥이 자기대상을 찾을 수도 있다. 이러한 쌍둥이 대상 전이는 두 사람이 성경의 이야기를 함께 나누거나 간증을 나눌 때도 종종 일어난다. 예컨대 그리스도와 제자들의 고난과 부활의 이야기를 통해 자신의 현재적 경험의 의미를 찾으면서 위로와 격려를 얻게 되는 것이 심리학적 견지에서는 일종의 쌍둥이 전이라고 할 수 있다.

홍이화는 하나님이야말로 인간의 궁극적인 자기대상이라고 말한다.[18] 이것의 내포적 의미는 하나님이 온전히 인간의 자기대상욕구에 부응할 수 있는 존재라는 것이다. 하나님만이 온전히 인간의 존재가치를 확증해 주시며 어떤 상황에서도 인간의 연약함을 보호하시고 그의 부족함을 채워 주시는 분이다. 또한 우리는 예수 그리스도와 동행하는 삶 속에서만 우리의 진정한 자기정체성과 소속감을 찾을 수 있다. 이렇게 본다면 인간의 자기대상욕구는 이만홍과 황지연이 지적한 것처럼 본질적으로 하나님을 향한 것이라고 볼 수 있고 자기대상 전이는 스스로 의식하지 못한 채 하나님을 찾는 갈구의 몸짓이라고 볼 수 있다.[19] 그러나 인간은 실제로 그렇게 하나님을 찾기보다는 그들 바로 앞에 있는 다른 사람에게서 그처럼 완전한 자기대상을 찾는다. 우리는 이것을 그릇된 방향 추구로, 심지어는 우상숭배로 규정할 수도 있겠지만, 한편으로 이것을 하나님이 시초에 정하신 원리에 따른 것이라고도 볼 수 있다. 즉 눈에 보이는 다른 사람들을 눈에 보이

---

17 위의 글, 284.

18 홍이화, "(자기 심리학 이야기[4]) 자기의 구축," 『기독교사상』(2010, 10), 256.

19 이만홍·황지연, 『역동 심리치료와 영적 탐구』, 244.

지 않는 하나님의 표상(representation)으로 지으신 원리에 따른 것이라 볼 수 있다. 바르트의 인간론에 의하면 사실 우리 모두는 서로에게 이러한 하나님의 표상이 되도록 지음 받았다.[20] 그런데 그 중 특별히 자녀와의 관계에서 이처럼 하나님의 표상이 되도록 부름 받은 것은 바로 그들의 부모이다.

부모는 하나님의 표상(representation)

바르트의 관계적 인간론에 의거하면 모든 인간은 본래 서로에게 하나님을 생각나게 하는 존재로 창조되었다. 바르트에 의하면 그 중 특별히 그와 같은 관계로 지어진 것이 바로 부모와 자녀의 관계이다. 바르트에 의하면 부모는 자녀에게 하나님의 표상(representation)이 된다.[21] 그런데 부모가 자녀에게 하나님의 표상이 된다는 것은 실제적으로 어떤 의미인가? 이것은 부모가 자녀에게 하나님과 같아져야 한다는 의미인가? 대답은 '아니다'이다. 우리가 바르트의 표상(representation)이라는 용어를 그의 유비(analogy) 개념과 연결시켜 보자면 부모가 하나님의 표상이라는 것은 자녀에게 부모가 하나님과 같다는 것이 아니라 하나님과 다르지만 하나님을 가리키는 존재라는 의미이다. 유비(analogy)란 다르면서도 닮은 것을 지칭하는 말이다. 실제적

---

20 이재현, "임상목회경험을 통한 하나님 이해: 칼 바르트의 유비적 계시론에 기초한 임상목회신학,"『신학과 실천』 52 (2016), 760-61.

21 Karl Barth, *Church Dogmatics*, Ⅲ/4, 245.

인 차원에서 이것은 부모가 그들의 깊은 사랑과 헌신을 통해 하나님을 떠올리게 하지만 그럼에도 결국 인간일 수밖에 없는 그들의 모습은 자녀로 하여금 그들 자신이 아니라 하나님을 바라보도록 한다는 의미라고 할 수 있다. 바르트의 표상이라는 개념을 이렇게 이해할 때 우리는 이것이 코헛의 자기심리학과도 잘 부합한다는 사실을 발견하게 된다.

코헛에 의하면 부모는 자녀에게 일차적으로 자기대상 역할을 하는 존재이다. 부모는 자녀와의 관계에서 자녀의 존재가치를 반영해주고 자녀를 보호하며 그들의 부족을 채워주는 이상적 자기대상으로 기능한다. 그러나 여기서 그러면 부모가 자녀에게 그렇게 하나님 같이 완전한 자기대상이 될 수 있느냐 물을 때 대답은 역시 '아니다'이다. 기독교적 관점에서 부모가 자녀에게 건강한 자기대상 기능을 한다는 것은 그리스도와의 연합을 통해 자녀와의 관계 속에서 그리스도의 형상을 나타낸다고 하는 의미이다. 여기서 그리스도와 연합한다는 것은 부모가 그리스도와 동행하는 성숙한 삶을 사는 것을 의미한다. 이처럼 성숙한 삶을 사는 사람은 코헛의 심리학의 관점으로 보자면 하나님과 친밀한 관계를 통해 그 하나님을 자신의 자기대상으로 충분히 잘 **내면화**(internalize)한 사람이다. 이런 사람은 자기 자신에게뿐 아니라 자녀를 포함한 다른 사람들에게도 하나님처럼 건강한 자기대상의 기능을 할 수 있다.[22] 그러나 이것은 사실 이상적인 경우이고 실제 지속적으로 부모가 이렇게 온전한 자기대상 기능을 한다는 것은 결코 쉬운 일이 아니다. 실제적으로 대부분의 부모들은 그들

22 바로 이와 같은 가능성을 시사하는 성경구절은 베드로후서 1:4 후반절 "너희가 정욕 때문에 세상에서 썩어질 것을 피하여 신성한 성품에 참여하는 자가 되게 하려 하셨느니라"(개역개정)를 예로 들 수 있다.

의 죄성으로 인해, 또한 그들의 인간으로서의 현실적 한계로 말미암아 그들의 자녀들에게 하나님처럼 온전한 자기대상 역할을 잘 하지 못한다. 상담자를 찾아오는 대부분의 사람들의 문제는 그들의 부모가 이 같이 일차적인 자기대상 역할을 잘 감당하지 못한 데 기인한다. 예수 그리스도로 말미암아 우리에게 하나님과 하나됨이 가능한 현실이 열렸다는 것은 부모가 자녀에게 하나님처럼 온전한 자기대상 기능을 할 수 있다는 가능성을 의미한다. 그러나 실제로 지속적인 의미에서 부모가 자녀에게 이렇게 된다는 것은 어려운 일일 뿐 아니라 그렇게 될 필요도 없다. 코헛에 의하면 자녀는 적절한 좌절을 통해 성숙하기 때문이다.[23]

코헛이 말하는 성숙은 물론 기독교에서 말하는 성숙과 차이가 있다. 코헛이 말하는 성숙은 그 강조점이 자신의 욕구에 완전히 부합하는 대상이 현실에 없다는 사실을 받아들이고 이제 그 스스로 자신의 자기대상역할을 감당하게 되는 데 강조점이 있다. 즉 스스로 자기를 위로하고 격려할 수 있는 힘을 갖게 되는 것이 성숙이다. 반면 기독교적 관점에서 성숙은 자신이 바라는 이상적 대상이 오직 하나님 밖에 없다는 사실을 깨닫고 이제 사람이 아니라 하나님을 의지하는 데 강조점이 있다. 이제 다른 사람이 아니라 하나님으로부터 위로와 힘을 얻는 것이 기독교적 관점에서의 성숙이다. 그런데 어느 쪽이든 중요한 점은 이러한 성숙을 위해 부모가 자녀에게 적절한 수용이나 공감과 더불어 적절한 좌절을 경험하게 할 필요가 있다는 것이다. 기독교적 관점에서 이러한 좌절이 필요한 이유는 자녀로 하여금 부모 자신이 아니라 하나님을 바라보게 하기 위해서이다. 그러므로 기독교적

23 홍이화, 『하인즈 코헛의 자기심리학이야기 I』, 73.

관점에서 부모의 역할은 양면적이다. 한편으로 부모는 하나님께서 그렇게 하시는 것처럼 자녀의 자기대상욕구에 공감적/수용적으로 반응해야 한다. 그러나 또 한편으로 부모는 하나님과 같이 되기 어려운 자신들의 한계를 정직히 인정함으로써 자녀로 하여금 자신이 아니라 하나님을 바라보게 할 필요가 있다. 이 때 부모는 자녀와 마찬가지로 연약한 존재, 그래서 스스로도 하나님을 필요로 하는 불완전한 인간으로서 자녀와 함께 하나님을 바라보는 쌍둥이 자기대상으로 기능한다. 자녀는 이러한 부모를 통해 부모 너머의 하나님을 바라보게 되며 그 하나님의 이미지를 자기 안에 내면화하면서 이제까지 자기욕구의 투영에 가깝던 기존의 하나님상을 재구성하게 된다. 다시 말해서 자녀는 단순히 자기이상(ego ideal)이나 이상적 부모상의 투영이 아닌 진정한 하나님께로 다가가게 된다.

상담자의 매개적 역할

코헛에 의하면 사람들의 심리적 문제는 대개 유아기 자기대상욕구의 "외상적 좌절"(traumatic frustration)에 기인한다.[24] 이것이 의미하는 바는 그들의 욕구가 충분한 수용을 거쳐 적절히 좌절되지 못하고 외상적으로 좌절되었다는 것이다. 이러한 사람들에게 진정한 문제는 그 외상적 경험 자체가 아니라 그러한 경험에 고착된 채 자라지 못

24 위의 책, 77.

하고 있는 그들의 심리구조에 있다. 즉 여전히 유아적 과대자기 환상에 매달리고 있거나 유아기처럼 다른 사람들에게서 이상적 대상을 찾다가 거듭되는 좌절로 인해 무력감에 빠지는 마음의 구조가 문제라는 것이다. 코헛에 의할 때 이러한 문제를 가진 사람들에게 상담자가 해야 할 일은 과거 부모가 실패했던 부모의 역할을 다시 해 주는 것이다.[25] 즉 일차적으로 내담자의 감춰진 유아적 자기대상욕구가 상담자와의 관계에서 재활성화되도록 허용하고 그것에 대한 공감적 반응을 통해 그들의 유아적 자기대상으로서 기능하는 것이다. 그런데 이것은 일시적으로나마 내담자의 퇴행과 상담자에 대한 의존을 증폭시키는 일이 될 수 있다. 더욱이 앞 장의 권수영 논문의 사례에서처럼 이런 과정이 하나님의 이름으로 행해지면 이것이 또 하나의 이상적 자기상/하나님상에의 고착으로 이어져서 이후의 영적 성숙에 걸림돌로 작용할 수 있는 것도 사실이다. 그러나 우리는 그럼에도 불구하고 이러한 과정이 내담자의 정체되었던 자기성숙과 영적 성숙을 매개하기 위해 필요한 과정으로 이해해야 한다. 즉 그가 이제까지 매여 있던 자기상/하나님상을 극복하고 새로 경험하는 하나님 안에서 새로운 자기를 찾아가는 과정으로 이해해야 한다.

코헛에 의할 때 상담자가 공감적 반응과 더불어 내담자에게 주어야 하는 것은 적절한 좌절이다. 다시 말해 내담자를 적절히 만족시키는 동시에 적절히 실망시킬 필요가 있다. 결국 상담자의 역할은 부모의 역할과 마찬가지로 양면적인 것이다. 코헛에 따르면 내담자에게 이러한 좌절이 필요한 이유는 이런 좌절 없이는 이른바 변형적 내재

---

25 James W. Jones, *Contemporary Psychoanalysis and Religion: Transference and Transcendence*, 유영권 옮김, 『현대 정신분석학과 종교: 전이와 초월』(서울: 한국심리치료연구소, 1999, 144.

화(transmuting internalization)가 일어나지 않기 때문이다.[26] 코헛이 말하는 변형적 내재화란 외부의 대상이 해 주던 자기대상의 기능을 자기 안에 내면화하여 이제 스스로가 자신에게 그런 기능을 할 수 있게 되는 것이다.[27] 즉 스스로가 자신을 위로하고 자신을 격려하는 사람으로 홀로 서게 되는 것이다. 그러나 이것이 그의 치료의 목적이라고 이야기하는 코헛은 한편 다소 모순적이게도 인간이 "의존성을 버리고 홀로 선다는 것은 불가능한 일"이라고 단언한다.[28] 이것은 인간이 결코 자기대상의 필요를 극복할 수 없다는 의미이다. 우리는 일견 모순적으로 보이는 이러한 코헛의 주장을 기독교적 관점에서 다음과 같이 재정리해 볼 수 있다. 즉 인간의 자기대상추구는 그가 하나님을 향하므로 바른 방향을 찾게 되고 이로써 그는 다른 사람이나 사물에 대한 강박적 의존에서 자유로워질 수 있다. 즉 단지 홀로서는 것이 아니라 하나님과 함께 홀로서는 것이 성숙이다. 이런 견지에서 상담자의 역할은 부모의 역할과 마찬가지로 내담자의 자기대상기능을 충분히 감당하면서도 그의 욕구를 적절히 좌절시킴으로써 내담자가 상담자 자신이 아니라 하나님을 바라보도록 이끄는 것이다. 여기서 적절히 좌절시킨다는 것은 의도적으로 그렇게 한다기보다 내담자의 기대와 달리 현실적으로 상담자 자신 역시 불완전한 존재, 하나님의 긍휼을 필요로 하는 존재라는 사실을 정직히 인정하는 태도를 취한다는 것이다. 이렇게 할 때 내담자는 상담자가 아니라 그 너머의 하나님을 바라보게 되고 그 하나님을 자기대상으로 삼아 인격적, 영적 성숙에

---

26 홍이화, 『하인즈 코헛의 자기심리학이야기 I』, 78.

27 위의 책, 78-79.

28 Heinz Kohut, *How Does Analysis Cure?* (Chicago: University of Chicago Press, 1984), 52; James Jones, *Contemporary Psychoanalysis and Religion: Transference and Transcendence*, 33에서 재인용.

이르게 된다.

우리가 기억할 사실은 하나님조차도 때로 우리를 실망시키신다는 사실이다. 이것은 하나님께서 완전하지 않으시기 때문이 아니라 우리가 가진 하나님상이 항상 불완전하기 때문이다. 우리가 가진 하나님상은 우리의 인격적 미성숙, 즉 불완전한 자기구조와 연결되어 있기 때문에 이렇게 항상 불완전할 수밖에 없다. 그래서 하나님은 그 불완전함을 고치시기 위해 때로 우리의 기대를 저버리신다. 하나님은 이렇게 우리의 기대를 저버리심으로 당신이 단순히 우리가 그리는 그 이상적 대상이 아니라 타자(他者)이심을 나타내신다. 내담자들이 상담자를 찾아 오는 시점은 많은 경우 이처럼 하나님조차도 그들을 저버리셨다고 느껴지는 시점, 그들의 기대를 저버렸던 부모처럼 하나님도 동일하게 자신을 저버리셨다고 느끼는 시점이다. 이 때 상담자는 일차적으로 그런 내담자들의 감정에 공감적으로 반응하면서 그들이 좌절을 극복하고 새롭게 하나님을 바라볼 수 있도록 도와야 한다. 그러나 이것이 상담자 스스로 그들의 부모가 되거나 심지어 하나님처럼 되는 것이어서는 안 된다. 중요한 것은 역시 적절한 균형이다. 내담자에게 주는 공감도 좌절도 모두 중요하며 모두 적절해야 한다. 이러한 적절한 반응은 상담자 스스로가 하나님과의 관계에서 바로 서 있을 때 가능한 것이다. 내담자를 하나님의 마음으로 공감하는 일은 물론 성령의 개입으로 말미암는 것이지만 또한 상담자 자신이 하나님 및 신앙공동체와의 관계 속에서 충분히 건강한 방식으로 하나님을 자기대상으로 내면화했을 때 가능한 일이다. 또한 상담자가 내담자의 기대를 적절히 좌절시키고 자신이 아니라 하나님을 바라보도록 이끄는 일 역시 마찬가지이다. 이 역시 상담자가 하나님이나 다른 사람들과의 관계에서 자신의 과대자기욕구를 충분히 객관화할 수 있을 만큼 성숙했을 때 가능한 일이다. 이제 다음에서 우리는 하나의 실제 임상사례를 통해 상담자가 어떻게 이와 같은 성숙한 매개자 역할을 할 수 있는지 구체적으로 살펴보려 한다.

무지개로 응답하신 하나님: 그랜트 Grant 사례

우리가 함께 살펴보기 원하는 사례는 수잔 필립스 Susan S. Phillips 의 영성지도 사례집 『촛불 *Candlelight*』(2008)에 나오는 그랜트 Grant 라는 내담자의 사례이다. 수잔 필립스는 이 책에서 자신의 영성지도가 심리치료와 다르다는 점을 강조하고 있다.[29] 그러나 실제로 우리는 그녀의 사례들, 특히 이 그랜트의 사례에서 그녀의 영성지도 과정이 심리치료와 크게 다르지 않다는 점을 발견한다. 즉 심리치료 과정과 다르지 않게 서로의 신뢰관계를 바탕으로 내담자의 무의식적 저항을 극복하고 이러한 두 사람의 신뢰관계의 발전이 피지도자의 내적 치유와 더불어 영적 성숙으로 이어지게 되는 것을 볼 수 있다. 이 사례에서 무엇보다 주목할 점은 피지도자의 내적 치유와 자기성숙이 그의 영적 변화와 맞물려 이루어진다는 점이다.

피지도자 그랜트는 성실하고 철두철미한 성격의 소유자로 회사 관리자로서 자신의 업무에 있어 유능함을 인정받는 사람이었다. 수잔

---

29 Susan S. Phillips, *Candle Light: Illuminating the Art of Spiritual Direction*, 최상미 옮김, 『촛불: 영성지도를 조명하는 빛』(서울: SOHP, 2015), 61.

은 이런 그가 처음 그녀의 방에 들어섰을 때 모습을 다음과 같이 묘사하고 있다.

> 그랜트는 그의 은발을 더 돋보이게 만드는 회색 양복을 입고 왔는데, 어딜 보든 간부급 회사원처럼 보였다. 그는 조심스럽게 양복을 접어 놓고 휴대폰을 껐다. 그리고 그의 서류 가방과 함께 사무실 한 켠의 오래된 회의용 탁자 위에 올려 놓았다. 그는 첫 만남 이후로도 올 때마다 이 행동을 계속해서 반복했다.[30]

그랜트는 자신의 업무에 있어 객관적 사실과 감정을 분리시킬 수 있었고 그래서 무감정해 보일 만큼 정확하고 객관적 평가를 내릴 수 있는 사람이었다. 교회 생활에 있어서도 그는 성실하게 예배에 참석하고 꾸준히 기도와 성경 공부 모임에도 참석해 왔다. 그러나 그럼에도 불구하고 그는 자신의 "영적인 삶을 무미건조하고 판에 박힌 것으

30 위의 책, 60.

로 경험하고 있었다."[31] 할 수 있는 것은 다 해 봤지만 "그는 감정을 느낄 수 없었다."[32] 신학을 통해 하나님을 알고자 했지만 그 또한 잘 되지 않았다. 수잔과 만나는 거의 일년 동안 그랜트는 자신이 가진 수많은 신학적, 교리적 질문들을 쏟아냈고 현실의 삶의 영역에서 그가 가진 답답함을 토로했다. 수잔은 그의 삶 속에 그와 함께하시는 하나님을 발견하려고 노력하면서 그의 이야기를 경청했다. 이런 두 사람 관계에 하나의 전환점이 마련된 것은 영성지도가 시작된 지 근 일 년이 지나서 그랜트가 자신의 자살한 동생에 대한 이야기를 꺼냈을 때였다. 이 이야기를 듣는 동안 그의 고통이 수잔의 가슴에 그대로 전해져 왔다. 수잔은 그 사건과 관련된 상처와 어둠이 그를 여전히 사로잡고 있는 것을 볼 수 있었다.

주로 신학적 질문들만 쏟아내던 그랜트가 마침내 자신의 가족의 이야기, 특히 죽은 동생에 대한 이야기를 꺼낸 것이 수잔과의 사이에 공감적 결속이 충분히 깊어진 단계에서라는 것을 우리는 확인할 수 있다. 심리학적 관점에서 볼 때 그랜트가 근 일 년 동안이나 신학적 질문만 계속한 것은 그 긴 시간 자신의 심리적 방어를 내려놓지 못했기 때문이라 생각된다. 그것은 정확히 시간을 지키고 격식을 지키는 태도라든지 감정과 생각을 분리시키는 습관으로 나타나는 방어기제이다. 이런 방어기제는 회사에서 경영자로서 탁월한 업무능력이 되기도 했지만 동시에 지나치게 자신과 사람들에게 엄격하며 사람들의 무능이나 현실의 불합리성에 대해 분노를 참기 어려운 것 같은 심리적 문제를 야기했다. 수잔의 책은 이런 그랜트의 성격을 형성했을 그

---

31 위의 책, 60.
32 위의 책, 60.

의 어린 시절 어떤 사건이나 성장배경에 대해서 거의 아무런 정보도 제공하고 있지 않다. 그러나 우리는 수잔과의 관계에서 보여지는 그의 태도나 반응들을 통해 그 원인이 대체로 어떤 것이었을지 유추해 볼 수 있다. 특히 그의 감춰진 핵심감정인 분노는 예측하기 어려운 상황에 대한 불안과 연관된 것으로 보인다. 이런 그의 심리구조의 일면을 우리는 그가 수잔과 함께 실습했던 렉시오 디비나(*lectio divina*)에서의 그의 반응을 통해 엿볼 수 있다. 요한복음 6장을 묵상하면서 그는 이해할 수 없는 예수님의 말과 행동에서 소외감과 분노를 느꼈다. 그리고 또한 화가 난 주위 군중들이 폭도로 변할지 모른다는 불안감을 느꼈다.[33] 우리는 이런 그의 감정들을 이해하기 위한 실마리를 이전에 나온 "엄마의 분노"라는 한 구절에서 찾을 수 있다.[34] 유추해 보건대 아마도 어린 시절 그는 그의 일차적 보호자(아마도 엄마)와의 관계에서 많은 불안과 분노를 경험하고 그런 감정에 대해 자신을 방어하기 위해 현재의 강박적 성향과 자기통제의 습관을 형성했을 것이다. 또한 이러한 내적 작동 기제가 하나님과의 관계에서도 작용하여 그의 하나님은 그가 알고자 하지만 알 수 없는, 낯설고 먼 존재처럼 느껴졌다. 이렇게 볼 때 그랜트는 사회적으로 성공한 사람이라는 사실과는 별문제로 심리적 측면에서는 유아기의 어떤 시점에 성장이 멈춘, 매우 빈곤한 자기를 가진 사람이라고 볼 수 있다. 또한 그의 이러한 심리적 빈곤은 그의 영적 빈곤과 맞물려 있었다.

특별히 자기심리학의 관점에서 볼 때 그랜트의 행동, 예를 들어 자신의 이야기를 하면서 영성지도자와 눈을 맞추지 못하는 것 같은

33 위의 책, 310.

34 위의 책, 63.

행동은 그의 감춰진 수치심과 자기애적 분노를 드러낸다. 코헛에 따르면 이런 행동은 "주로 과대적 자기의 자기애적 욕구에 대한 공감적인 지지와 인정의 결핍에서 비롯"되는 것이다.[35] 그런데 우리는 그의 영성지도자가 그에게 바로 이 같은 공감적인 지지와 인정을 제공하는 중요한 자기대상이 되고 있음을 발견한다. 그녀 자신에 따르면 이것은 하나님께서 그를 어떻게 바라보고 계실지 상상하며 바로 그 하나님의 눈으로 그를 바라봄으로 가능했던 일이다. 그녀는 이 과정을 이렇게 묘사한다.

> 조용히 앉아서 그랜트의 이야기를 들으며 나는 하나님께서 그를 기뻐하고 계심을 느낄 수 있었다. 그리고 동시에 슬픔 또한 느껴졌다. 그랜트는 정말 좋은 사람이 되고 또 옳은 일을 하는 사람이 되길 열망했다. 그러면서도 그는 외로웠다. 이 사실이 나의 마음을 뭉클하게 했고, 마치 그를 향한 하나님의 긍휼이 내 가슴을 꽉 채우고 있는 듯 느껴졌다.[36]

여기서 우리는 수잔과 그랜트 사이에 깊은 공감적 조율이 이루어지고 있는 것을 볼 수 있다. 그랜트를 향한 수잔의 눈길은 그랜트 안에 있는 진실과 열망을 읽어주고 그의 외로움과 연약함을 안쓰러워하는 마음으로 가득 차 있다. 이러한 그녀의 눈길 속에서 그랜트는 어린 시절 그의 부모에게서 제대로 경험하지 못했던 공감적 자기대상을 경험한다. 그것은 그를 있는 그대로 수용하고 감싸주는 대상의 경험이다. 그는 이러한 대상의 경험 속에서 새로운 자기를 찾아간다.

---

35 홍이화, "(자기 심리학 이야기[7]) 자기애적 분노(Narcissistic Rage)," 『기독교사상』(2011, 1), 255.

36 Susan Phillips, 『촛불』, 64.

그런데 수잔은 이 때 자신의 가슴을 채우는 그 긍휼의 감정을 하나님의 긍휼이라고 지칭한다. 이것은 그녀가 그랜트를 바라보면서 동시에 그를 품고 계신 하나님을 바라보고 있음을 말해준다. 또는 하나님께서 그녀의 마음을 통해 그랜트를 향한 당신의 마음을 계시하고 계심을 의미하는 것이다. 그랜트는 수잔과의 관계 속에서 이렇게 자신을 나타내시는 하나님을 경험하게 된다. 안스럽게 자신을 바라보는 수잔의 눈을 고개를 들어 마주보며 그 눈을 통해 새롭게 하나님을 보게 된다. 이로써 이제까지 그의 안에서 낯설고 두렵게 느껴지던 하나님이 친밀하고 온유한 대상으로 변형되기 시작한다. 이러한 변화는 수잔과 그랜트 사이의 다음과 같은 신뢰와 결속을 매개로 하는 것이다.

> 나는 그랜트가 나를 신뢰하고 나의 실수도 용서한다고 생각한다. 그가 말하는 것의 의미를 내가 파악하지 못할 때면 그것이 무엇인지를 알려준다. 그리고 그의 질문에 대해 내가 모두 답할 능력이 없음도 받아들인다. 그는 말을 할 때도, 침묵할 때도, 하나님께 마음을 열 수 있도록 두려움으로 그를 초대할 때에도 나를 신뢰한다.[37]

우리는 수잔과 그랜트 사이의 이 같은 공감적 결속을 통해 그랜트 안에 이제껏 억압돼 있던 유아적 자기대상욕구 — 특히 영아적인 신뢰에의 욕구 — 가 재활성화되며 충족되고 있는 것을 볼 수 있다. 이러한 두 사람의 관계 속에서 고착되어 있던 그랜트의 자기(self)가 다시 숨쉬고 성장할 수 있는 공간이 마련되고 있다. 흥미로운 것은 수

---

37 위의 책, 77.

잔이 이 "공간"을 하나님이 임재하시는 공간이라 부르고 있는 점이다.[38] 실제로 이 공간은 그랜트에게 새로운 자기를 경험하는 공간일 뿐 아니라 새롭게 하나님을 만나는 공간이 되고 있다. 그랜트에게 있어 수잔의 공감적 현존(empathic presence)은 하나님의 임재 경험과 연결되어 있다. 우리는 이것을 예컨대 그랜트가 동생의 장례식에서 경험한 하나님의 손길에 대해 수잔에게 이야기하는 다음의 대목에서 확인할 수 있다.

> "갑자기 내가 강물을 따라 흘러가고 있으며 무엇인가 나를 붙잡고 인도해 간다는 느낌이 들었습니다. 온 몸이 아팠지만 그 안에서 쉴 수 있었습니다. 부드럽게 요람을 흔드는 손길 같았습니다."
> "요람을 흔드는"이란 말이 내 맘(수잔의 맘) 속에서 크게 울렸다. 그를 인도하고 요람을 흔드는 듯한 부드러운 손길 안에 그가 있었다. 나는(수잔은) 그 경험을 다시 한 번 더 이야기 해 달라고 제안했다.
> "위안 받는 경험이었습니다. 저 혼자가 아니라는 …" 그는 길게 숨을 내쉬었고 좀 더 긴장이 풀린 듯했다. 나는 그가 그 때의 그 손길과 쉼을 재경험하고 있는 것은 아닐까 생각했다(괄호 안 필자).[39]

마지막의 수잔의 진술에서와 같이 그랜트가 기억하는 하나님의 손길, "부드럽게 요람을 흔드는 손길"은 단지 과거가 아니라 현재 이곳에서 재경험되고 있다. 그런데 이처럼 과거의 경험이 현재화되는 과정에 촉매처럼 작용하고 있는 것이 바로 영성지도자의 공감적 현

38 위의 책, 71.
39 위의 책, 68.

존(empathic presence)이다. 수잔의 공감적 현존은 그랜트를 하나님의 임재로 이끄는 매개체로 작용한다. 여기서 우리는 하나님 안에 참여하는 인간관계는 하나님을 계시하는 유비적 매개가 된다는 바르트 신학의 증례(證例)를 발견할 수 있다.

우리는 영성지도가 진행되는 동안 그랜트의 심리적 치유와 영적 성장이 서로 맞물려 이루어지고 있다는 점을 확인할 수 있다. 그의 불안한 태도와 강박적 행동들은 점차 줄어들고 전에 없이 수잔과 눈을 맞추고 웃는 일이 잦아졌다. 이 즈음 그가 휴가를 얻어 휴양지에서 경험하게 된 것이 바로 무지개를 통해 응답하시는 하나님이었다. 그는 해변을 달리면서 자기도 모르게 "당신을 신뢰할 수 있도록 도와 주세요"라고 수없이 되뇌고 있었다.[40] 그 때 문득 서쪽 하늘로 눈길을 돌린 그로 하여금 숨이 막혀 자리에 멈춰 서게 한 것은 바다 위로 떠오른 너무나 선명한 오색 무지개였다. 그의 아내는 이것이 그의 기도에 대한 하나님의 응답이라고 했지만 그는 그런 비합리적인 생각을 애써

40 위의 책, 231.

부인하려 했다. 그러나 그것이 하나님의 응답임을 그가 끝내 부인할 수 없었던 이유는 그와 비슷한 경험을 얼마 후 그가 다시 하게 되었기 때문이었다. 휴가에서 돌아온 그는 다시 바쁜 일과에 시달리며 하나님을 기억하는 노력을 포기하고 싶어졌다. 무책임한 사람들과 부당한 현실에 대해 다시 분노와 외로움을 느꼈다. 설상가상으로 이 때 그에게 주어진 것은 그에게 암이 의심된다는 진단이었다. 이 사실을 아무에게도 알리지 않은 채 재검사결과를 기다리던 날 그가 홀로 두려움과 분노를 삭이며 사무실 창가에서 블라인드를 올렸을 때였다. 순간 그의 눈에 들어온 것은 놀랍게도 또 한 개의 오색빛깔 무지개였다.

> 나(수잔)는 미소를 지을 뻔 했지만 그 충동을 억제했다. 그리고 새삼스럽게 물었다. "무지개요?"
> "네, 창 바로 너머에 무지개가 떠 있었습니다. 그것도 크고 선명한 것이었지요. 전에는 창 밖으로 무지개를 본 적이 없었어요. 그는 나를 바라보고는 고개를 떨구었다. "나는 블라인드를 내렸습니다." 그는 거의 들리지 않는 소리로 얼버무렸다(괄호 안 필자).[41]

제임스 파울러 James W. Fowler 의 『신앙발달단계 *Stages of Faith*』(1981)에 따르면 하나님이 무지개로 자신의 기도에 응답하셨다고 믿는 신앙은 7세이하의 유아의 신앙, 가장 원초적 단계의 신앙이라 할 수 있는 "직관적-투사적 신앙"(intuitive-projective faith)에 해당한다.[42] 이 단계는 에릭 에릭슨 Erik Erikson 에 의하면 '불신'(mistrust)의 극

---

41 위의 책, 239.

42 James Fowler, *Stages of Faith*, 사미자 옮김, 『신앙의 발달단계』(서울: 한국장로교출판사, 1987), 217.

복 및 '의심'(doubt)과 '수치심'(shame)의 극복이 가장 핵심과제가 되는 유아적 단계이다. 그랜트의 무지개 경험에서 우리가 발견할 수 있는 점은 그가 하나님과의 관계에서 성장하기 위해 그의 어린 시절, 그의 심리발달이 장애에 부딪쳤던 바로 그 지점으로 되돌아가야 했다는 점이다. 이것은 그의 심리발달 장애가 동시에 그의 하나님 관계 성장의 걸림돌이 되었음을 시사한다. 우리는 그랜트가 다시 하나님의 얼굴을 차단하는 모습, 무지개 앞에서 블라인드를 내려 버리는 모습에서 유아기에 그가 부모에 대한 실망과 분노로 마음 문을 닫았던 그 지점으로 돌아가 있는 것을 볼 수 있다. 바꾸어 보자면 하나님은 그의 심리적 성장이 멈춰버린 그 자리에서 그에게 다시 손 내밀고 계신 것이다. 여기서 우리가 발견할 수 있는 영적 원리는 하나님과 우리의 만남이 우리가 인격적으로 성숙한 지점이 아니라 오히려 우리 인격이 가장 미성숙한 지점에서 이루어진다는 것이다. 이것은 영적 변화가 단순히 다음 단계, 그 다음 단계로 나아가는 선형적(線形的) 발달과정이 아님을 말해준다. 파울러의 생각처럼 영적 변화가 인성이나 지성의 발달과 맞물려 있는 것은 사실이지만 그것이 단순히 인성발달과 나란히 전개되는 선형적 과정은 아니라는 것이다. 굳이 형태적으로 표현하자면 영적 변화는 궁극적으로 인격 성숙과 서로 일치를 향해 나아가지만 그 과정에 있어서 유아적 환상과 성인의 현실 사이를 오가는 일종의 나선형(螺旋形)을 그린다고 표현할 수 있다.[43] 그러나 이

---

43 우리는 인간의 정신이 이와 같이 나선형의 발달 과정을 이룬다고 하는 생각을 한스 뢰발트(Hans Loewald)에게서 찾아볼 수 있다. 뢰발트는 정신발달의 과제가 "비록 많은 고통의 근원이 되었지만 우리 삶에 최초 의미를 부여했던 그 초기 경험을 재구성하고 변형시키는 과제"라고 설명한다(Hans Loewald, *Psychoanalysis and the History of the Individual* [New Haven, CT: Yale University Press, 1978], 22: James Jones, 『현대정신분석학과 종교』, 83에서 재인용). 뢰발트에 의하면 인간 이성의 발달이 이처럼 삶의 근원이 되는 초기 경험과 계속 교류하지 못하면 오히려 삶을 제한하는 것이 되고 만다(위의 책, 61).

러한 나선형 과정 역시 매우 규칙적, 단계적으로 전개되는 패턴을 생각한다면 그 역시 선형적 이해와 마찬가지로 오류의 소지가 크다. 그것은 실제로 개인마다 다른 무정형(無定形)의 과정이라고 봐야 할지 모른다. 이제 다음에서 우리는 이러한 영적 변화의 과정을 근래 관심을 모으는 자아초월심리학(transpersonal psychology)의 개념과 비교해 보려 한다.

자기초월과 기독교적 영성

렌 스페리(Len Sperry)에 의하면 20세기후반부터 지금까지 미국의 영성지향적 심리치료(spirituality-oriented psychotherapy)에 지대한 영향을 끼친 것이 이른바 자아초월심리학(transpersonal psychology)이다.[44] 자아초월심리학이란 한 마디로 현대심리학의 기반 위에서 인간 정신의 영적/초월적 차원을 설명하려고 한 시도라고 할 수 있다. 확실히 이러한 자아초월심리학은 현대심리학과 기독교영성 사이의 가교를 마련함으로써 영성지향적인 심리치료에 하나의 로드맵(road map)을 제시해 주고 있다고 할 수 있다. 그러나 필자는 이러한 자아초월심리학의 로드맵을 우리가 그대로 수용하기 전에 먼저 그것이 가진 다음과 같은 특징과 한계에 대해 잘 인식할 필요가 있다고 생

44 Len Sperry, *Transforming Self and Community*, 문희경 옮김, 『목회상담과 영성지도의 새로운 전망』(서울: 솔로몬, 2011), 30.

각한다.

먼저 기억할 점은 권수영이 지적하듯이 자아초월심리학의 이상(理想)이 미국 인본주의의 이상인 자아실현(self-realization)과 이어져 있다는 점이다.[45] 자아초월은 자아실현의 극복인 동시에 확장이다. 일견 인본주의가 표방하는 자아실현과 자아초월심리학의 자아초월은 서로 상반된 가치처럼 보인다. 그러나 사실 양자는 에이브라함 매슬로우 Abraham Maslow 의 인본주의 심리학이 자아초월심리학의 모태(母胎)가 되었던 역사적 사실에서 볼 수 있듯이 서로 깊이 연관되어 있다.[46] 이 점을 우리는 단적으로 켄 윌버 Ken Wilber 가 제시하는 의식의 진화과정, 즉 전개인(prepersonal), 개인(personal), 초개인(transpersonal)으로의 발전과정에서 개인의 자아실현이 자아초월의 전제가 되고 있다는 사실에서도 확인할 수 있다. 자아초월심리학에 따르면 개인은 실현된 자아를 다시 초월하는 변증법적 과정을 통해 그 자아를 더욱 확장해 나간다. 자아초월심리학이 말하는 영성(spirituality)은 이처럼 자아초월을 통해 보다 높은 차원에서 실현되는 개인의 잠재성이다.[47]

여기서 개인의 잠재성 실현으로서의 자아초월적 영성과 기독교적 영성 사이의 중요한 차이점을 발견할 수 있다. 기독교적 영성은 무엇보다 하나님과의 만남을 지향한다. 기독교적 영성을 추구한다는 것

---

45 권수영, "기독(목회)상담에서의 영성 이해," 261. "미국 문화적인 영성은 심리치료의 정신이나 미국 문화적 이상이 가지고 있는 자기 주도권 강화에 다분히 협조적"이라는 권수영의 지적은 비단 자아초월심리학 뿐 아니라 제임스 파울러 등의 신앙발달이론에도 역시 해당하는 것이라 고 여겨진다. 뿐만 아니라 자아초월심리학이나 신앙발달이론은 구미의 진보주의적 역사관과도 잇닿아 있다. 예컨대 전근대/근대/탈근대(premodern/modern/postmodern)의 선형적 역사관은 자아초월심리학의 전개인/개인/초개인(prepersonal/personal/transpersonal)의 발달주의적 인간관과 상응하는 것이다.

46 Judy, Dwight. "Transpersonal psychology: Coming of age." *ReVision* 16-3 (1994), 99

47 "1950년대에서 1970년대에 이르기까지 미국의 심리치료적 문화는 인간 잠재력 운동(human potential movement)과 함께 더욱 자기 실현의 이상을 향하여 발전하도록 탄력을 받는다. 이는 결국 영성의 '기능'적 측면의 강조와 함께 탈종교화 혹은 범종교화/종교혼합주의적인 성격을 가지게 된다"(권수영, "기독(목회)상담에서의 영성 이해," 262).

은 무엇보다 진정한 하나님과의 만남을 추구한다는 것이다. 이러한 하나님과의 만남은 어떻게 설명될 수 있는가? 자기심리학의 견지에서 볼 때 그것은 위의 그랜트Grant 사례에서와 같이 자기 안의 감춰져 있던 자기대상욕구가 영성지도자와의 만남, 또한 그녀를 매개로 한 하나님과의 만남으로 충족되고 극복되는 경험이다. 이것은 일상적으로 붙들고 있던 방어적인 자기(defensive self)를 넘어서게 된다는 의미에서 자기초월이라고도 볼 수 있겠지만, 그 하나님 안에서 새로운 자기를 찾는다는 의미에서는 새로운 자기발견이다. 이렇게 새롭게 발견된 자기는 도널드 위니컷Donald Winnicott의 용어로 표현하자면 평소의 방어적인 자기보다 더 **진정한 자기**(the truer self)에 가깝다.[48] 요컨대 대상관계심리학이나 자기심리학의 개념으로 설명할 때 기독교적 영성은 하나님과의 만남을 통해 이처럼 보다 진정한 자기를 찾는 과정을 의미한다.[49]

필자의 주장은 이러한 기독교적 영성이 자아초월심리학에서 말하는 자아초월과 전혀 공통점이 없다는 것은 아니다. 하나님은 항상

---

48 위니컷(Donald Winnicott)에 의하면 "진정한 자기"(true self)는 "거짓 자기"(false self)와 대조되는 말로 타자의 요구에 의해 형성된 자기가 아니라 "아이의 유아적 욕구를 적절히 수용하고 긍정해 줄 때 얻게 되는 실재적 자기감"이다. 이것은 코헛의 용어로 표현하자면 유아의 자기대상 욕구의 수용을 통해 형성되는 건강한 자기의식에 해당한다(Howard A. Bacal, "Winnicott and self psychology: remarkable reflections," in *Self Psychology: Comparisons and Reflections*, eds. Douglas Detrick, Susan Detrick, Arnold Goldberg (New York: Psychology Press, 1989), 264.

49 이만홍은 페어베언(R. Fairbairn) 이후 사용된 "진정한 자기(true self)"라는 개념이 매우 모호하고 불분명하다고 지적한다(이만홍, 『영성과 치유: 심리치료와 영성지도의 통합을 위하여』(서울: 로뎀포레스트, 2017), 31-32). 그런데 이러한 지적은 이 "진정한 자기"를 어떤 본질적 실체를 지칭하는 말로 이해했을 때 해당하는 지적이다. 필자는 이 용어를 사용할 때 페어베언이나 위니컷의 용법대로 타자의 요구보다 자신의 내적 욕구에 보다 충실한 자기라는 의미로, 즉 보다 진정한 자기(the truer self)라는 상대적인 의미로 사용한다. 또한 코헛처럼 '자기(self))'를 구성된 자기(construct)로 이해한다. 다시 말해 진정한 자기를 어떤 본질적 실체로 보기보다는 하나님 및 타인과의 관계에서 보다 진실하게 반응하는 가운데 구성된 자기라는 의미로 사용한다. 이렇게 할 때 실체론적인 접근이 맞닥뜨릴 수 밖에 없는 실증불가능성의 문제를 우회할 수 있게 된다. 뿐만 아니라 필자는 '자기'에 대한 이러한 구성주의적 이해가 오히려 기독교적 관점에 가깝다고 생각한다. 기독교적 관점에서 인간은 영존하는 실체이기보다는 하나님과의 관계 속에서 날마다 새로워지는 피조물이기 때문이다.

우리보다 크신 분이시기에 우리가 그에게로 나아가는 과정은 항상 우리 개인을 넘어서는 과정일 수밖에 없다. 그러나 여기서 우리가 기억해야 할 사실은 하나님은 우리가 그렇게 우리 자신을 넘어 하나님께로 나아가기 전에 먼저 우리에게 오신 분이라는 사실이다. 다시 말해 우리 안의 가장 깊은 기대와 소망을 무시하지 않으시고 그것에 반응하심으로 우리를 만나주시는 분이다. 우리는 이러한 하나님과의 만남을 통해 새로운 자기를 찾고 또한 과거의 자기를 넘어서게 된다.

대니얼 헬미니액 Daniel Helminiak 은 자아초월심리학과의 대화를 적극적으로 시도하는 기독교 영성학자이지만, 기독교 영성이 자아초월심리학의 영성과 중요한 부분에서 서로 다르다는 점을 인정한다. 헬미니액에 따르면 양자의 차이는 특히 개인의 "거룩함의 깊이가 영적 발달의 수준과 일치하지 않는다"는 점에서 부각된다.[50] 여기서 헬미니액이 말하는 "거룩함"(holiness)이란 하나님 앞에서 "인간적 진정성"(human authenticity)을 찾는 것을 의미한다.[51] "인간적 진정성"을 찾는다는 말을 다시 위니컷 D. Winnicott 의 용어로 풀이하자면 그것은 하나님 앞에서 방어적이고 타인의 요구에 맞춰진 거짓자기를 벗어버리고 진정한 자신의 내적 욕구에 일치하는 자기를 발견하는 것이라 볼 수 있다. 헬미니액은 이와 같은 의미의 진정한 자기발견이 곧 기독교에서 말하는 "거룩함"과 일치하는 것이라 본 것이다. 그리고 이러한 거룩함의 경험은 "인간이 하나님을 향하고" "하나님의 사랑이 그에게 임할 때" 그에게 주어진다고 말한다.[52] 그런데 헬미니액에 따르면 하

50 Daniel A. Helminiak, *Spiritual Development: An Interdisciplinary Study* (Chicago, IL: Loyola University Press, 1987), 152. 또한 Elizabeth Liebert, *Changing Life Patterns: Adult Development in Spiritual Direction* (St. Louis, MO: Chalis Press, 2000), 34를 참조하라.

51 "Holiness is nothing other than human authenticity viewed from the theist viewpoint" (Daniel Helminiak, *Spiritual Development*, 151).

나님 안에서의 진정한 자기 발견을 뜻하는 이 거룩함(holiness)은 영적 발달(spiritual development)과는 다른 것이다. 그것은 "어떠한 영적 발달 단계에서도 경험될 수 있는 것이며 반드시 최종적인 영적 발달단계에서만 가능한 것은 아니다. 사람은 영적으로 완전히 성숙하지 않더라도 이러한 거룩함을 경험할 수 있다."[53] 왜냐하면 그러한 "거룩함"은 우리에게 주어진 하나님의 은혜로서, 자아초월을 계기로 이루어지는 영적 발달과는 다른 개념이다. 그러나 헬미니액은 그리스도인의 성화(聖化) 과정에서 양자는 서로 일치하게 된다고 말한다.[54] 그리스도인의 성화는 하나님 안에서 진정한 자기를 찾는 과정인 동시에 자기초월을 통해 그리스도가 예시하는 보다 성숙한 인간성을 이루어 가는 과정이기 때문이다.

요컨대 필자가 헬미니액의 논의를 통해 강조하고자 하는 점은 자아초월심리학의 이론이 기독교적 영성을 설명하는 데 한계가 있다는 점이다. 자아초월심리학이 설명해 줄 수 있는 것은 다만 기독교 영성의 일면일 뿐이다. 기독교 영성이 자기를 부인하고 자기 안에 그리스도가 나타나게 하는 삶이라 할 때, 자아초월심리학은 이러한 자기부인(self-denial)의 영성을 부분적으로 설명해 줄 수 있을 뿐이다. 그런데 기독교의 자기부인은 다시 그리스도 안에서 새롭게 발견되려고 하는 몸짓이다(빌 3:9).[55] 또한 우리가 그리스도 안에서 새로운 존재로 발견되는 것은 기본적으로 우리 스스로의 자기부인으로 말미암은 것이 아니라 그리스도께서 죄인인 우리를 찾아와 그의 은혜를 내려 주

52 위의 책, 209.

53 위의 책.

54 위의 책, 210.

55 "내가 그를 위하여 모든 것을 잃어버리고 배설물로 여김은 그리스도를 얻고 그 안에서 발견되려 함이니…"(빌 3:8-9).

셨기 때문이다.[56] 다시 말해 기독교적 견지에서 새로운 자기 발견은 자기초월의 결과가 아니라 오히려 그것의 출발점이다. 하나님의 은혜로 말미암아 우리가 그의 안에서 새로운 피조물이 되므로 비로소 우리는 우리의 현존재를 넘어 하나님께로 나아갈 수 있기 때문이다. 물론 하나님 안에서의 자기초월은 계속적으로 하나님 안에서의 새로운 자기 발견으로 이어지기 때문에 기독교 영성 형성의 과정은 기본적으로 **자기발견과 자기초월의 순환**이라고 할 수 있다. 또한 기독교 영성 형성의 과정은 단지 우리가 하나님께 나아가는 것이 아니라 하나님께서 먼저 우리에게 다가오시고 우리가 거기에 반응하는 **양방향의 움직임**이다. 제임스 로더 James Loder 는 이러한 양방향의 움직임을 **뫼비우스의 띠**에 비유했다. 이것은 진정한 하나님과 진정한 자기를 찾는 인간의 영과 진정한 하나님을 계시하는 성령이 띠처럼 서로 상호작용한다는 주장이다.[57] 로더는 이러한 상호작용을 성령과 인간의 영이 함께 춤을 춘다는 의미의 **페리코레시스**(perichoresis)로 표현하기도 했다. 다음에서 우리는 이러한 페리코레시스를 통한 영적 변화를 로더가 구체적으로 어떻게 설명하고 있는지 좀 더 살펴보면서 자아초월심리학이 담아내지 못하는 기독교 영성의 다른 측면에 대해 생각해 볼 것이다.

56 "그런즉 누구든지 그리스도 안에 있으면 새로운 피조물이라. 이전 것은 지나갔으니 보라 새 것이 되었도다"(고후 5:17).

57 James Loder and W. Jim Neidhardt, *The Knight's Move*, 이규민 옮김, 『성령의 관계적 논리와 기독교교육 인식론: 신학과 과학의 대화』(서울: 대한기독교서회, 2009), 190-194.

영적 변화(transformation)의 원리

『기사의 움직임 *The Knight's Move*』(1992)이란 책에서 로더는 성령과 인간의 영 사이의 상호작용을 뫼비우스의 띠로 도식화한다. 이러한 도식은 그러나 하나님의 영과 인간의 영이 마치 연속적인 것처럼 오인하게 만들 소지가 있다. 존재론적으로 볼 때 하나님의 영과 인간의 영은 불연속적이다. 로더의 도식은 성령과 인간 사이의 존재론적인 연속성을 묘사하는 것이 아니라 두 영의 작용 사이의 "역동적인 연관성"(kinetic relationship)을 묘사하는 것이다.[58] 뿐만 아니라 로더의 도식은 자연적 상태에서의 인간의 영과 하나님의 영 사이의 관계가 아니라 거듭난 그리스도인의 영과 그 안에 내주하시는 하나님의 영 사이의 상호작용, 즉 **페리코레시스**(*perichoresis*)를 묘사하는 것이다.[59]

그러면 여기서 로더가 말하는 하나님의 영과 인간의 영 사이의 상호작용은 구체적으로 어떤 것을 의미하는가? 그로 말미암는 영적 변화는 구체적으로 어떤 변화인가? 우리는 이에 대한 답을 『변화의 순간 *The Transforming Moment*』(1981)에 삽입된, 실제 그러한 변화를 체험한 사람들의 에피소드들에서 찾아볼 수 있다. 그 중 하나는 원가정에서 온갖 냉대와 무관심 속에 자란 윌라Willa 라는 여인의 이야기이다. 그녀가 대학시절 정신분열증 진단을 받고 병원에 입원했을

58 위의 책, 190.

59 위의 책, 449. 로더는 이것을 "마치 성찬시에, 성물을 통해 그리스도께서 함께하시도록 돕는 성령의 역사와도 같은 것"이라 묘사하기도 한다(위의 책, 193).

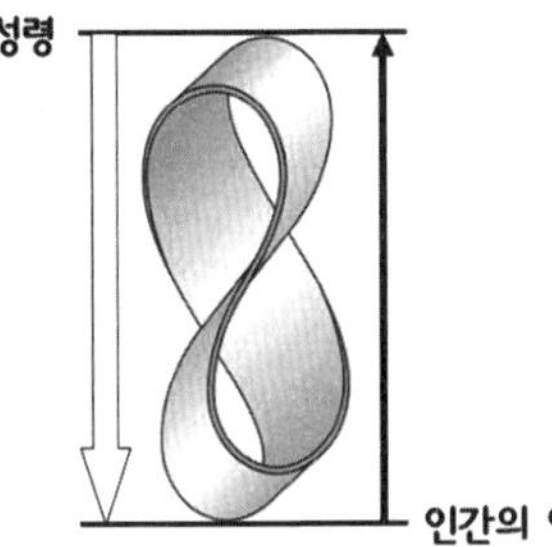

[도식 4] 제임스 로더(James Loder)의 뫼비우스의 띠

때 그녀는 헝겊 인형 하나를 안고 의자에 앉아 우두커니 '죽음'을 기다리고 있었다. 그러던 어느 날 그녀는 "어떤 하나님의 현존이 그녀를 끌어안으며" 다음과 같이 말하고 있는 것을 들을 수 있었다.[60]

"이러한 적막은 결코 무의미한 것이 아니란다. 이것은 너의 삶에 어떤 의미를 갖고 있는 것이야."[61]

로더에 의하면 이러한 영적 체험은 "그녀의 자아기능보다 더 깊은 차원에서 그녀의 인격 중심에 자리잡았다."[62] 이 체험은 곧 "그녀를 사랑하시는 절대 타자의 현존이었으며, 그녀의 존재가치를 확증하고 그녀가 살아야 할 자리를 부여하는" 그런 체험이었다.[63]

이러한 로더의 해석에서 흥미로운 점은 이 같은 영적 체험이 3개월

60 James Loder, *The Transforming Moment*, 이기춘·김성민 옮김, 『삶이 변형되는 순간: 확신 체험에 관한 이해』(서울: 한국신학연구소, 1988), 280.

61 위의 책, 280.

62 위의 책, 280.

63 위의 책, 280.

이전의 영아에게서 발견되는 "종교적 체험의 원상(原象: prototype)"과 맞닿아 있다는 것이다.[64] 다시 말해 그러한 영적 체험이 3개월 이전에 경험된 어떤 완전한 대상의 기억과 연결되어 있다는 것이다. 로더는 그처럼 완전한 원형적 대상을 "얼굴"이라고 지칭하는데 이것은 3개월 이전의 영아가 부모의 웃는 얼굴에 대해 가진 완전한 신뢰를 함의하는 동시에 성경이 말하는 "하나님의 얼굴"을 간접적으로 암시하는 것이다. 이 "얼굴"을 다시 코헛의 개념으로 설명하자면 그것은 곧 유아기의 이상화된 자기대상, **이상화된 부모상**(idealized parental imago)이라고 말할 수 있다. 단지 심리학적 관점에서 보면 이러한 이상적 부모상은 단지 유아기의 환상에 지나지 않는다. 따라서 이것을 향한 인간의 희구는 그 유아기의 환상에 집착하는 일종의 심리적 퇴행에 지나지 않는다. 그러나 우리가 그 같은 원형적 대상에의 갈망을 하나님께서 모태에서부터 인간의 마음에 심어 놓으신 당신을 향한 무의식적 갈망이라고 본다면 그것은 화초가 햇빛에 반응하듯 성령의 조명에 반응할 수밖에 없다.

요컨대 윌라의 체험 같은 영적 체험은 성령의 조명과 그에 대한 인간 내면의 반응으로 이루어진 계시의 사건이라고 할 수 있다. 다시 말해 이것은 하나님께서 성령으로 말미암아 인간 안에 잃어버린 이상적 자기대상의 기억을 일깨우는 방식으로 자신을 나타내신 사건이라는 것이다. 그런데 우리는 윌라의 경우나 위에서 살펴본 그랜트의 경우에서 모두 이러한 체험이 자신에 대한 깊은 절망 가운데 주어진 체험이라는 공통점을 발견할 수 있다. 그것은 다시 말해 그들의 일상적인 자아기능, 즉 일상적 자아의 방어기제가 한계에 부딪힌 상황에

64 위의 책, 267.

서 일어난 사건이었다. 월라의 경우는 그녀의 정신분열증이 그것을 말해준다. 그랜트의 경우는 월라처럼 극단적인 경우는 아니지만 역시 평소의 강박적 자기통제나 이지화(理知化) 같은 방어기제로 더 이상 그의 내면의 깊은 불안이나 두려움을 잘 다스리지 못하게 된 상황에서 주어진 은혜였다. 이것이 말해주는 것은 그들의 영적 체험 — 그랜트의 경우는 무지개 속의 하나님 체험 — 이 그들이 이제까지 의지하고 있던 그들의 자기방어의 한계를 넘어서는 일이었다는 점이다. 이런 의미에서 그것은 그들의 자기초월의 사건이었다. 월라와 그랜트의 경우 모두에서 우리는 이러한 자기초월이 그들 스스로의 힘으로 가능한 일이 아니었음을 알 수 있다. 그것은 그들이 먼저 하나님의 안에서 새롭게 발견됨으로써 이루어진 일이었다. 하나님이 자신을 바라보시는 눈을 통해 자신을 새롭게 발견하고 하나님이 자신에게 말씀하시는 대로 새롭게 자신을 인식하게 됨으로써 그들은 이제껏 그들이 매달리던 자아를 넘어설 수 있었다. 하나님 안에서의 새로운 자기발견이 자기초월로 이어졌던 것이다. 이러한 그들의 자기발견과 자기초월, 즉 그들의 영적 변화는 기본적으로 하나님의 주도(initiative)에 의한 것이었지만 그들의 기도나 묵상, 자신의 이제까지 생각과 습관을 바꾸려는 노력 같은 그들 자신의 능동적 반응도 함께 작용했다고 볼 수 있다. 이것이 바로 로더가 뫼비우스의 띠로 설명하고자 했던 성령과 인간의 영 사이의 상호작용이다.

끝으로 다시 강조할 점은 이러한 그들의 영적 변화과정에 자신에 대한 통찰도 작용했겠지만 그 이전에 그들 안에 잠자고 있던 유아적 갈망이 깨어난 것이 크게 작용했다는 점이다. 다시 그랜트의 경우를 보자면 수잔과의 만남을 계기로 그 안에 다시 깨어난 것은 그의 유아기 부모와의 관계에서 억압되었던 자기대상욕구, 이를테면 자신의 아픔에 함께 눈물을 흘려주는 거울대상이나 자신의 요청에 무지개로 응답하는 이상적 부모에 대한 기대이다. 이러한 유아적 욕구에 대해 수잔은 수용적, 공감적으로 반응했고 그것을 통해 그와 하나님의 만남에 징검돌 역할을 할 수 있었다. 우리는 여기서 적어도 기독교신앙에 있어 이와 같은 유아적 욕구는 하나님과의 만남에 있어 중요한 계기로 작용할 수 있다는 사실을 확인할 수 있다. 이것은 하나님께서 어린 아이에게 자신의 비밀을 나타내신다고 하신 예수의 말씀과도 일치한다.[65]

이런 의미에서 기독교의 영적 변화는 확실히 자아초월심리학에서 말하는 영적 발달과는 차이가 있다. 이러한 차이점을 강조하기 위해 일례로 들 수 있는 것이 켄 윌버 Ken Wilber 가 말하는 소위 "전/초 오류"(pre/trans fallacy)이다. 이것은 간단히 말해 전자아단계(pre-egoic stage)와 초자아단계(trans-egoic stage)가 현상적으로 서로 비슷해 보일지라도 양자를 혼동해서는 안 된다는 주장이다.[66] 그런데 이러한 윌버의 주장은 개인의 정신이 전자아, 자아, 초자아의 순으로 순차적으로 발달한다는 선형적(線形的) 정신진화론의 관점에서만 타당성을 지니는 주장이다. 이런 진화론적 관점과 달리 창조주 하나님이 인간의 시작과 끝을 이룬다고 하는 창조론적 관점에서는 "회귀"(involution)와 "진보"(evolution)가 서로 일치할 수 있다.[67] 하나님의 모태로 다시 돌아가는 것이야말로 기독교적 의미에서 진정한 성숙의 길이

65 "그 때에 예수께서 성령으로 기뻐하시며 이르시되 천지의 주재이신 아버지여 이것을 지혜롭고 슬기 있는 자에게는 숨기시고 어린 아이들에게는 나타내심을 감사하나이다"(눅 10:21).

66 Ken Wilber, *Eye to Eye: The Quest for the New Paradigm*, 김철수 옮김, 『아이 투 아이: 감각의 눈, 이성의 눈, 관조의 눈』(서울: 대원출판, 2004), 335.

67 "어떤 경우에도 퇴화(involution)를 진화(evolution) 속에서 일어나는 사건 또는 사건의 연속과 혼동해서는 결코 안 된다 … 그렇게 할 경우 성장해 가는 과정을 이제 막 임신하는 것과 혼동하는 것과 같기 때문이다"(위의 책, 335).

될 수 있다는 것이다. 기독교적 의미의 성숙은 하나님 안에서 새롭게 거듭나는 일이기 때문이다.

기독교 영성의 형성과정

본 장에서 우리는 영적 변화 및 성숙에 관한 여러 이론들을 살펴보면서 다음과 같은 결론에 이르게 된다.

첫째, 파울러 James Fowler 의 신앙발달모델이나 윌버 Ken Wilber 의 정신진화모델 같은 선형적(線形的) 발달모델은 기독교의 영적 변화를 설명하기에 부적합한 면이 있다. 그와 같은 선형적 발달모델은 하나님과의 관계 심화가 때로 어린 아이와 같은 상태로의 퇴행으로 나타나는 현상을 잘 설명해 주지 못한다. 그랜트의 사례에서 볼 수 있듯이 현실에 대해 매우 합리적인 사고를 하는 것보다 하나님에 대해 마술적인 기대를 품는 것이 오히려 하나님과의 관계의 진전이자 성숙일 수 있다. 물론 이와 같은 변화는 심리적인 면에서 유아기적인 것으로의 퇴행과 무관치 않기 때문에 차후 보다 성숙한 하나님과의 관계 형성에 저항으로 작용할 수 있는 것이 사실이다. 예컨대 그랜트의 경우 성경의 예수님이 좀 더 "친절하고" "가깝게" 느껴지지 않는 데 대해 불만을 표시하는 것이 그러한 조짐이다.[68] 그러나 이러한 이유 때문에 그랜트의 신앙을 단지 미성숙하고 방어적인 신앙으로 보는 것은 너

68 Susan Philips, 『촛불』, 306-308.

무 단편적인 평가이다. 왜냐하면 이 같은 유아적 퇴행은 하나님과의 관계에서 그의 새로 찾은 자기가 (코헛의 표현대로) 충분히 안정화되기까지 잠정적으로 필요한 과정이기 때문이다.[69]

둘째 강조할 것은 하나님과의 관계에서 자기를 찾는 일이 자기를 넘어서는 일만큼 중요하다는 사실이다. 기독교의 영성 형성은 기본적으로 하나님과 계속해서 새로운 관계를 형성해 가는 과정이다. 이러한 관계 형성에는 하나님에 대한 이해와 자기에 대한 이해를 재구축(再構築)하는 과정이 포함된다. 이러한 과정에는 다른 중요한 타자들과의 관계 경험이나 그 관계 안에서의 자기이해가 함께 얽혀 든다. 인간의 타락과 실존적 한계로 말미암아 우리의 하나님이해와 자기이해는 항상 불완전하며 따라서 계속 새로워져야만 한다. 그러나 우리는 자기 없이 살 수 없고 자기 밖에서는 하나님과 관계를 맺을 수도 없다. 따라서 하나님과 새로운 관계 형성에는 하나님에 대한 새로운 이해와 더불어 그것과 연결된 새로운 자기발견이 중요할 수밖에 없다. 이만홍이 옳게 지적하고 있는 것처럼 기독교의 영성 형성의 과정은 하나님과 인간 사이의 상호주관적 사랑의 과정이다. 이 과정 속에서 인간 스스로도 새롭게 발견되는 것처럼 하나님 역시 늘 새롭게 만나진다.[70]

---

69 Allen Siegel, 『하인즈 코헛과 자기심리학』, 246.

70 "하나님이 창조된다는 것은 객관적인 실체로서의 하나님이 아닌 하나님의 표상이 인간 마음 속에서 창조된다 혹은 복원된다고 이해할 수 있다"(이만홍, 『영성과 치유』, 79).

VI 장

목회상담과 성경 이야기

의미와 힘의 변증법

상호주관성의 문제

앞에서 우리는 기독교인의 영성 형성 과정을 자기의 발달 과정과 연결시켜 논의해 보았다. 다시 말해 하나님과 그들 사이의 관계 성숙을 그들 내면의 하나님상과 자기상, 부모상들을 모두 포괄하는 자기구조(self-structure)의 변화와 연관시켜 생각해 보았다. 한 사람의 하나님과의 관계에는 이제까지 그에게 중요한 타자들과의 관계경험에서 비롯되는 그 자신에 대한 생각, 감정, 행동양식 등이 투영되어 있다. 때문에 그의 하나님과의 관계 변화는 이러한 자기구조의 변화와 서로 맞물려 있다. 다시 말해 한 사람의 영적 성숙은 그의 자기성숙과 서로 맞물려서 이루어진다.

이와 함께 우리가 살펴본 것은 목회상담에서 내담자와 상담자 두 사람의 하나님 이해가 그들 사이의 상호주관적/공감적 경험을 통해 이루어진다는 사실이다. 다시 말해 목회상담에서 내담자, 상담자 두 사람 사이의 상호주관적/공감적 이해는 두 사람 사이에 계신 하나님에 대한 그들의 공감적 이해와 맞물려 있다. 그들이 그들의 상호주관적/공감적 경험을 통해 상대방을 이해하듯 그들은 또한 하나님을 상호주관적/공감적으로 이해하게 된다. 이것은 결국 현재 상대방과의 관계 속에서 이뤄지는 경험과 인식의 변화가 그들의 새로운 하나님 이해로 이어질 수 있다는 것이다.

그런데 이러한 과정에 대두되는 한 가지 문제는 바로 이처럼 상호주관적인 경험을 통해 이뤄지는 하나님 이해가 말 그대로 주관적인 만큼 그것이 얼마나 객관적인 하나님에 대한 이해인지 그것만으로는 가늠하기 어렵다는 문제이다. 하나님 이해에 있어 이 같은 주관성의 문제는 사람을 이해하는 데 있어서보다 더 심각한 문제라고 할 수 있다. 왜냐면 하나님은 우리의 현존 너머에 계신 타자이기 때문이다. 이런 하나님을 이해하는 데 있어 우리가 우리의 주관성을 완전히 벗어나는 것이 불가능하더라도 우리는 계속해서 그러한 우리의 주관성을 극복하고 그의 객관적 진리에 더 가까이 다가서고자 힘써야 한다. 그럼 우리가 목회상담의 과정에서 진정한 그 분을 아는 지식에 더 다가가고 있는지 객관적으로 판별할 기준이 있는가? 있다면 그것은 무엇인가? 필자는 바로 이와 같은 기준으로 우리에게 주어진 것이 성경이라고 믿는다.

물론 성경을 이해하는 과정 역시 또 다른 종류의 상호주관적 과정이라고 할 수 있다. 그러나 성경을 통한 하나님 이해는 단지 두 사람 사이의 상호주관적 경험을 통한 하나님 이해와는 분명히 구별되는 특징이 있다. 첫째 성경을 통한 하나님 이해는 역사적 **신앙공동체**(교회)**의 하나님 경험 및 증언**과의 대화이다. 이것 역시 일종의 상호주관적 대화라고 볼 수는 있겠지만 그러한 역사적 신앙공동체의 경험과 증언은 단지 상담자와 내담자 두 사람 사이의 상호주관적 경험과는 비교할 수 없는 객관성을 지니고 있다. 또 한 가지 성경을 통한 하나님 이해의 특징은 **성경의 기록된 말씀**(언어)을 통한 하나님 이해라는 점이다. 이것은 인지적이고 언어적인 방식의 하나님 이해라는 의미에서 두 사람 사이의 공감적 경험이나 직관을 통한 하나님 이해와 구별된다. 양자의 차이를 인지과학의 용어를 빌어 설명하자면 전자의 성경을 통한 하나님 이해가 우리에게 하나님에 대한 **명시적 지식**(explicit knowledge)을 가져다 주는 반면 후자의 상호주관적/공감적 경험을 통한 하나님 이해는 우리에게 다만 **암시적 지식**(implicit knowledge)을 제공한다. 필자의 주장은 목회상담이 이 두 가지 하나님에 대한 인식을 서로 연결/통합시키는 과정이어야 한다는 것이다. 이런 과정에 대한 논의를 이어가기에 앞서 우리가 먼저 잠깐 생각해보기를 원하는 것은 코헛 이후 심리치료와 목회상담이 직면한 문제들에 관해서이다.

코헛 이후 심리치료가 직면한 문제

제임스 존스 James W. Jones 에 의하면 코헛 Heinz Kohut 이후의 심리치료는 실제로 많은 면에서 이전과 달라졌다. 무엇보다 두드러지는 차이점은 내담자의 과거 경험이 현재 상담자와의 관계 속에 전이(transfer)되어 나타나는 현상에 대한 상담자의 태도에서 발견된다. 물론 코헛 이전의 심리치료에서도 전이는 치료의 중요한 계기로 여겨져 왔다. 그러나 보다 고전적인 접근에서 전이는 기본적으로 상담을 좌초시킬 수 있는 부정적 증상으로 간주되었고, 때문에 상담자는 그것을 통해 내담자의 문제를 드러내고 내담자 스스로 그 문제를 인식하도록 돕기 위해 필요한 정도 이상으로 전이를 증폭시키지 않으려고 애썼다. 이에 비해 코헛 이후의 심리치료에서 전이는 훨씬 더 긍정적으로 받아들여지게 되었다. 그래서 급기야 두 사람 사이의 전이의 발전이 치료가 일어나기 위한 필요조건으로까지 간주되기에 이르렀다. 다시 말해 내담자의 상담자에 대한 애착형성이나 상담자를 이상화하는 자기대상전이 같은 과정이 내담자의 자기발달을 위해 필요한 과정으로 여겨지게 된 것이다. 이것은 앞 장에서 살펴본 바와 같이 내담자의 자기가 다시 성장하기 위해서 이제까지 억압되어 있던 내담자의 자기대상욕구가 재활성화될 필요가 있기 때문이다. 이제 상담자의 역할은 사실상 내담자의 어린 시절 그의 친부모가 해 주지 못했던 역할을 감당하는 것으로 이해되기 시작했다.[1] 상담자의 역할이 단지 내담자의 심리 문제를 스스로 통찰하도록 돕는 분석가의 역할을 넘어 상담자 자신의 인격을 통해 내담자의 인격을 성숙시키는 양육자의 역할로 인식되기에 이른 것이다. 이러한 저간의 변화에 대해 버지니아 사티르 Virginia Satir 는 다음과 같은 말로 요약하고 있다.

> 우리는 치료자의 인격문제가 환자에게 해를 끼칠 수 있다는 경고를 들으면서 이 일을 시작했다. 그래서 우리는 그것을 피하기 위한 여러 방안을 강구해 왔다. 그런데 이제 우리는 우리 자신의 인격을 어떻게 치료에 긍정적으로 활용할 수 있을지 고민해야 하는 상황에 이르렀다.[2]

이러한 상황에서 대두되는 중요한 문제는 상담자의 인격이 오히

---

1 James W. Jones, *Contemporary Psychoanalysis and Religion: Transference and Transcendence*, 유영권 옮김, 『현대 정신분석학과 종교』(서울: 한국심리치료연구소, 1999), 144.

2 Virginia Satir, "The Therapist Story," in *The Use of Self in Therapy*, ed. Michele Baldwin (Binghamton, NY: The Howarth Press, 2000), 26.

려 이전보다 더욱 내담자에게 해로운 영향을 끼칠 수 있게 되었다는 점이다. 어떤 상담자도 내담자에게 해를 끼치려고 상담을 시작하지는 않는다. 그러나 문제는 이처럼 가장 좋은 의도로 시작된 상담이 상담자에 대한 내담자의 의존을 증대시키고 급기야 내담자가 어린 시절 겪었던 것 같은 상처를 다시 그에게 입힐 수도 있는 상황이 되었다는 것이다. 사티르가 지적하듯이 상담자는 "그들 자신이 가진, 해결되지 않은 내적 문제로 인해 조금의 악의도 없이 부지중에 내담자에게 해를 끼칠 수 있기" 때문이다.[3]

그런데 사실상 내담자에게 부정적인 영향을 끼칠 수 있는 것은 비단 상담자의 무의식적 측면만이 아니라 상담자의 선한 의도와 목적 자체일 수 있다. 상담자가 내담자의 성숙을 돕기 위해 상담자 '자신'(self)을 활용한다고 할 때, 그렇게 상담자가 활용하는 '자신' 속에는 상담자 인격의 무의식적인 부분만 아니라 상담자가 가진 가치관이나 이상, 목적의식 같은 것들이 포함될 수밖에 없다. 상담자가 자신의 경험이나 느낌, 생각 등을 과거에 비해 보다 적극적으로 내담자와 나눈다고 할 때 그러한 의식적, 무의식적 부분들은 결과적으로 내담자에게 더욱 많은 영향을 끼치게 된다. 여기서 문제는 상담자가 아무리 좋은 의도로 그러한 영향력을 행사한다고 하더라도 그것이 반드시 내담자에게 좋은 결과를 가져오리라고 보장할 수 없다는 점이다. 이것의 근본문제는 곧 상담자마다 내담자에게 좋은 방향이라고 생각하는 바가 조금씩 다를 수밖에 없고 그것의 옳고 그름을 가늠할 객관적 기준이 주어져 있지 않다는 데 있다.

이러한 문제에 대해 일반심리상담자들이 취해 온 해결방안은 두

---

3 위의 책, 20.

가지 정도를 들 수 있다. 첫째 고전정신분석학에서부터 계속되어 온 노력으로 상담자 자신의 무의식적인 내면 문제를 먼저 해결하려는 노력이다. 이런 노력은 어떤 심리상담이나 목회상담에서도 계속되어야 하는 노력이라고 할 수 있다. 한편 이와 더불어 최근 일반심리상담에서 특히 두드러진 경향은 내담자가 상담자 자신의 영향을 많이 받기보다 내담자 스스로의 주도성(initiative)을 발휘하도록 격려하는 경향이다. 다시 말해 상담자 자신의 영향력을 최소화하고 내담자의 주도성을 앞세우는 내담자중심적 상담, 혹은 상호협력적 상담을 지향하는 것이다. 그러나 이러한 해결방안에도 여전히 문제가 남아 있다. 그것은 곧 상담자의 영향력을 스스로 최소화한다고 할 때 내담자에게 좋은 영향력을 끼칠 수 있는 여지 역시 그만큼 축소될 수 있다는 것이다. 이에 대해 혹자는 내담자로 하여금 주도성을 갖도록 하는 것 자체가 바로 상담자가 끼칠 수 있는 최선의 영향력이라고 대답할 수 있을 것이다. 그러나 이러한 생각은 그 자체가 이미 상담자의 분명한 가치관을 내포하는 것이며, 또 한 가지 문제점은 내담자 중심이나 상호협력이라는 모토가 때로 상담자 자신의 보이지 않는 영향력을 보지 못하도록 작용하는 경우가 있다는 점이다.

지금까지 우리는 코헛 이후의 일반심리치료가 직면한 문제와 그것의 대안들에 대해 간략히 살펴보았다. 우리에게 여기서 중요한 점은 이러한 일반심리상담에 크게 영향을 받고 있는 목회상담의 경우 지금까지 이야기한 문제들이 어떻게 나타나고 있느냐는 점일 것이다. 결론부터 말하자면 위와 같은 문제들이 목회상담의 경우 결코 일반심리치료에서보다 덜하다고 할 수 없다. 그 이유는 내담자와의 관계에서 목회상담자가 갖는 영향력이 일반 심리치료자보다 적다고 보기 어렵기 때문이다. 전통적으로 목회자는 하나님의 말씀을 대변하는 하나님의 대리자로 인식되어 왔다. 다시 말해 목회자가 하는 말과 행동은 하나님의 권위를 덧입고 있다. 특히 한국교회와 같이 목회자와 평신도간의 상하관념이 여전하고 목회상담이 많은 경우 그러한 교회문화 속에서 수행되고 있는 상황에서 목회상담자가 가진 생각이나 태도가 내담자에게 끼치는 영향력은 그만큼 더 클 수밖에 없다. 이것이 의미하는 바는 곧 목회상담자가 내담자에게 부정적 영향을 끼칠 수 있는 가능성도 그만큼 크다는 것이다. 즉 목회상담자의 해결되지 않은 심리적 문제나 건강하지 않은 태도 등이 내담자에게 끼칠 해악이 그만큼 클 수 있다는 것이다.

사실 이러한 문제와 위험성은 심리학의 영향과 상관 없이 교회 안에 상존해 왔다고 할 수 있다. 다만 현대목회상담과 같이 목회상담자가 내담자와 정기적인 만남을 지속하면서 서로 친밀한 인격적 관계를 맺는 경우 이러한 위험의 소지는 더 커질 수 있다는 것이 문제이다. 특히 근래 심리학의 영향으로 목회상담자가 내담자와의 깊은 공감적 결속을 지향하는 경우 목회상담자의 인격이 내담자에게 끼치는 영향은 긍정적이든 부정적이든 그만큼 더 커질 수밖에 없다. 그렇다면 결국 풀어야 할 문제는 어떻게 목회상담에서 이 같은 친밀한 인격적 관계의 잠재적 위험성을 최소화하면서 그것의 치유적 효과는 최대화할 수 있을 것인가 하는 문제이다.

목회상담의 경우는 일반상담과 달라서 일반상담에서와 같이 목회자가 자신의 권위를 내려놓고 내담자중심적 접근을 취하거나 가치중립적 태도를 취하는 것 같은 대안이 실제로 부적합하거나 적용하기 어려울 수 있다. 필자는 그러나 반면 일반상담에 비해 목회상담만이 가진 독특한 대안이 있다고 생각한다. 필자가 이것을 "대안"이라고 표현했지만 사실 목회상담의 이 독특한 대안은 궁극적으로 바로 하나님 자신이다. 목회상담이 단지 상담자와 내담자만의 대화가 아니라 하나님을 포함한 삼자간 대화라고 할 때, 두 사람 사이에 계신 하나님은 상담자가 내담자와의 관계에서 자신의 생각과 태도를 돌아보기 위한 준거점이 된다. 그들 가운데 계신 하나님을 통해 상담자가 이렇게 자신을 돌아볼 때 자신의 주관적 오류나 편향성에서 벗어날 수 있다는 것이다. 그런데 여기서 문제는 이처럼 상담자가 두 사람 가운데 계신 하나님을 통해 내담자를 보고 또한 자신을 돌아보기 위해서는 먼저 그 하나님이 어떤 분인지 객관적으로 인식할 수 있어야 한다는 것이다.

앞에서도 언급했듯이 필자는 목회상담에서 이러한 하나님 인식의 방법이 크게 두 가지가 있다고 생각한다. 첫 번째는 내담자와의 관계에서 상호주관적 경험을 통해 하나님을 인식하는 방법이다. 그런데 상담자가 이렇게 내담자와의 상호주관적 경험을 통해 하나님을 인식하고 그렇게 인식한 하나님을 다시 자신을 돌아보는 기준으로 삼는다는 것은 역시 상담자의 주관성의 한계를 벗어나기 어렵다. 상호주관적 경험이란 역시 주관적인 경험일 수밖에 없기 때문이다. 그러나 이 말은 내담자와의 사이의 상호주관적 경험을 통한 하나님 인식이 전혀 객관성이 없는 것이라는 의미는 아니다. 그러한 상호주관적 경험 역시 객관적 실재이신 하나님의 자기 계시의 한 방식이라면 그것을 통한 하나님 인식이 단순히 상담자 개인의 주관과 동일시될 수는 없다. 그러나 이같이 상호주관적 경험을 통한 하나님 인식은 역시 주관적인 인식이기 때문에 하나님에 대한 객관적 판단의 기준으로 삼기에는 부적합한 면이 있다. 그러한 주관적인 인식에 근거하여 다시 자신의 주관적 생각이나 감정을 평가한다는 것은 논리적으로 보더라도 불합리한 일이다.

그런데 다행히도 우리에게는 내담자와의 관계에서 하나님이 어떤 분이심을 식별하기 위한 또 한 가지 중요한 자료가 주어져 있다. 그것은 바로 성경이다. 성경은 개인의 주관적 경험보다 훨씬 객관적으로 하나님이 어떤 분이심을 우리에게 알려주는 자료이다. 성경은 하나님에 대한 신앙공동체의 증언으로서 우리는 우리 삶의 경험을 이러한 성경의 이야기에 비춰 봄으로써 우리 삶 속에 지금 함께하시는 하나님이 어떤 분이심을 알 수 있다. 목회상담에서 상담자는 내담자가 들려주는 삶의 이야기를 성경의 이야기와 서로 연결시킴으로 하나님께서 그를 지금 어떻게 이끌고 계시며 무엇을 말씀하시는지 분별하게 된다. 또한 내담자와의 관계에서 자신이 어떻게 하나님의 실천에 동참할지도 분별할 수 있게 된다. 이런 의미에서 성경은 목회상담의 매우 귀중한 자원들 중 하나이다. 다음에서 우리가 논의하려는 것은 목회상담에서 이러한 성경을 활용하는 방안과 그것을 내담자와의 관계에서 상호주관적 경험을 통한 하나님 이해와 서로 연결시키는 방안에 관해서이다. 이를 위해 우선 참고할 만한 것이 존 코우 John H. Coe 와 토드 홀 Todd W. Hall 이 제시하는 "인식의 나선순환"(knowledge spiral)이다.

인식의 나선순환

코우와 홀의 『변형심리학 *Psychology in the Spirit*』(2010)은 기독교와 심리학의 통합을 위한 그들의 기본전략을 제시한 책으로 여기서 그들은 어떤 대상에 대한 인간의 인식이 기본적으로 두 가지 경로를 통해 형성된다는 점을 지적한다.[4] 첫 번째는 이른바 **머리 인식**(head knowledge)으로 이것은 의식적이고 논리적인 방식, 다시 말해 주로 언어를 통해 이루어지는 대상에 대한 이해이다. 신경과학(neuroscience)에서는 이와 같은 인식이 이루어지는 경로를 "상부경로"(high road)라고 부르는데 이것은 그러한 인식이 주로 대뇌의 상부구조, 특히 전두엽(前頭葉)을 통해 이루어지기 때문이다. 이렇게 전두엽을 통해 형성되고 축적된 인식은 명시적이고 논리적인 것이 특징이다. 그래서 이런 인식을 **명시적 인식**(explicit knowledge)이라고도 부른다. 그런데 우리 안에는 이와 다른 종류의 대상에 대한 인식의 방법이 있는데 이것을 명시적 인식과 대비하여 **암묵적 인식**(implicit knowledge)이라 부른다. 암묵적 인식은 그 인식의 내용을 명확히 설명하기 어렵지만 그냥 직관적으로 알게 되거나 알고 있는 종류의 지식을 말한다. 이러한 지식은 논리적이기보다는 직관적이며 정서적인 인식인 것이 특징이다. 신경과학에 의하면 이러한 종류의 인식은 주로 대뇌의 하부구조, 감정뇌라고도 하는 대뇌변연계(limbic system)의 기능과 연관되어 있다. 그것은 곧 비언어적이고 정서적인 경험을 관장하고 그와 같은 종류의 기억을 처리하는 부분이다. 그래서 이러한 종류의 인식을 머리 인식과 구분하여 **가슴 인식**(gut-level knowledge)이라고 부르고, 이러한 인식을 형성하는 경로를 하부경로(low road)라 부른다.

홀에 의하면 사람들의 이러한 두 가지 종류의 인식, 즉 머리 인식

---

4 John Coe and Todd Hall, *Psychology in the Spirit: Contours of a Transformational Psychology*, 김용태 옮김, 『변형심리학』(서울: 학지사, 2016), 214-21.

과 가슴 인식은 많은 경우 서로 통합되지 못한 채 남아 있다.[5] (보다 고전적인 심리학의 개념으로 말하자면 의식과 무의식이 통합되지 못한 채 남아 있다는 것과 비슷한 말이다.) 홀이 말하는 치유란 곧 이 두 종류의 인식이 하나로 통합되는 것이다. (고전심리학과 비교할 때 어느 한 쪽이 다른 한 쪽을 지배하기보다 두 인식의 통합을 지향한다는 점에서 약간의 차별성이 있다.) 기독교적 접근에서 이러한 양자의 통합은 물론 진정한 하나님을 더 깊이 알아가는 방향으로 이루어져야 하는데 이를 위해 홀이 제안하는 방안이 바로 **인식의 나선순환**(knowledge spiral)이다.

인식의 나선순환이란 하나님에 대한 인식을 예로 들자면 하나님에 대한 내담자의 명시적인 인식과 암묵적인 인식이 나선형의 순환 과정을 통해 서로 연결되면서 보다 진정한 하나님을 아는 지식으로 통합되어 가는 것을 말한다. 먼저 내담자의 암묵적 하나님 인식이 구체적으로 어떻게 형성되는지부터 생각해 보자면, 그것은 내담자의 어린 시절부터 부모(또는 다른 중요한 타자)와의 관계에서 형성된 **애착 유형**(attachment style)과 관련이 깊다.[6] 즉 내담자가 어린 시절 부모와의 관계에서 안정된 애착을 경험하지 못한 경우 그 불안이 그의 '몸'에 기억되어 이후의 다른 사람들과의 관계와 심지어 하나님과의 관계에서까지 무의식적 반응 패턴으로 작용한다. 이런 사람들이 머리로 다른 사람이나 하나님을 이해하는 것과 실제로 다른 사람이나 하나님 앞에서 정서적/신체적으로 반응하는 방식이 다를 수 있다. 이런 사람들은 그러나 일반적으로 자기 안의 이러한 부조화를 스스로 인지조차 못하고 있는데 이들이 이러한 자신의 양면성을 스스로 돌아볼

---

5 위의 책, 217.

6 위의 책, 284.

수 있게 하기 위해서는 먼저 자신을 돌보는 사람과의 안정된 애착관계를 경험하는 것이 중요하다.[7] 홀에 의하면 바로 이와 같은 경험을 기반으로 그들이 자신의 내적 작동기제를 돌아볼 수 있도록 공감적 환경을 만드는 것이 바로 상담자의 우선적 역할이다.

구체적으로 상담과정에서 상담자는 먼저 내담자의 암묵적 인식이 그의 의식 위로 떠오를 수 있는 환경을 조성하고 기다려야 한다. 이것을 **배양**(incubation)**의 단계**라 부르는데, 이런 배양의 단계가 지나면 마침내 내담자 안의 암묵적 인식이 어떤 이미지나 비유, 혹은 비유적 이야기의 형태로 의식에 떠오르게 된다. 그러면 상담자가 이것이 보다 더 구체화되고 논리적 구조를 얻도록 도와주는 단계를 **조명**(illumination)**의 단계**라고 한다.[8] 그 다음으로 **성찰과 해석**(reflection and interpretation)**의 단계**에서 상담자는 그처럼 의식에 드러난 이야기를 내담자가 보다 논리적이고 분석적으로 반성하고 재해석할 수

---

7 위의 책, 424.

8 위의 책, 224-25.

있도록 돕는다.[9] 요컨대 인식의 나선순환은 의식의 아래로부터 올라온 내담자의 암묵적 인식을 위로부터 재구성하도록 돕는 과정이라고 요약할 수 있다. 이러한 과정에서 상담자의 역할은 양면적인데, 한 편으로 그는 내담자의 그 암묵적 인식이 자신의 방어기제를 극복하고 드러날 수 있도록 공감적 환경을 조성하고 다른 한 편으로는 그렇게 드러난 내담자의 인식을 스스로 반성하고 재구성할 수 있도록 돕는다.

이러한 홀의 상담방법은 비록 애착이론의 개념과 전략을 주된 기반으로 삼고 있지만 실제적으로 중요한 부분에서 코헛의 접근방식과 서로 일치하는 것이라 할 수 있다. 무엇보다 양자가 서로 일치하는 점은 두 사람 사이의 깊은 공감적 관계가 내담자의 변화를 만들어내는 필요조건이라고 보는 점이다. 이것은 다시 말해 내담자의 무의식적 감정과 태도를 그의 안으로부터 깊이 이해하고 함께 성찰하는 과정 없이 그것의 변화를 이끌 수 없다고 보는 것이다. 한편 양자를 비교할 때 홀의 접근방식과 그가 기대고 있는 애착이론의 특징적인 점은 내담자의 무의식적 측면에 대한 자기성찰(self-reflection)이 상대적으로 자기심리학에서보다 더 많이 강조되고 있다는 점이다.[10] 이것은 내담자의 내적 작동 기제를 안으로부터 공감적으로 이해하는 것도 중요시하지만 결국 그것으로부터 한 발짝 벗어나 내담자가 자신을 성찰할 수 있도록 돕는 과정을 더 강조한다는 것이다.[11]

---

9 위의 책, 225-28.

10 근래 애착이론에서 이러한 측면을 우리는 메리 메인(Mary Main)의 메타인지(meta-cognition) 개념이나 피터 포나기(Peter Fonagy)의 정신화(mentalization)이론에서 엿볼 수 있다.

11 한편 홀이 말하는 조명단계와 성찰 및 해석 단계는 대체로 코헛이 말하는 이해 국면과 설명 국면에 상응한다고 볼 때 양자는 역시 차이점보다 유사점이 많다고 할 수 있다(Allan Siegel, *Heinz Kohut and the Psychology of the Self*, 권명수 옮김, 『하인즈 코헛과 자기 심리학』(서울: 한국심리치료연구소, 2002), 269-74 참조).

그런데 여기서 우리가 다시 홀의 방법론을 최근의 애착이론과 비교하면서 발견할 수 있는 점은 내담자의 내적 인식을 객관화하고 재구성하는 데 있어서 특별히 이야기(story)의 중요성을 강조하고 있다는 점이다. 이야기는 내담자의 암묵적 인식을 의식의 차원으로 끌어올리는 매체로서 중요할 뿐 아니라 그렇게 의식에 끌어올려진 은유나 상징, 정서적 이미지 등을 명시적 사고의 체계와 연결하고 통합시키는 과정에서 매우 중요한 역할을 한다.[12] 이런 의미에서 "인식의 나선순환"은 자기 이야기(self narrative)의 통합을 지향하는 이야기중심적 접근이라고 해도 과언이 아니다.

한편 우리는 코우와 홀의 변형심리학이 비단 내면의 치유만 아니라 영적 성숙을 지향한다는 점을 생각할 때 인식의 나선순환에서 성경이 차지하는 중요성을 간과할 수 없다. 인식의 나선순환이 궁극적으로 진정한 하나님에 대한 올바른 인식을 지향한다고 할 때, 이를 위해 성경은 다른 어떤 자료와 비교할 수 없는 유일성과 권위를 지닌다.[13] 다시 말해 성경이 특별히 성찰과 해석의 단계에서 중요한 준거틀로 기능한다는 것이다. 그런데 여기서 코우는 인식의 나선순환에 있어 — 특별히 성찰과 해석에 있어 — 준거와 틀이 되는 성경의 중심개념들을 열거하는 반면, 아쉽게도 성경의 이야기(narrative)가 내담자의 이야기와 맞물려서 그의 삶을 조명하고 그의 삶의 이야기를 재구성하는 기능에 대해서는 별로 언급하고 있지 않다.[14] 홀이 내적 인지에 있어 이야기의 중요성을 강조하고 있음에도 불구하고 결국 코우와 홀의 방법론은 성경적인 이야기 상담방법으로까지는 발전하지

12 John Coe and Todd Hall, 『변형심리학』, 230.

13 위의 책, 236-39.

14 위의 책, 205.

못하고 있는 것이다. 그러나 성경 이야기의 중요성은 이미 다른 여러 기독교(목회)상담자들에 의해 강조되어 왔고 그것을 상담에 활용하는 방안들도 많이 제시되어 왔다. 다음에서 우리가 그 중 특별히 살펴보려는 것은 미국의 흑인 목회상담가 에드워드 윔블리 Edward P. Wimberly의 성경적 이야기 상담이다. 특별히 이 윔벌리의 상담사례들 속에서 우리가 발견할 수 있는 점은 코헛이나 홀이 제시하고 있는 상담의 이론과 방법들이 이미 임상적으로 많은 부분 그의 상담과정에서 구현되고 있다는 점이다. 이런 과정을 통해 윔블리는 실제적으로 내담자의 내적 치유와 영적 성숙을 함께 도모하고 있다.

성경적 식별을 통한 목회상담

윔블리의 목회상담은 미국 흑인교회공동체를 배경으로 주로 미국 흑인 내담자들을 대상으로 이루어진다. 이러한 그의 목회상담은 여러 면에서 우리에게 풍부한 통찰을 제공한다. 윔블리는 자신의 목회상담을 "식별을 통한 목회상담 모델"(discernment model of pastoral counseling)이라고 불렀다.[15] 이 '식별모델'의 바탕을 이루는 기본 신념은 "치유는 기본적으로 하나님이 하시는 일"이라는 것이다.[16] 따라서 목회상담자의 역할은 우선적으로 내담자와의 관계에서 "하나님

15 Edward P. Wimberly, *Prayer in Pastoral Counseling,* 전요섭 옮김, 『치유와 기도』(서울: 아가페문화사, 1998), 14.

16 위의 책, 11.

이 하시는 일을 식별하고 거기에 동참하는 일"이라 할 수 있다.[17] 이를 위해서 상담자가 상담의 과정 중에 기도와 더불어 활용하는 중요한 수단이 바로 성경이다. 하나님께서 내담자의 삶 속에서 하시는 일을 식별하기 위해 성경을 활용한다는 것은 곧 성경의 이야기와 내담자의 삶의 이야기를 서로 연결시키는 방식을 말한다. 이로써 상담자는 "내담자로 하여금 하나님의 이야기가 성경에서 전개되는 것처럼 자신의 삶 속에서도 전개되고 있다는 사실을 발견하도록 돕는다."[18]

윔벌리는 이러한 자신의 목회상담방법이 실제로 어떻게 적용될 수 있는지 자신의 몇 가지 상담사례를 통해 예시한다. 이러한 그의 상담사례들에서 우리가 발견할 수 있는 점은 그의 내담자들이 자신의 삶 속에서 전개되는 하나님 이야기를 발견하는 과정이 상담자인 윔벌리와의 인격적 관계의 변화와 서로 밀접하게 연결되어 있다는 사실이다. 일례로 들 수 있는 것이 케이트라는 젊은 여성의 사례이다. 케이트의 사례에서 우리는 그녀와 하나님과의 관계 변화가 그녀와 상담자 윔벌리와의 인격적 관계 변화와 매우 밀접히 연결되어 이루어지고 있는 것을 확인할 수 있다.

케이트는 원래 상담에 대한 관심도 있었지만 동시에 강한 거부감도 가지고 있었다. 그런 그녀가 용기를 내어 윔벌리를 찾아온 것은 그녀가 참석한 세미나에서 처음 봤던 윔블리가 그녀의 아버지를 연상시켰기 때문이었다.[19] 이것은 그녀의 상담이 상담자에게서 자신의 잃어버린 이상적 아버지, 다시 말해 이상적 자기대상을 찾는 동기로부터 시작되었음을 시사한다. 실제로 그녀의 부모는 그녀에게 그러한

17 위의 책, 11.
18 위의 책, 15.
19 위의 책, 31.

자기대상으로서 역할을 충분히 해주지 못했다는 사실을 그녀의 이야기에서 확인할 수 있다. 그녀는 지금까지도 부모 사이의 불화에 부정적 영향 받고 있으며, 어린 시절 수년간 가족의 친지들에게 성폭행을 당한 경험으로 인해 자신에 대한 막연한 죄책감과 자신의 여성성에 대한 혐오감을 갖고 있었다. 그런데 그녀의 이러한 부정적 자기인식이 더욱 증폭된 것은 사춘기 이후 점점 성숙해 가는 자신을 그녀의 아버지가 정서적으로 거절한다고 느끼게 되면서였다. 이러한 그녀의 경험은 남성들 일반에 대한 불신 뿐 아니라 하나님에 대한 불신으로까지 이어졌다. 그녀는 하나님을 "부재하시는 하나님", "자신에게 무관심하고 심지어 자신을 곤경에 빠지도록 내버려두시는 하나님"으로 묘사했다.[20] 그리고 이러한 그녀의 불신은 목회자이며 상담자인 윔벌리에게까지 전이되어 나타났다. 이러한 현상은 특별히 케이트가 자신에 대한 그의 이해 부족을 불평하면서 상담을 그만두겠다고 선언하는 대목에 가장 극명히 드러난다.[21] 상담자는 다행히 이러한 그녀의 실망감과 분노를 잘 담아낼 수 있었고 이를 통해 상담자와의 신뢰관계가 고비를 넘을 수 있었다. 또한 이와 함께 그녀의 하나님에 대한 신뢰도 자라갔다. 이에 대해 윔벌리는 "그녀의 상담자에 대한 신뢰와 하나님에 대한 신뢰 사이에는 어떤 연관성이 있는 것 같았다"고 술회한다.[22]

윔벌리는 그 자신이 케이트와의 상담과정에서 어떤 감정을 느꼈고 어떻게 반응했는지 아주 상세히 진술하고 있지는 않다. 그러나 우리는 전체적인 상담 과정을 통해 그와 케이트, 그리고 하나님 사이에

20 Edward P. Wimberly, *Prayer in Pastoral Counseling* (Louisville: John Knox Press, 1990), 40.

21 위의 책, 81.

22 위의 책, 80.

어떤 상호작용이 일어났는지 짐작할 수 있다. 그것은 요컨대 윔벌리가 케이트의 전이감정에 공감적으로 반응하는 가운데 그녀에 대한 하나님의 마음을 공감하게 된 것이다. 예컨대 그녀는 그처럼 "아버지 같은 사람 앞에서" 어린 시절 그녀의 성피해경험이나 자신이 중성적 옷을 주로 입는 이유에 대해 고백하면서 조금씩 "자신의 과거와 자신의 여성성을 수용할 수 있게 되었다"고 이야기한다.[23] 이것은 먼저 상담자인 그가 그녀의 모습을 있는 그대로 수용해 주므로 그녀의 자기대상의 역할을 충분히 해 주었음을 시사한다. 또한 그처럼 그녀의 수치심과 분노와 자기혐오를 담아주는 가운데 그러한 감정들 속에서도 그녀와 함께 계신 하나님을 반영할 수 있었음을 시사한다. 때문에 그는 마무리 기도에서 그녀의 모든 경험 속에 함께 계셨던 하나님의 임재에 대해 고백했던 것이다.[24]

케이트가 상담자의 이해 부족을 불평했다는 데서 알 수 있듯이 상담자는 때로 그녀에 대한 공감적 반응에 실패하기도 했다. 그러나 그는 그것에 대한 케이트의 실망과 분노까지 수용하고 그런 감정에 대해 그녀와 함께 탐색해 갈 수 있었다. 코헛에 의하면 이러한 "적절한 좌절"의 과정은 내담자로 하여금 상담자의 자기대상기능의 "변형적 내재화"(transmuting internalization)를 가능케 해 준다.[25] 상담자의 자기대상기능을 차차 내담자가 자기 자신의 것으로 내면화할 수 있게 된다는 것이다. 구체적으로 이러한 과정은 케이트에게 있어 자신과 하나님에 대해 그녀가 새로운 신뢰와 희망을 품게 되는 변화로 나타났다. 부모의 불화와 무관심, 어린 시절 성적 학대의 경험 등이 그

23 위의 책, 83.
24 위의 책, 84.
25 Allan Siegel, 『하인즈 코헛과 자기심리학』, 260.

녀에게 자신의 현실에 대한 "비극적 전망"(tragic vision)을 형성했다면 상담자와의 공감적 관계는 그녀로 하여금 자신의 삶에 대한 새로운 희망을 붙잡게 했다.

흥미로운 점은 케이트가 이처럼 새로운 희망을 붙잡으려는 몸짓이 상담과정 중 자신의 삶의 이야기를 성경의 이야기와 서로 연결시키는 방식으로 나타났다는 점이다. 그 일례가 그녀가 주일학교 교사로서 아이들에게 성경을 가르치다가 자신에게 적용하게 된 선지자 엘리야와 그의 사환의 이야기였다. 열왕기상 18장 43절에서 엘리야는 그의 사환에게 "높은 곳으로 가서 바다를 내다보라"고 주문한다. 그러나 처음에 사환은 아무런 비의 조짐도 볼 수 없었다. 그는 여섯 번이나 다시 가보았지만 아무런 조짐도 발견할 수 없었다. 그러나 일곱 번째 그가 다시 갔을 때 그는 수평선 위로 손바닥만한 구름 하나가 떠오른 것을 볼 수 있었다. 케이트는 자신을 이 이야기 속의 사환으로 생각하고 있었다. 상담자는 그녀에게 높은 곳에 올라가 바다를 보라고 재촉하는 엘리야이고 그녀는 자신의 삶에 아직 잘 보이지 않는 그 희망을 붙잡으려고 자신과 싸우는 사환이었다.

상담이 진전되면서 케이트의 내면의 싸움은 성경적인 희망의 이야기와 자신의 인생에 대한 비극적 전망 사이의 싸움으로 전개되었다. 엘리야의 사환 이야기는 그녀에게 이러한 두 가지 전망 사이의 싸움을 표상하는 것이었다. 중요한 점은 이러한 내적 싸움이 실제 삶에서 그녀가 경험하는 중요한 인간관계들 속에서의 갈등과 맞물려 있었다는 점이다. 원 가정을 방문했다가 어머니의 지병(持病)에 대해 알게 되었을 때 그녀는 일시적으로 다시 비극적 전망의 포로가 되었다. 그러다가 그녀는 다시 상담을 통해 하나님을 바라보면서 희망을 다시 붙잡고 자신의 삶을 성경의 이야기와 연결시키려는 노력을 이어갔다. 우리는 이러한 상담의 과정에서 케이트가 새로운 희망의 이야기를 찾는 것이 그녀가 상담자와의 관계에서 좌절을 극복하는 일과 서로 긴밀하게 맞물려 있다는 사실을 발견하게 된다. 케이트가 돌연 상담자의 이해 부족을 불평하면서 상담을 그만두겠다고 선언한 것이 바로 그러한 이야기 변화의 결정적 시점이었다. 상담자는 자신에 대한 그녀의 실망과 분노를 직면시킴으로써 그 속에 투영된 그녀의 친아버지를 비롯한 뭇남성들에 대한 그녀의 분노, 더 나아가 하나님에 대한 분노를 다루지 않으면 안 되었다.[26] 결국 케이트는 실제로 상담을 그만두기까지 했으나 다시 윔벌리에게 전화를 걸고 상담에 돌아왔다. 이것은 그녀가 그녀의 상담자를 계속 신뢰하기로 한 결심 뿐 아니라 그녀의 하나님을 다시 신뢰하기로 한 결심을 보여주는 행동이었다. 또한 이 과정은 그녀의 이야기 속에서 엘리야의 사환인 그녀가 다시 엘리야에게로 돌아오는 것으로 표상되었다.

윔벌리는 이러한 케이트의 사례를 통해 내담자가 처한 상황이나 감정 자체도 중요하지만 그보다 오히려 그들이 그것에 대해 어떠한 의미를 부여하는지가 중요하다는 점을 강조한다. 그런데 그에 의하면 내담자의 삶의 경험에 대한 이러한 의미 부여는 주로 그들의 이야기를 통해 이루어진다.

> 인간으로써 우리는 우리 삶의 경험들의 의미를 발견하고자 노력한다. 우리가 이렇게 우리 삶의 의미를 찾는 한 가지 방식은 이야기를 통한 것이다. 그러나 깨어진 관계들, 타인들에 의한 학대나 공감적 지지의 결여는 우리가 우리 삶을 해석하는 이야기들에 부정적 영향을 끼친다. 절망

26 위의 책, 79-80.

적인 경험이나 깨어진 관계는 우리 안에 부정적이고 비극적인 이야기를 형성한다. 또한 그러한 경험은 우리로 하여금 그와 같은 불행한 삶의 이야기를 실제로 살아 가게 만든다. 결과적으로 우리는 그러한 비극적 이야기의 포로가 되고 마는 것이다.[27]

윔벌리에 의하면 상담에 있어 진정한 걸림돌은 내담자의 안에서 작동하고 있는 이와 같은 부정적 이야기이다. 이러한 부정적 이야기가 그들의 내적 성장을 가로막고 있을 뿐 아니라 하나님과의 관계에 있어서도 성숙을 가로막고 있다. 때문에 목회상담은 다만 내담자의 무의식적 인식이나 감정의 차원에 대해서만 아니라 자신의 경험에 대한 명명(命名)이나 비유, 또는 비유적인 이야기와 같이 인지적, 해석적 차원에서 이루어져야 한다. 다시 말해 "내담자가 성경에서처럼 자신의 삶 속에서도 전개되고 있는 하나님의 이야기를 발견"할 수 있도록 도와야 한다.[28]

지금까지 살펴본 윔블리의 상담사례에서 우리는 그의 목회상담이 실제로 코헛이나 홀이 제시한 변화의 과정을 잘 예시해 주고 있다는 것을 발견한다. 우선 위의 케이트 사례에서 상담자는 코헛이 말하는 자기대상의 기능을 잘 감당했고 그것이 내담자의 자기성숙과 영적 성숙을 잘 매개할 수 있었다. 케이트의 상담은 처음에 상담자에게서 이상적 자기대상을 찾는 것으로 시작됐다. 그런데 이것이 상담자와의 관계에서 적절한 좌절의 경험을 통해 단지 상담자가 아니라 그 너머의 하나님을 바라보는 것으로 발전할 수 있었다. 이 과정이 그러

27 위의 책, 43-44.
28 Edward P. Wimberly, 『치유와 기도』, 15.

한 위험성이 있었음에도 불구하고 상담자와의 건강치 못한 융합이나 중도이탈로 끝나지 않을 수 있었던 이유는 바로 상담자가 계속해서 기도를 통해 그들 가운데 계신 하나님을 바라봄으로 내담자도 상담자가 아니라 하나님을 바라보도록 이끌었기 때문이다. 또한 내담자의 이야기를 성경의 이야기와 연결시키려는 노력을 함께 했기 때문이다. 이로써 상담자는 내담자가 하나님과의 관계에서 보다 성숙할 수 있도록 이끄는 촉매 역할을 했다.

한편 케이트의 상담사례는 홀이 말하는 인식의 나선순환을 예시한다. 케이트와 상담자 사이의 공감적 결속이 잘 이루어져 감에 따라 그들의 관계 속에서 케이트의 암묵적 인식들이 이미지나 비유의 형태로 드러나기 시작했다. 예컨대 그녀를 붙잡고 있는 덫이나 감옥의 이미지가 그런 것이었다.[29] 이것은 물론 그녀 안에 자리한 절망감이나 분노 같은 감정과 연결돼 있는 것이었다. 그녀가 이러한 자신의 이미지와 감정들을 직면하고 그것들을 한 발 떨어져서 보기 시작한 것은 첫 번째로 상담자의 수용과 인내와 더불어 그들의 관계를 통한 성령의 개입에 의한 것이라고 할 수 있다. 그러나 다른 한 편으로 볼 때 그것은 또한 그녀의 그러한 암묵적 인식을 성경의 이야기를 통해 객관적으로 재조명하고 재구성하는 인식의 나선순환을 통해서 일어난 변화라고도 할 수 있다. 성경은 이처럼 내담자의 인식의 나선순환을 이끌며 삶의 비전을 재구성하는 데 중요한 역할을 한다.

---

29 Edward P. Wimberly, *Prayer in Pastoral Counseling*, 72.

의미부여와 힘의 부여

효과적인 목회상담을 위해 성경을 활용하는 방안에 대한 논의는 사실 윔벌리 이전부터 여러 목회상담자들에 의해 이루어져 왔다. 대표적인 예가 웨인 오츠Wayne Oates, 캐롤 와이즈Carroll Wise, 도날드 캡스Donald Capps, 찰스 거킨Charles V. Gerkin 등의 논의들이다.[30] 이 중 여기서 잠시 일별(一瞥)하려는 것은 윔벌리의 목회상담에 직간접적으로 영향을 끼친 아틀랜타(Atlanta)의 목회상담자 찰스 거킨의 이야기 해석학적 목회상담(narrative hermeneutical approach to pastoral counseling)이다. 거킨은 보이슨Anton Boisen이 주창한 "살아 있는 인간 문서의 탐구"를 실제 문서처럼 인간의 삶을 읽고 해석하는 일이라 이해했다.[31] 그는 오늘날 목회상담자를 찾아오는 대부분의 내담자들의 문제가 현대사회의 파편화된 경험 속에서 자신의 삶의 의미와 목적을 잃어버린 것이라 보았다. 그리고 이것은 전통적으로 그들의 삶에 의미를 부여해 온 기독교적 이야기를 잃어버린 데 기인한다고 생각했다.[32] 따라서 그가 지향하는 목회상담은 내담자들이 다시 기독교적 이야기를 통해 자신의 삶의 경험을 재구성하며 그 이야기 속에서 자신의 정체성과 삶의 의미를 찾도록 돕는 일이다.[33]

---

30 Wayne Oates, *The Bible in Pastoral Care* (Philadelphia, PA: The Westminster Press, 1953); Carroll Wise, *Psychiatry and the Bible* (New York: Harper & Brothers, 1956); Donald Capps, *Biblical Approaches to Pastoral Counseling* (Philadelphia, PA: The Westminster Press, 1981).

31 Charles V. Gerkin, "Reclaiming the Living Human Document," in *Images of Pastoral Care: Classic Readings*, ed. Robert Dykstra (St. Louis, MO: Chalice Press, 2005), 36.

32 Charles Gerkin, *Widening the Horizons: Pastoral Responses to a Fragmented Society* (Philadelphia, PA: The Westminster Press, 1986), 30.

이러한 거킨의 이야기 해석학적 목회상담과 윔블리의 목회상담을 비교해 보면 우리는 차이점 이전에 먼저 양자의 커다란 공통점부터 발견하게 된다. 그것은 곧 내담자로 하여금 기독교적 이야기 속에서 자신의 삶의 의미와 목적을 발견하도록 돕는 방식이다. 그러나 자세히 살펴 보면 양자간의 차이점도 드러난다. 그 중 중요한 것은 거킨의 이야기 해석학적 접근이 이야기를 통한 삶의 의미 발견에 치중하고 있다면 윔블리의 목회상담은 내담자로 하여금 그의 삶 속에 함께 하시는 하나님을 발견하도록 돕는 데 집중한다는 점이다.[34] 거킨뿐 아니라 목회상담에서 성경의 중요성을 강조하는 다른 여러 목회상담자들과 윔블리의 방식을 구별짓는 중요한 차이점이 바로 여기에 있다. 즉 윔블리가 주목하는 하나님의 이야기는 단지 성경 속의 이야기가 아니라 실제 내담자의 삶 속에서 일하시는 하나님의 이야기라는 점이다. 윔블리에 의하면 "치유는 바로 이 하나님의 일"이다.[35] 따라서 목회상담의 역할은 이 하나님의 일을 내담자 삶 속에서 식별하고 이 하나님의 일에 협력하는 것이다. 여기서 성경은 그와 같은 하나님의 일을 내담자 삶 속에서 식별하기 위해 가장 중요한 자료로 활용된다.

요컨대 윔블리의 접근방식은 성경을 중요시하지만 성경 속의 하나님 이야기보다 내담자 삶 속에 실제 펼쳐지는 하나님 이야기를 더 중요시한다. 그에게 하나님의 이야기(God's story)는 단지 파편화된 경험에 의미를 부여하는 텍스트 이상의 것이다. 그에게 하나님의 이야기는 실제 내담자의 현실 속에 전개되는 하나님의 역사이다. 따라서 그의 상담은 이 이야기를 통해 내담자의 경험을 해석할 뿐 아니라

---

33 위의 책.

34 Edward P. Wimberly, 『치유와 기도』, 15.

35 위의 책, 11.

내담자가 자신의 삶 속에서 하나님을 발견하고 그 하나님과 함께 그 하나님의 이야기를 자신의 삶 속에서 구체적으로 실현해 가도록 돕는 데 목적이 있다.

이런 의미에서 윔블리의 목회상담은 앞의 2장에서 소개한 레이 앤더슨 Ray S. Anderson 의 수정실천신학방법에 가장 잘 부합하는 목회상담방법이라고 평가할 수 있다. Ⅱ장에서 지적했듯이 원안인 돈 브라우닝 Don S. Browning 의 실천신학방법에 비해 앤더슨의 수정안은 우리 삶 속에 이미 작용하고 있는 **그리스도의 실천**(*Christopraxis*)을 식별하고 거기에 동참하는 데 강조점이 있다.[36] 이 그리스도의 실천을 식별하는 방법은 현실 속에서 경험된 그리스도와 성경에 계시된 그리스도 사이의 일치를 찾아내는 방법이다.[37] 이러한 앤더슨의 실천신학방법은 브라우닝의 그것과 마찬가지로 실천과 반성을 모두 강조한다. 그러나 브라우닝과 달리 앤더슨의 방법은 이런 실천과 반성의 과정을 통해 현실 속에 이미 일하고 계신 그리스도를 발견하고 그의 일에 동참하려는 노력으로 특징지어진다. 그런데 우리는 바로 이와 같은 노력을 윔벌리의 목회상담에서 발견할 수 있다. 내담자의 삶 속에서 이미 전개되고 있는 하나님의 일을 식별하고 내담자의 치유와 회복을 위해 그 하나님과 협력하는 노력이 바로 그것이다. 이러한 노력은 성경적 해석을 통해 내담자의 삶에 의미를 부여할 뿐 아니라 그것을 넘어 공감적 연대와 참여를 통해 내담자에게 힘을 부여하는(empowering) 공동체적 실천으로 이어진다.[38]

이러한 앤더슨이나 윔블리의 접근방식에 비해 거킨의 이야기 해

---

36 Ray S. Anderson, *The Shape of Practical Theology: Empowering Ministry with Theological Praxis* (Downers Grove, IL: InterVarsity Press, 2001), 29.

37 위의 책, 56.

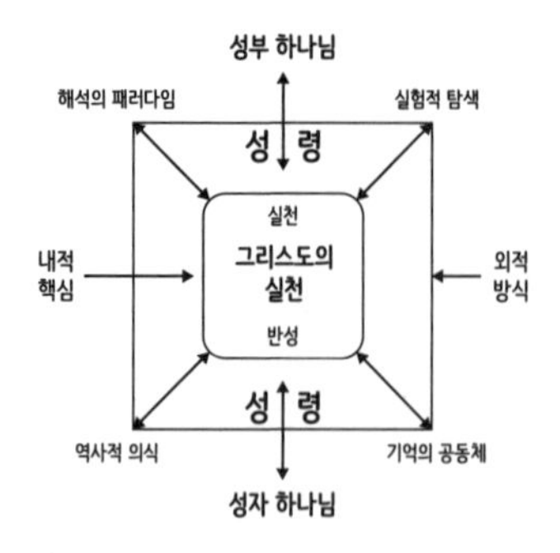

[도식 5] 레이 앤더슨(Ray S. Anderson)의 수정실천신학모델

석학은 제임스 폴링 James N. Poling 이 비판하고 있는 것처럼 지나치게 의미(meaning)중심적이다.[39] 이것은 다시 말해 상대적으로 경험의 중요성과 경험이 내포한 힘의 측면을 간과하고 있다는 것인데,[40] 거킨이 간과하고 있는 이 힘의 측면이란 폴링이 지적하듯이 사회정치적 차원의 억압과 폭력이기도 하지만 동시에 심리적 차원의 무의식적인 억압이나 자기방어이기도 하다. 이러한 힘의 측면을 간과하는 거킨의 한계는 그가 신학적으로 기대고 있는 이른바 탈자유주의 신학(post-liberal theology)의 한계와 관련이 있다고 생각된다. 탈자유주의 신학의 특징은 기독교신앙의 본질이 현실의 경험에 의미와 목적을 부여하는 "해석적 틀"(interpretive schema)에 있다고 보는 것이

38 윔벌리의 이러한 양면적 노력은 이후의 그의 저서들, 예컨대 그의 *Claiming God: Reclaiming Dignity: African American Pastoral Care* (Nashville, TN: Abingdon Press, 2003)이나 *African American Pastoral Care and Counseling: The Politics of Oppression and Empowerment* (Cleveland, OH: Pilgrim Press, 2006)에서 계속 드러나고 있다.

39 James N. Poling, "A critical appraisal of Charles Gerkin's pastoral theology," *Pastoral Psychology* 37-2 (1988), 95.

40 의미(meaning)와 힘(force)의 구분은 폴 리쾨르(Paul Ricoeur)에 의한 것이다. 리쾨르는 프로이트의 심리학에 대한 주해에서 심리적 현상을 의미와 힘의 두 측면에서 조명한다(Paul Ricoeur, *Freud and Philosophy: An Essay on Interpretation* [Binghamton, NY: Yale University Press, 1970], 91).

다.[41] 그것은 인간의 경험 속에서 하나님을 발견하려는 시도에 대해서는 의혹을 제기한다.[42] 이는 조지 린드벡George Lindbeck의 말처럼 "경험 자체가 기독교적인 것이 아니라 기독교적 해석이 그 경험을 기독교적으로 만드는 것"이라는 관점에 따른 것이다.[43] 이러한 관점에 의거한 목회상담은 성경을 통해 내담자의 경험에 의미를 부여하고 그것을 기독교적인 관점에서 재구성하는 **해석학적 접근**(hermeneutical approach)에 치중할 수밖에 없다. 다시 말해 내담자의 경험 또는 내담자와 상담자 사이의 상호경험 속에서 하나님을 발견하고 그 하나님의 일에 동참하는 것 같은 실천과는 차이가 있을 수밖에 없다. 바로 이런 의미에서 우리는 윔벌리의 "식별모델"과 거킨의 이야기해석학이 서로 비슷하지만 다르다고 말할 수 있다.

윔벌리는 비록 자신의 입장을 설명하기 위해 리차드 니버Richard Niebuhr의 "내적 역사"(inner history)나 거킨의 이야기 해석학(narrative hermeneutics)을 인용하기도 하지만, 실제로 그의 접근방식은 탈자유주의적 접근과는 자못 다른 것이다.[44] 그의 접근방식은 사실상 앞에서 지적한 것처럼 현실의 삶 속에서 실제 펼쳐지는 하나님의 이야기에 주목하는 앤더슨의 실천신학방법에 가깝다. 결과적으로 그의 접근방식은 보다 현실참여적이다. 즉 내적, 외적 현실의 억압 속에서 내담자들이 자신의 삶의 의미를 찾도록 상담을 통해 도울 뿐 아니라 그것을

---

41 Charles Gerkin, *An Introduction to Pastoral Care*, 유영권 옮김, 『목회적 돌봄의 개론』(서울: 은성출판사, 1999), 126.

42 예컨대 탈자유주의 신학자 조지 린드벡(George A Lindbeck)은 슐레이에르마허(Schleiermacher) 이래 계속되어 온 "보편적 종교 경험"에 대한 주장을 "경험적 표현주의"라고 지칭하며 강하게 비판한다(George A. Lindbeck, *The Nature of Doctrine: Religion and Theology in a Postliberal Age* [Louisville, KY: Westminster John Knox Press, 1984], 21).

43 위의 책, 34.

44 Edward P. Wimberly, *Using Scripture in Pastoral Counseling*, 김진영 옮김, 『목회상담과 성경의 사용』(서울: 한국장로교출판사, 2005), 129-34.

넘어 실제적인 공동체적 연대와 실천을 통해 그들에게 억압에 저항하기 위한 실질적 힘을 부여하는 데 주력한다. 이것은 그러나 윔벌리의 접근방식이 성경을 통해 내담자 삶의 의미를 발견하려는 노력을 경홀히 한다는 뜻이 아니다. 성경은 여전히 현실 속에서 전개되는 하나님의 이야기를 식별하기 위해 가장 중요한 자료로서 활용된다. 다만 윔벌리의 소신은 사람들의 내적 치유 뿐 아니라 현실의 억압적 힘으로부터 그들이 실제 해방된 삶을 살도록 돕는 것이 하나님의 일이며 목회 돌봄의 과제라는 것이다. 이 때 성경을 통해 이러한 하나님의 실천을 식별하는 일은 그러한 하나님의 실천에 동참하는 일과 서로 나뉘어질 수 없다. 참여와 반성, 해석과 실천은 서로 분리될 수 없는 목회 돌봄의 양바퀴이다. 윔블리의 목회 돌봄은 이러한 양단의 노력을 통해 세상 속에서 하나님의 일을 식별하고 거기에 참여하는 공동체적 실천을 지향하고 있다.

하나님의 구원의 능력

미국의 목회상담학자 로드니 헌터 Rodney J. Hunter 는 미국 목회상담의 역사를 되돌아보면서 미국의 목회상담이 잃어버린 것에 대해 이야기한다. 그에 따르면 미국의 목회상담은 일반심리상담의 추세에 따라 목회상담자의 인격의 중요성은 상대적으로 많이 강조해 온 반면 성경이 말하는 "하나님의 구원의 능력"은 점점 잊어 버리고 말았다.[45] 이것은 다시 말해 미국의 목회상담이 하나님을 잊어버린 채 인간의 역량에만 주로 관심을 기울여 왔다는 것이다. 그러면서 이러한 임상목회상담의 모델이 지난 역사를 통해 전통적인 기독교 목회로부터 떨어져 나온 거리(距離)에 대해 자성(自省)을 촉구한다. "하나님의 구원의 능력 The power of God for salvation"(1998)이란 제하의 이 글에서 헌터의 고민은 "어떻게 하면 발달한 임상목회상담의 모델을 그대로 계승하면서도 그것을 현실 속에서 하나님의 구원의 역사에 동참하는 기독교 사역 속에 다시 자리매김할 수 있을까"하는 문제이다.[46]

사실 이 책에서 필자의 고민 역시 기본적으로 이러한 헌터의 고민과 다르지 않다. 이 책 전체가 바로 위와 같은 질문에 답하고자 하는 노력이라고 해도 과언이 아니다. 필자가 생각하는 답은 요컨대 내담자들과의 관계 속에서 하나님의 일에 동참하기 위해 함께 노력하는 가운데 내담자의 치유를 넘어 세상 속에서 하나님 나라를 구현해 가는 목회 돌봄이다. 필자는 이를 위해 하나님의 구원의 능력만 아니라 인간인 우리들 자신의 역할도 중요하다고 생각한다. 필자가 생각하기에 목회상담자의 인격에 대한 강조는 그 자체로 잘못된 것이 아니다. 실제로 임상목회상담이 기독교 사역에 기여한 바 중 가장 중요한 것 하나가 바로 목회자 스스로의 내면을 돌아보도록 한 것이라 할 수 있다. 목회자의 인격이야말로 하나님의 사역에 있어 가장 중요한 통로이면서 동시에 걸림돌이 될 수 있기 때문이다. 심리학적 통찰은 목회상담자 안에 있는 그러한 걸림돌을 찾아 제거하는 데 도움을 준

45 Rodney J. Hunter, "The Power of God for Salvation: Transformative Ecclesia and the Theological Renewal of Pastoral Care and Counseling," *Journal of the Interdenominational Theological Center* 25-3 (Spring, 1998), 62.

46 위의 책, 67.

다. 그러나 목회자가 하나님의 일을 이루는 통로가 되기 위해 필요한 것은 단지 이런 심리학적 성찰을 통해 건강한 인격을 갖추는 일만이 아니다. 목회상담자가 하나님의 사역의 통로가 되기 위해서는 내담자와의 관계 속에서 하나님을 식별하고 그 하나님의 일에 적극적으로 동참하려는 노력이 필요하다.

우리는 본 장에서 목회상담의 과정에서 하나님을 식별하고 그 하나님 안에서 자신과 서로의 삶의 의미와 목적을 찾는 일이 왜 중요하며 그것을 위해 성경이 어떻게 활용될 수 있는지 살펴보았다. 성경을 통해 우리는 서로의 관계 속에 함께하시는 하나님을 보다 객관적으로 식별하고 그 하나님의 관점에서 상대방을 바라볼 뿐 아니라 자신을 돌아볼 수 있다. 그런데 여기서 강조할 점은 엄밀히 말해 우리 삶의 기준이 되는 것은 성경 자체라기보다는 우리 삶 속에 함께 계시며 우리를 인도하고 계신 하나님이라는 것이다. 성경은 그 하나님을 알아가는 데 있어 가장 중요한 자료라고 할 수 있지만 유일한 자료는 아니다. 우리들이 서로 함께 하는 경험도 그 하나님을 알아가는 데 중요한 자료가 된다. 우리는 서로의 관계 속에서 서로를 향한 하나님의 마음을 알 수 있기 때문이다. 하나님을 아는 것은 단지 하나님에 대한 객관적 지식을 얻는 것만이 아니라 이처럼 하나님과의 인격적 사귐을 갖는 것을 뜻한다. 때문에 우리는 성경을 단지 머리로만 읽는 것이 아니라 공감적 이해를 통해 성경의 이야기와 우리 삶의 경험을 서로 연결시키고 그렇게 해서 실제 우리 삶에 펼쳐지는 하나님의 이야기를 식별하며 거기에 적극적으로 동참하려는 노력이 필요하다. 이러한 전인적 과정을 통해서만 우리가 진정한 하나님을 알고 경험할 수 있기 때문이다. 이렇게 우리가 전인적으로 하나님을 알아가는 과정은 또한 우리가 서로 함께하는 과정 속에서 우리 자신과 서로를 돌아보고 자신과 서로의 내면의 문제를 극복하는 일과도 연결된다. 하나님을 아는 것은 우리를 지배하는 모든 거짓으로부터 우리가 자유케 되는 일이기 때문이다.

마지막으로 한 가지 더 지적할 것은 우리가 성경과 우리 삶의 경험을 통해 하나님이 누구이시며 그 하나님 안에서 우리 자신이 누구인지 단지 아는 것만으로는 우리가 하나님의 일을 이룰 수 없다는 점이다. 우리가 실제로 하나님의 일을 이루기 위해서는 우리가 그렇게 알게 된 새로운 자기로서 실제 살아가야 하는데 이렇게 하기 위해서는 이를 위한 실질적 힘이 필요하다. 목회상담자가 내담자와의 관계에서 공감적 이해와 지지를 제공하는 것이 바로 이러한 힘을 부여하는 일이라고 할 수 있다. 그러나 내담자를 억압하는 세력은 비단 그들의 내면에만 있는 것이 아니라 그들 안팎의 현실 속에 있기 때문에 거기에 대항하며 하나님의 이야기를 실제로 살아가기 위해서는 단지 목회상담자 개인의 도움만으로는 부족할 때가 많다. 우리가 윔블리 Edward Wimberly 의 흑인교회 목회 돌봄에서 배울 수 있는 것이 바로 이것이다. 즉 내적, 외적 억압에 눌린 그의 내담자들이 실제로 그들 삶 속에서 하나님의 이야기를 살아가기 위해서는 세상 속의 구조적 악과 억압에 대항하여 함께 살아가는 공동체의 힘이 필요했다. 목회상담자와의 관계만 아니라 그러한 신앙공동체의 지지와 협력이 필요했다는 것이다. 여기서 우리는 목회 돌봄이 개인적 차원을 넘어 이러한 공동체적 실천으로 확장될 필요가 있음을 발견하게 된다.[47] 그래서 우리는

---

47 위의 글에서 로드니 헌터가 스스로 던진 질문에 대해 찾은 답 역시 필자의 이러한 결론과 일치한다. 그는 오늘날 현실 속에서 하나님의 구원 사역에 동참하는 목회 돌봄은 어떤 것인가 하는 스스로의 질문에 대해 직접적인 대답 대신 브룩클린(Brooklyn)에 위치한 한 흑인교회공동체의 사례를 제시한다. 이 사례를 통해 헌터는 목회 돌봄이 개인적 돌봄의 차원을 넘어 미국사회의 구조적 악과 억압에 대항하는 공동체적 실천으로까지 확장되어야 함을 강조한다. 그러나 물론

이어지는 장에서 이러한 공동체적 실천과 목회 돌봄을 상호연결시킬 수 있는 구체적 방안에 대해 계속 논의해 보려 한다.

여전히 하나님의 사역의 중심은 그런 신앙공동체가 아니라 하나님 자신이다. 신앙공동체는 늘 불완전하고 때로 넘어지기도 한다. 그러나 그럼에도 불구하고 우리가 좌절하지 않을 수 있는 것은 그러한 우리의 실패와 상관 없이 그의 일을 이루어 가시는 하나님이 우리 가운데 계시기 때문이다(위의 책, 72).

Ⅶ 장

목회 돌봄과 신앙공동체

하나님의 이야기를 살아가는 공동체

공동체적 실천으로서의 목회 돌봄

에드워드 윔벌리 Edward P. Wimberly 가 그의 흑인 내담자들을 상담하면서 발견한 그들의 공통적인 문제가 바로 "내면화된 인종주의"(internalized racism)의 문제였다.[1] 그들 흑인 내담자들이 처한 사회 현실이 그들의 자기상(像) 및 삶의 비관적 전망, 우울증이나 무기력증 같은 그들 내면의 문제와 서로 밀접한 연관성을 갖는다는 사실을 발견했던 것이다. 이러한 상황에서 윔벌리는 그들 흑인 내담자들을 위한 목회적 돌봄이 그 자체로 이미 "정치적 실천"임을 자각하게 되었다.[2] 다시 말해 목회 돌봄이 그들 안팎에 존재하는 억압적 힘들에 대한 저항임을 인식하게 된 것이다.

앞 장에서 살펴본 케이트의 경우 그녀가 가진 부정적 자기인식 및 비극적 인생관은 그녀가 몸담은 미국사회의 인종차별, 성차별 및 사회구조적 불평등과 직간접적인 연관성이 있다. 여기서 우리는 프랑스 사상가 미셸 푸코 Michel Foucault 가 지적한 바대로 사람들의 인식

1 Edward P. Wimberly, *African American Pastoral Care and Counseling: The Politics of Oppression and Empowerment* (Cleveland, OH: The Pilgrim Press, 2006), 12.

2 위의 책, 21.

(knowledge)이 그 사회의 권력(power)구조와 서로 불가분의 연관성을 지니고 있음을 확인하게 된다. 따라서 그들의 자기 인식을 바꾸려는 노력은 그 자체로 이미 사회적 권력과의 투쟁이 되는 것이다. 심리치료분야에서 바로 이와 같은 '정치 의식'을 가지고 그것을 자신의 치료방식에 적용하려고 한 사람들 중 하나가 호주의 심리치료가 마이클 화이트 Michael White 이다. 화이트는 그의 내담자들 안에 내면화되어 있는 지배담론을 해체하고 그들이 새로운 삶의 이야기를 구성하도록 돕는 그의 독특한 치료방식을 개발했다. 이러한 화이트의 이야기치료적 접근은 에드워드 윔블리의 흑인목회상담에도 많은 영향을 끼쳤는데, 이제 본 장에서 우리가 살펴보려는 것은 이 두 상담가의 창의적인 치유방식들이다.

특별히 본 장에서 주목하는 것은 두 사람의 공동체중심적 접근이다. 화이트와 윔블리의 치유방식을 특징짓는 공통점 중의 하나는 치유적 공동체를 지향한다는 점이다. 이것은 내담자의 자기상(像)이나 삶의 이야기를 변화시키기 위해서는 단지 이야기 다시 쓰기(re-authoring) 같은 상담기법만이 아니라 그렇게 다시 쓴 대안적 이야기를 실제로 함께 살아가는 공동체적 삶이 필요하다는 점을 두 사람 다 강조했다는 것이다. 이러한 치유적 공동체는 그 구성원들에게 대안적 삶의 방향성을 제시할 뿐 아니라 그러한 대안적 삶을 실제로 살아가기 위한 환경을 제공한다.

마이클 화이트 Michael White

마이클 화이트의 공동체적 이야기 치료

먼저 살펴보려는 것은 마이클 화이트의 심리치료에 있어 공동체적 전략들이다. 화이트의 심리치료는 대안적 이야기 공동체를 지향하고 있다는 점에서 보다 개인주의적인 북미의 '이야기치료'(narrative therapy)와 구분된다. 역설적이게도 북미의 이야기치료자들은 화이트를 그들의 치료방식의 창시자로 생각하는데, 화이트는 이런 그들의 '이야기치료'와 자신의 접근방식 사이의 차이점을 강조한다.[3] 북미의 '이야기치료'의 문제점이 자신의 문제로 그릇 인식되고 있다고 그가 보았기 때문이다. 화이트가 이렇게 자신의 문제로 오인되고 있다고 한 것은 크게 두 가지, 언어적 환원주의와 개인주의적 접근이다. 첫

3 Michael White, *Narrative Practice: Continuing the Conversations*, 김유숙·최지원·안미옥 옮김, 『내러티브 실천』(서울: 학지사, 2014), 60.

번째로 그가 받은 비판은 그가 "현실의 문제를 단지 언어적 차원의 문제로 환원시켰다"고 하는 비판이었다.[4] 그는 또한 "서구사회의 개인주의에 기초하여 삶의 문제를 단지 개인의 의미구조의 차원으로 환원시켰다"는 비판을 받았다.[5] 화이트는 이러한 비판들이 자신에게 잘못 겨냥된 것이라고 항변한다. 그에 의하면 그가 말한 삶의 재저작(reauthoring life)은 단지 개인적 차원의 작업이 아니며 단지 언어적 차원의 일도 아니다. 삶의 이야기는 "사회문화적 담론과 분리된 현상일 수 없기 때문"이다.[6] 다시 말해 삶의 재저작은 단지 개인적/언어적 차원의 실천이 아니라 사회문화적 변화를 위한 공동체적/정치적 차원의 실천이어야 한다는 뜻이다. 이러한 화이트의 변론에서 우리는 그의 이야기 치료 전략들이 단지 개인을 사회문화적 영향력으로부터 분리시켜 놓는 것이 아니라 대안적 역사, 문화적 자원을 활용하여 현실 속에 대안적 이야기 공동체를 형성하는 일임을 알 수 있다.

여기서 우리가 생각할 수 있는 것이 화이트의 이야기 치료방식을 기독교 이야기를 공유하는 신앙공동체의 목회 돌봄에 접맥시킬 수 있는 가능성이다. 기독교 이야기는 일부 이야기치료자들이 오해하듯 개인의 자유를 억압하는 지배담론의 일종이 아니다.[7] 기독교 이야기는 오히려 사람들의 삶에 새로운 의미와 비전을 제공하는 대안적 이야기가 될 수 있다. 바로 이와 같은 가능성을 발견하고 화이트의 이야

4 위의 책, 60.

5 위의 책, 60.

6 위의 책, 60.

7 일례로 앨런 패리(Alan Parry)와 로버트 도앤(Robert E. Doan)은 기독교 이야기(Christian Story)에 대해 다음과 같이 묘사한다. "1500년 동안이나 사람들에게 종교적, 정치적, 심지어는 경제적 권력을 행사하면서 중심적인 지배담론으로 자리매김해 온 기독교 이야기가 마침내 그 자리를 내어주면서 소외되고 억압받던 이들이 자신의 목소리를 찾게 되었다(Alan Parry & Robert E. Doan, *Revisions: Narrative Therapy in the Postmodern World* [New York: The Gilford Press, 1994], 31).

기적 접근을 그의 목회 돌봄에 적용하려 했던 것이 역시 흑인목회상담가 에드워드 윔벌리 Edward Wimberly 였다. 윔벌리는 2000년 미국 캘리포니아 애너하임(Anaheim)에서 열린 한 컨퍼런스에 참석하여 화이트와 그의 팀이 호주의 원주민마을에 가서 그 곳 원주민들을 대상으로 실시한 집단 이야기치료에 대해 발표하는 것을 들었다. 그것은 호주의 현대화 과정에서 삶의 터전을 잃어버린 그들 원주민들로 하여금 그들이 공유한 삶의 경험들을 함께 이야기하는 가운데 그들의 공동체적 정체성과 대안적 삶의 비전을 찾도록 도운 사례였다. 이러한 사례는 윔블리에게 크게 영감을 주어서 그가 그의 흑인교회공동체 가운데서 유사한 공동체적 접근을 시도하는 중요한 계기가 되었다.[8] 윔블리가 화이트의 전략을 어떻게 그의 흑인교회 목회 돌봄에 적용했는지 살펴보기 전에 우리가 먼저 살펴볼 것은 윔블리에게 영감을 주었다고 하는 그 화이트의 공동체적 치료 전략들이다. 화이트의 공동체적 치료 전략은 대표적으로 두 가지를 들 수 있는데 그것은 **회원재구성**(re-membering)과 **확증의식**(definitional ceremony)이다.

1) 회원재구성(re-membering)

마이클 화이트의 접근방식은 전통적인 정신치료의 접근과 사뭇 다르지만 그 역시 내담자의 삶에 있어서 의미 있는 인간관계의 중요성을 강조하고 있다. 때문에 그는 "회원재구성"(re-membering)이라는 그의 독특한 치료방식을 개발했는데, 이것은 내담자로 하여금 자

8 Edward P. Wimberly, *African American Pastoral Care*, 11-22.

신의 삶 속에 관계를 맺었던 많은 사람들 중 누구에게 "(내담자) 자신의 정체성에 대해 말하도록 발언권을 줄 것인지" 재선정하도록 하는 방법이다.[9] 다시 말해 내담자 본인이 자신의 인생의 중요한 타자(significant others)를 선택하도록 도움으로써 자신의 관계 역사를 다시 쓰도록 하는 방법이다. 화이트는 이것을 "회원재구성"이라고 지칭하는데, 이것은 자신의 인생의 저작권이 내담자 본인에게 있음을 강조하는 것이다.

"회원재구성"과 같은 방식은 내담자 삶의 이야기가 이미 결정되어 있는 것이 아니라 현재 다시 쓰여질 수 있는 것이라는 **구성주의적 관점**(constructionist view)에 기초하고 있다. 이것은 내담자가 어떤 자신의 경험이나 사건을 가지고 와서 자신의 삶의 이야기를 엮어내느냐에 따라 그의 이야기가 전혀 다른 것이 될 수 있다고 보는 관점이다. 이러한 관점에 대해 보다 전통적인 입장의 정신분석가나 심리치료자들은 아마도 좀 회의적인 반응을 보일 것이다. 그들은 내담자의 과거 경험에 대해 보다 결정론적인 시각을 갖고 있기 때문이다. 필자의 생각에 우리 목회/기독교상담가는 이 둘 사이의 중간쯤의 입장을 취할 수 있지 않을까 생각한다. 자신이 살아온 삶에서 중요한 타자를 임의로 바꾼다는 것은 역시 불가능에 가까운 일이다. 그들이 끼친 영향은 우리가 자기에 대해 말로 표현하기 이전에 우리 내면의 깊은 차원에서 우리를 형성해 왔기 때문이다. 그러나 화이트가 지적하듯이 우리의 삶은 우리가 기억하고 이야기하는 것보다 훨씬 더 풍부한 경험과 사실들을 내포하고 있다.[10] 따라서 우리는 우리 스스로 의식하지

---

9 Michael White, *Maps of Narrative Practices*, 이선혜·정슬기·허남순 옮김, 『이야기치료의 지도』(서울: 학지사, 2009), 129.

못하던 과거의 경험, 이른 바 "말해지지 않은 이야기들"(untold stories)을 찾아내어 그것들을 가지고 우리 삶의 이야기를 재구성할 수 있다. 화이트는 그와 그의 동료들이 내담자의 잊혀진 기억들, 특히 그들에게 긍정적 영향을 끼친 사람들의 기억을 찾아내어 그것을 중심으로 그들의 삶을 새롭게 쓰게 할 수 있었던 사례들을 소개한다. 이처럼 중요한 타자들의 재발견은 부정적 인식에 매몰되어 있던 그들의 삶의 비전을 새롭게 하는 계기가 될 수 있다.

기독교적/목회적 접근에서 상담자가 내담자로 하여금 재발견하도록 도울 수 있는 것은 비단 그들에게 긍정적 영향을 끼친 사람들의 기억만이 아니다. 상담자는 그들로 하여금 그들 삶에 동행하시며 갖가지 사건들 가운데 그들을 도우신 하나님을 기억하도록 도울 수 있다. 즉 그들이 의식하지 못하고 보지 못했던 하나님을 그들의 삶 속에서 재발견하도록 도울 수 있다. 이러한 하나님의 재발견은 그들의 하나님과의 관계를 새롭게 할 뿐 아니라 새로운 삶의 비전을 찾는 것과 이어질 수 있다.

우리가 화이트의 이야기 치료에서 확인할 수 있고, 또한 윔블리의 목회상담에서도 확인할 수 있는 사실은 내담자의 삶의 이야기를 변화시키는 힘이 하나님과의 관계를 포함하여 과거와 현재의 의미있는 관계들로부터 주어진다는 사실이다. "회원재구성"(re-membering)이 그러한 변화의 힘을 과거의 관계들 속에서 찾는 방식이라면 다음에 소개하는 "확증의식"(definitional ceremony)은 내담자가 그러한 변화의 힘을 현재의 관계 속에서 얻도록 하는 방식이라 할 수 있다.

---

10 Michael White, *Reflections on Narrative Practice: Essays and Interviews* (Adelaide, South Australia: Dulwich Center Publications, 2000), 36-37.

상담에서 일차적으로 내담자가 변화의 힘을 얻는 것은 현재 상담자와의 관계로부터이다. 앞 장의 사례에서 목회상담자(윔벌리)는 내담자(케이트)로 하여금 자신의 삶 속에서 하나님을 생각나게 하는 사람이 되었고 내담자는 이러한 상담자 및 하나님과의 관계 속에서 자신의 삶의 비전을 새롭게 찾을 수 있었다. 기독교상담은 아니지만 화이트와 그의 동료들의 이야기 치료에서도 이처럼 상담자와의 관계가 내담자로 하여금 자신의 삶을 새롭게 재구성하도록 이끄는 중요한 요인이 되었던 것을 확인할 수 있다. 현재의 긍정적 관계는 과거의 긍정적 관계를 상기시켜 주고 이러한 긍정적 관계의 경험들은 내담자 안에 삶에 대한 새로운 기대감을 일으킨다. 그런데 화이트는 이러한 변화의 동인이 현재 상담자와의 관계에만 국한될 필요가 없다고 보았다. 그래서 상담과정에서 또 다른 이들의 조력을 동원하는 하나의 새로운 방식을 개발했는데 그것이 바로 "확증의식"이다.

2) 확증의식(definitional ceremony)

화이트는 내담자의 과거 경험이 그의 현재를 보는 시각을 형성한 것처럼 내담자의 현재 경험이 자신의 과거를 보는 시각을 변화시킬 수 있다고 믿었다. 그래서 이런 변화를 위해 확증의식(definitional ceremony)이라는 독특한 공동체적 치유 방식을 개발했다. 먼저 화이트는 과거에 내담자와 유사한 어려움을 겪었거나 현재 그러한 어려움과 싸워 나가고 있는 사람들을 **외부증인**(outsider witness)으로 초청했다. 그리고 그 외부증인들로 하여금 내담자의 이야기를 듣고 거기에 대한 반응을 내담자와 나누게 했다. 외부증인들은 "내담자의 이야기 중에서 그들이 끌리는 부분, 그것이 떠오르게 한 자기 자신들의 경험"에 대해 서로 이야기를 나누었다.[11] 이러한 과정에서 내담자와 외부증인들은 그들이 공유한 삶의 소중한 부분이 있음을 발견하고, "자신들의 삶이 그 중요한 주제를 중심으로 서로 연결되어 있음"을 인식하게 되었다.[12] 화이트에 따르면 이러한 과정은 그들 가운데 "일종의 연대감" 더불어 "대안적인 삶의 플롯"이 구체화되게 했다.[13] 화이트는 치료자인 자신이 혼자서는 결코 이루지 못했을 성과를 이처럼 그들 외부증인들이 함께 이루어 냈다고 고백한다.[14]

화이트와 그의 동료들은 이 공동체적 이야기 치료방식을 호주 원주민들 가운데서도 적용했는데, 이런 사례가 보여주듯이 확증의식은 참여자들 가운데 자신들의 삶을 재건하려는 공동의 노력으로 이어질 수 있다. 현대화 과정에 삶의 터전을 잃어버렸던 그들 원주민들은 서로의 이야기에 귀 기울이고 공감하는 가운데 자신들의 잃어버린 정체성과 연대의식을 되찾을 수 있었다. 이런 의미에서 화이트의 집단 치료방식은 일종의 정치적 실천이라고 말할 수 있다. 화이트는 확증의식을 통해 참여자들 가운데 "대안적 삶의 플롯(counterplot of life)이 구체화되었다"고 표현한다.[15] 이러한 표현은 확증의식이 사람들 안에 내면화된 지배담론을 해체하고 함께 그 지배권력에 저항하는 공동체적 결속을 이루었음을 의미한다. 이 때 참여자들이 함께 나누는 공통의 경험담이나 그들 가운데 형성되는 연대감은 이러한 저항

---

11 Michael White, 『이야기치료의 지도』, 205.

12 위의 책, 205-206.

13 위의 책, 219.

14 Michael White, 『내러티브 실천』, 95-96.

15 Michael White, 『내러티브 실천』, 58.

의 실천적 기반이 된다.

화이트의 확증의식에서 일어나는 것과 같은 공동체적 역동과 변화는 물론 기독교 신앙공동체 안에서도 일어날 수 있다. 필자에게 떠오르는 한 예는 제임스 폴링 James N. Poling 의 『하나님께 바치라 *Render unto God*』(2002)에 삽입된 린다 크로켓 Rinda Crocket 이란 미국여성의 체험담이다. 교회파견단의 일원으로 내전중인 엘 살바도르의 난민촌을 방문한 그녀는 그 곳에서 "난생 처음으로 성경의 이야기를 실제로 살아가면서 그것을 계속 써 나가는 사람들"과 함께했다고 고백한다.

> 그 날 밤 우리 파견단은 현지 교회의 철야기도에 참석했다. 돌처럼 굳은 표정의 군인들이 중무장한 채 교회를 둘러싸고 있었다. 그 속에서 우리는 둥글게 모여 앉아 기도하고, 이야기를 나누고 노래했다. 사람들은 정의를 위해 싸우다가 고문당하고 살해당한 자기 가족에 대해 이야기했다. 그들이 처한 현실의 가난과 억압은 예수께서 사셨던 로마지배하의 갈릴리의 상황과 유사했다. 예수께서는 가진 자들의 핍박에 굴하지 않으며 가난한 자들을 먹이시고 그들의 병을 고치시고 그들이 하나님 보시기에 얼마나 소중한 존재들인지 가르치셨다. 그 날 밤 그 교회에 모인 사람들 중에 복음은 생생히 살아 있었다. 선포된 말씀과 삶 사이의 괴리가 없었다. 교회 목사는 2년전 암살단의 손에 붙잡혀 고문을 당했다. 나는 생애 최초로 성경의 이야기를 실제로 살아가면서 그것을 계속해서 써 나가는 사람들 속에 있었고, 이 경험은 마침내 나로 하여금 내 안에 오랫동안 숨겨져 있던 상처를 직면하게 했다.[16]

16 Linda Crockett, "A Story of Healing and Liberation," in *Render unto God* (St. Louis, MO: Chalice Press, 2002), 46-47.

엘 살바도르 내전중 가족을 잃은 여인들(사진제공: June Carolyn Erlick)

린다는 어린 시절 친부모로부터 성학대를 경험한 여성이었다. 이후 이어지는 매일의 생존을 위한 분투 가운데 그녀는 자신의 상처를 잊어버린 채 살고 있었다. 그런데 그렇게 잊혀졌던 기억이 그녀가 그렇게 살바도르 난민들 속에서 그들의 고통을 함께 나누는 가운데 갑자기 되살아났던 것이다. 그러나 이것이 그녀에게 또 한 번의 죽음의 고통을 가져다 주지 않았던 이유는 그녀가 그 살바도르 사람들 가운데서 하나님을 만났기 때문이었다. 그 살바도르 난민들의 아픔을 나누며 그들의 싸움을 함께 싸우는 가운데 그녀는 자신처럼 "그 사람들 가운데서 함께 울며 자신처럼 그 사람들에게 행해진 불의에 함께 분노하시는 하나님"을 만났다.[17] 그리고 그 안에서 자신이 과거 경험했던 그 고통에 대해서도 역시 마찬가지로 아파하시고 분노하시는 하나님을 만날 수 있었다. 말하자면 그녀는 그 살바도르 사람들의 외부증인(outsider witness)으로서 그들 가운데 현실로 전개되는 하나님의 이야기를 목격하고 그 속에서 자신의 하나님을 만났던 것이다.

17 위의 책, 49.

확증의식에서 사람들은 "자신들의 삶이 그들이 공유한 소중한 주제를 중심으로 서로 연결된 것을 확인한다"고 화이트는 이야기한다.[18] 기독교 신앙공동체의 경우 그들이 공유한 그 "소중한 주제"는 바로 그들 가운데 계신 하나님이 될 수 있다. 그들은 이 한 분 하나님 안에서 그들 개개인의 삶의 이야기가 서로 연결되어 있음을 발견하게 된다. 또한 이러한 그들의 이야기를 서로 나누고 서로에 힘이 되어 주며 함께 싸우는 가운데 그들은 그들의 삶 속에 전개되는 하나님의 이야기에 동참하게 된다. 단지 외부의 증인이 아니라 그 이야기의 공동의 주역들(co-actors)이 되는 것이다.

흑인교회 공동체 이야기

앞서 이야기한 바와 같이 화이트의 공동체적 접근에 영감을 받은 미국의 윔블리는 그 치료 원리를 그의 흑인교우들을 위한 목회 돌봄에 적용했다. 특별히 그는 미국 흑인교회가 이어온 신앙적, 공동체적 유산을 그러한 자신의 목회적 노력에 접목하는 방안을 모색했다.

윔블리가 그의 흑인교우들의 목회 돌봄에서 발견한 것은 그들의 내면의 문제가 그들이 몸담은 사회구조적 문제와 서로 깊이 맞물려 있다는 사실이었다. 특히 윔블리가 그의 내담자들 속에서 발견한 뿌리깊은 문제는 "내면화된 인종주의"(internalized racism)였다. 그것은

18 Michael White, 『이야기치료의 지도』, 205-206.

곧 인종차별적인 사회구조와 지배담론이 그들 자신의 자아상(self-image)으로까지 내면화되어 그들이 적극적으로 현실을 헤쳐가려는 의지를 약화시키고 있었다. 윔블리는 이러한 그들의 무력감이나 허무주의를 극복하는 일이 그들의 사회적/정치적 권익을 위해 싸우는 일 못지 않게 중요하다는 사실을 인식했다. 그 두 가지 싸움이 서로 불가분의 연관성을 갖고 있으며, 때문에 그 둘을 동시에 실천해 나가지 않으면 안 된다고 강조한다.[19]

특별히 윔블리가 그들의 내면적 변화와 사회 변화를 매개하는 "중간구조"(mediating structure)로 강조하는 것이 가정과 교회공동체이다.[20] 그의 개인적 경험에 근거하여 윔블리는 특별히 교회공동체가 일종의 확대가정으로서 사회의 부정적 영향으로부터 개인을 지켜주며 그 개인들이 현실의 어려움을 헤쳐 나갈 수 있도록 힘을 부여하는 모체역할을 한다는 점을 강조한다. 윔블리는 그의 책에서 특별히 역사적으로 미국 흑인교회가 물려받은 두 가지 긍정적 자원에 주목한다. 첫 번째로 그가 강조하는 미국 흑인교회의 유산은 "멘토링의 전통"이다.[21] 그에 의하면 인종차별로 얼룩진 미국 역사 속에서 흑인 기독교인들이 그들의 종족적/기독교적 정체성을 지켜 올 수 있었던 것은 교우들간의 신앙적 멘토링에 힘입은 바 크다. 윔블리는 이러한 멘토링의 관계가 특별히 현대사회에 점증하는 "관계적 난민들" (relational refugees)에게 긴요하다고 주장한다. 그가 말하는 "관계적 난민"이란 역기능적이고 고통스런 가족관계/사회적 관계로부터 스스

19 Edward Wimberly, *African American Pastoral Care and Counseling*, 32.

20 위의 책, 50.

21 Edward P. Wimberly, *Relational Refugees: Alienation and Reincorporation in African American Churches and Communities* (Nashville: Abingdon Press, 2000), 26.

로 떨어져 나가 고립된 사람들을 말한다. 이러한 사람들은 제2, 제3의 역기능적인 관계를 되풀이하면서 스스로를 파괴하곤 하는데, 이런 이들에게 온전한 삶을 되찾아 주기 위해서는 무엇보다 신앙공동체 안에서 그들이 건강한 인간관계를 경험하도록 하는 것이 중요하다.

윔블리가 강조하는 또 한 가지 미국 흑인교회의 유산은 바로 성경적 전통, 즉 성경의 이야기를 자신의 삶을 이해하는 데 있어 중요한 자원으로 삼는 전통이다. 그는 자신의 목회상담에 있어 성경을 활용하는 방식이 이러한 흑인교회의 전통에 잇닿아 있는 것이라고 생각한다.[22] 그런데 이렇게 성경의 이야기 속에서 그들 흑인기독교인들이 자신의 정체성과 비전을 발견하는 것은 개인적이라기보다는 공동체적인 실천이다. 성경의 이야기가 이스라엘 민족의 이야기인 것처럼 흑인교회는 그 이야기 속에서 자신들의 공동체적 정체성과 사명을 발견해 왔다. 윔블리는 이처럼 성경의 이야기를 통해 자신들의 공동체적 정체성과 사명을 발견해 온 흑인교회의 전통이 오늘날에도 이어져야 함을 강조한다.

더 나아가서 윔블리는 교회공동체가 성경의 이야기를 서로 이야기할 뿐 아니라 실제로 현실 속에서 함께 살아감으로 그들 자신의 이야기로 경험하는 것이 중요함을 강조한다. 특별히 그는 교회공동체 안에서 구성원들이 친밀한 상호관계를 통해 함께 써 나가는 삶의 이야기를 강조한다. 사람들의 삶이 변화되는 것은 단지 성경에 기록된 이야기를 통해서가 아니라 바로 이와 같이 현실 속에서 실제로 살아가는 삶의 이야기를 통해서이다. 이처럼 그들이 실제로 살아가는 공동체적 삶의 이야기 속에서 그들은 자신의 역할을 발견하고 또한 그

22 Edward P. Wimberly, *Using Scripture in Pastoral Counseling*, 15.

것을 통해 자신의 정체성과 삶의 목적을 발견한다. 윔벌리에 의하면 그들이 "자신의 진정한 정체성과 역할과 삶의 목적과 의미를 발견할 수 있는 것은 오직 그와 같은 관계적 삶을 통해서이다."[23]

우리는 윔블리가 강조하는 공동체적 실천이 스탠리 그렌츠Stanley J. Grenz가 제시하는 공동체적 교회론에 부합하는 것임을 발견할 수 있다. 그렌츠에 의하면 세상 속에서 참된 인간상인 하나님의 형상을 구현하도록 부름 받은 것은 개인이 아니라 부름 받은 사람들, 즉 교회공동체이다.[24] 다시 말해 하나님의 형상(*imago Dei*)은 개인이라기보다는 하나님 안에서 서로 관계를 맺고 살아가는 사람들(persons-in-relation) 가운데 나타나는 것이다. 하나님의 이야기의 주인공 역시 마찬가지라고 할 수 있다. 하나님 이야기의 주인공은 첫째 하나님 자신이라고 할 수 있지만 눈에 보이지 않는 그 하나님의 이야기가 실제로 현실 속에 전개되는 것은 그 하나님을 믿고 따르는 사람들의 공동체적 삶을 통해서이다. 린다 크로켓Linda Crockett은 내전중의 살바도르 난민들 가운데서 바로 이처럼 그들이 함께 삶으로 써 나가는 하나님 이야기를 목격하고 그 이야기 속에 동참하게 되었다. 그녀가 증언하듯이 이 이야기는 치유적인 힘을 갖고 있어 이 이야기에 동참하는 사람들은 하나님의 치유를 경험한다. 이 치유는 단지 과거의 상처가 치유되는 것만이 아니라 현재의 자기상이 변화되고 삶의 비전을 발견하는 과정이다. 사람들은 이 공동체적인 하나님의 이야기에 동참하는 가운데 그들 개개인의 삶 역시 다시 쓰여지는 것을 경험한다.

---

23 Edward P. Wimberly, *Relational Refugees*, 35.

24 Stanley J. Grenz, *The Social God and the Relational Self: A Trinitarian Theology of the Imago Dei* (Louisville: Westminster John Knox Press, 2001), 322.

수진과 ○○교회 청년부 이야기

이제 필자가 소개하려는 것은 필자 자신이 과거 섬겼던 서울의 한 지역교회 청년부 공동체와 수진이란 이름의 한 지체에 대한 이야기이다. 이 이야기를 나누려는 이유는 이것이 앞에서 논의한 치유적 기독교공동체가 구체적으로 오늘의 한국 현실 속에서 어떤 모양을 가질 수 있을지 그려 보는 데 도움을 주리라 생각하기 때문이다.

1) 수진의 고백 "저는 너무 한심해요"

수진은 필자가 섬기던 청년부 공동체에 새로 들어온 지체로 그녀의 아버지는 당시 강남의 유수한 은행 지점장이었다. 이렇게 소위 '강남출신'인 수진이 강북의 이름 없는 교회, 그것도 이렇다 할 서울소재 4년제대학생이 소수에 불과한 청년부의 일원이 되었다는 것은 그 사실부터 좀 특이하다면 특이한 일이었다. 그러나 실제로 수진 자신도 소위 "인서울"(in-Seoul)대학 재학생은 아니었으며 보기에 그다지 "강남스럽게" 보이는 외양도 아니었다. 자신이 따라온 친구 뒤에 늘 숨어 다니는, 자신 없어 보이는 태도가 더욱 그러했다. 당시 청년부 담당 사역자였던 필자가 이런 수진이 이전보다 더 우울하고 자신 없어 보이는 것을 발견한 것은 그녀가 다니던 지방대학을 휴학하고 다시 입시준비를 시작한지 두어 달이 지났을 때였다. 사실 이 때의 입시준비는 수진에게 재수가 아니라 삼수째였다. 이 세 번째 시도는 유아교사가 되기 위해 유아교육학과에 들어가려는 것이었는데 수진은 이것을 아버지 몰래 시작했다. 그 이유는 그녀의 아버지가 유치원교사직을 "직업다운 직업"으로 보지 않았을 뿐더러 이전에 치른 두 번의 입시 결과에 실망한 나머지 더 이상의 시도를 "쓸 데 없는 짓"으로 간주했기 때문이었다. 초기에 수진은 나름 열심히 노력하는 듯 보였다. 그러나 얼마 지나지 않아 수진은 오히려 이전보다 더 힘이 없고 자신을 잃은 기색을 나타내기 시작했다. 다음은 어느 날 사람들의 눈길조차 피해 다니는 그녀를 필자가 불러서 나눈 대화의 일부이다.

이전도사: 요즘 무슨 힘든 일 있니?

수진: 아, 아니요.

이전도사: 글쎄… 말은 아니라고 하는데 눈 속에 왠지 슬픔이 있는 것 같은데…?

수진: (한동안 말이 없던 수진의 눈에 눈물이 어린다) … 제가 너무 한심한 것 같아요.

이전도사: 그게 무슨 말이야?

수진: 요즘 거의 공부를 못하고 있어요. 압박감만 잔뜩 가지고 그냥 먹고 잠만 자요. 전 너무 게으르고 한심해요.

이전도사: 아니 왜? 다시 공부하는 것이 하나님 인도라고 믿고 시작한 것 아니었어?

수진: 처음엔 그랬어요. 그런데 지금은 잘 모르겠어요. 무엇보다 모의고사 점수가 너무 안 나와요. 수학은 원래 포기했고 영어도 안 되는데 전엔 그래도 평균은 된다고 생각했던 것까지 완전 바닥이에요.

이전도사: 이제 시작이잖아?

수진: 아네요. 전 안 될 것 같아요. 점수가 나오는 것도 아닌데 지금 열심히 하고 있는 것도 아니고, 전 너무 한심해요.

이전도사: 부모님은 뭐라고 하시니? 네 점수에 대해 아시니?

수진: (다시 눈물이 핑 돈다) …

이전도사: 네가 다시 공부 시작한 건 말씀 드렸니? 엄마는 아마 아실 테고 아빠에게 말씀 드렸어?

수진: 지난 주에 알게 되셨어요.

이전도사: 그래? 뭐라시던?

수진: 버럭 화를 내셨어요. 이제 와서 왜 그런 쓸 데 없는 짓을 하느냐고 … (마침내 눈물을 떨구기 시작한다).

이전도사: … 그래서 뭐라고 대답했어?

수진: 아무 대답도 못하고 그냥 울었어요. 그리고 … 그리고 한 주 내내 먹고 잠만 잤어요.

이전도사: 그래서 공부도 못했다는 거구나?

수진: 네.

이전도사: 그렇게 공부도 못하고 자고 먹기만 하고 … 그런 자신이 너무 한심하게 느껴진 거고 … 더구나 시험점수도 영 안 나왔으니 그런 자신이 더욱 그렇게 느껴졌을테고…?

수진: (말없이 고개를 끄덕인다) …

이전도사: 그랬구나.

수진: (말없이 눈물을 짓고 있다).

이전도사: 전에도 이렇게 자신이 한심하다고 느끼곤 했니?

수진: 네, 늘 그랬어요.

이전도사: 언제 특히 그랬어? 혹시 생각나는 때가 있어?

수진: 이전에 수능 성적 나왔을 때… 그리고 살 빼는 데 실패했을

때…

이전도사: 수능 성적 나왔을 때 아버지가 뭐라고 하셨니?

수진: 엄청 실망하셨어요.

이전도사: 뭐라셨는데?

수진: 특별히 뭐라고 안 해도 그냥 느낄 수 있는 그런 거 있잖아요?

이전도사: 그게 어떤 거지?

수진: 그러니까 다른 아는 분들 자녀들은 다 잘 되고 그러는데 이러고 있는 제가 한심하신 거죠. 저 사실 재수할 때도 공부 안 했어요. 그냥 멍하니 먹고 자고 놀기만 했어요.

이전도사: 그러니까 수진이는 자신이 한심하다 느껴질 때 공부도 안 하고 그냥 먹고 자기만 하게 되는구나. 아니면 공부 안 하고 먹고 자기만 하니까 자신이 한심하게 느껴지는 건가?

수진: 둘 다에요.

이전도사: 지금도 자신이 한심하게 느껴지니?

수진: 네 정말 너무 한심해요.

이전도사: 어떤 이유로?

수진: 한심하죠. 아무 것도 잘하는 것 없으면서 공부도 안 하고 다른 것도 제대로 하는 것도 없고…

이전도사: 아무 것도 잘 하는 것이 없다고? 난 그렇지 않다고 생각하는데. 내가 보기에 넌 누구보다 성실히 교회 활동에 참여하고 있잖아? 주일학교도 열심히 섬기고 한 번도 예배나 모임에 늦은 적이 없어. 재수학원에도 하루도 빠짐 없이 나가고 있잖아?

수진: 그건… 해야 하니까요.

이전도사: 해야 하니까라고? 해야 한다고 해서 다 하는 것은 아니야. 당장 너도 공부를 해야 한다지만 하지 않고 있잖아?

수진: 정말 공부는 하려고 해도 안 되요 (자포자기적으로 고개를 젓는다).

이전도사: 정말 그럴까? 나는 오히려 네가 안 돼요 라고 말하는 그 때만 네가 못하는 것으로 보이는데… 점수가 안 나오니까 나는 정말 안 되는구나 하면서 자포자기하고, 그렇게 자포자기하니까 정말 공부를 안 하게 되고, 공부를 안 하니까 괴로워하면서 먹고 잠만 자게 되고, 먹고 잠만 자고 있으니까 자신이 한심하게 느껴지고, 그렇게 자신을 한심하게 느끼니까 더 공부를 못하게 되고… 악순환이지.

수진: 그렇지만 제가 한심한 건 정말 사실이에요.

이전도사: 어째서 사실이라는 거지?

수진: 전 정말 잘하는 게 없어요. 정말 전 안 돼요.

이전도사: 구체적으로 뭐가 말이야?

수진: 일단 점수가 바닥이에요.

필자는 이후에도 여러 번 수진에게 그녀를 무력하게 만드는 것은 그녀 자신의 부정적 자기평가라는 것을 일깨워 주려고 애썼지만 그것은 생각만큼 쉬운 일이 아니었다. 수진 안에 좀처럼 바뀌지 않고 강고하게 자리잡은 생각은 위의 인용문에서처럼 자신이 한심한 것은 "사실"이라는 생각이었다. 사실 이것은 그런데 수진 자신의 생각이라기보다는 오늘의 한국사회의 지배구조와 지배담론이 그녀 안에 내면화한 것으로 어떤 것이 사실이고 어떤 것이 사실이 아님을 규정하는 목소리라고 할 수 있다. 구체적으로 그것은 "서울소재대학에 진학하지 못하면 부끄러운 자녀"라든지 "외모와 학업 모두 뒤떨어지면 인생 실격자"라는 것 같은 생각으로 한국의 중산층가정 부모들이 은연중 자녀에게 심어주는 "사실"인식이라고 할 수 있다. 이러한 "사실"인식을 쉽게 깨트리기 어려운 이유는 이러한 인식이 현대 한국사회의 구조적 현실과 맞물려 있기 때문이다. 구체적으로 그것은 사람의 가치를 성적이나 외모, 다니는 학교나 직장에 따라 상품처럼 평가하는 한국의 시장경제체제와 맞물려 있다.

한편 수진의 낮은 자존감과 무력감은 또 한 가지 사회문화적 요인과 관련된다고 할 수 있다. 그것은 곧 한국 전통의 남아중심적 문화이다. 수진의 아버지는 자수성가한 사람으로서 과묵하지만 수진과 달리 강한 성격의 소유자였는데, 아마도 그는 자신이 얻은 사회적 지위를 자녀대(代)로 이어가고자 하는 욕구가 컸을 것이다. 수진은 두 자녀 중 맏이였지만 그 아버지의 보기에 딸이라고 하는 '결함'을 보상할 만큼 학업이나 외양에서 탁월하지 못했다. 따라서 아버지의 관심과 기대는 일찌감치 두 살 아래의 남동생에게로 넘어가게 되었던 것 같다. 다시 말해 수진은 일찍부터 아버지의 '눈에 차지 않는' 딸이었으며 이런 아버지의 시각을 내면화한 것이 그녀의 낮은 자존감과 관련이 있었을 것으로 추측된다. 수진의 내성적이면서도 다정다감한 성격은 주로 어머니를 닮은 것이었는데, 수진의 어머니는 전업주부로서 오랫동안 남편과의 사이의 갈등과 우울증을 겪고 있었다. 그래서 수진은 어릴 적부터 어머니의 유일한 친구이자 위로자 역할을 해 왔는데, 이로 인해 어머니와 상호의존적인 태도를 보이고 있었다. 아마도 수진의 우울감은 상당부분 이 어머니의 우울을 내사적으로 동일시한 것이었으리라 추정된다. 이상 기술한 것처럼 수진의 낮은 자존감과 무력감, 우울증은 그녀의 심리적, 가정적 요인과 더불어 사회문화적 요인이 상호작용하여 만들어낸 증상이었다고 할 수 있다.

2) 거대한 뽕나무 오르기: 수진의 하나님상(像)

한 가지 더 언급할 것은 수진이 가진 하나님상에 관해서이다. 수진은 사실 상당히 성실하게 청년부 모임에 참여하고 있었다. 이것은 물론 그녀를 '챙겨 주는' 리더 언니들에게 붙어 다닌 것이기도 했지만 그 이면에 하나님을 알고자 하는 열망이 있었다고 생각된다. 그러나 아쉽게도 왠지 수진과 하나님 사이에는 어느 정도 이상 좁혀지지 않는 거리가 느껴졌다. 이러한 수진의 하나님과의 관계가 가장 잘 드러나 보였던 것이 그녀가 리더 언니들을 따라 참석했던 치유수양회에서였다. 이 치유수양회에서 필자는 신학교에서 배운 '상상력을 통한 기도'를 멤버들에게 가르치고 실제로 경험해 보게 했다. 이것은 상상을 통해 성경의 이야기 속으로 들어가 예수님과의 만남을 가지는 기도 방식이었는데, 특별히 필자가 수진에게 정해 준 성경 이야기는 누가복음에 나오는 삭개오의 이야기였다.

수진은 이런 새로운 기도 방식 자체를 매우 부담스러워 했는데 이런 태도는 그녀의 기도 속에 그대로 이어졌다. 기도 속에서 삭개오가 된 그녀는 기도시간의 반이 지나도록 집 밖에 나가지 않았다. 사람들의 시선을 받고 평가 받는 것이 싫어서였다고 했는데, 이것은 현실 속에서의 그녀의 태도를 그대로 반영하는 것이었다. 그러나 그녀는 이대로 가만히 앉아 있을 수만도 없다는 생각이 들어 마침내 집 밖으로 나섰다. 바로 앞을 가리는, 자기보다 큰 사람들로 인해 낙심이 됐지만 가까스로 그들 사이를 헤집고 들어갈 수 있었다. 그런데 그런 그녀를 다시 낙심시킨 것은 예수님이 이미 그 곳을 지나갔다는 사람들의 말이었다. 수진은 이제 달리기 시작했다. 다시 앞을 막아 선 군중들을 발견했고 수진은 그들 너머에 계신 예수님을 만나기 위해 뽕나무를 찾았다. 그런데 흥미로운 것은 이 때 그녀가 발견한 뽕나무는 어마어마하게 크고 높은 나무였다는 사실이다. 엄청난 좌절감이 다시 밀려왔지만 그녀는 이윽고 그 거대한 나무를 꾸역꾸역 기어오르기 시작했다.

이후 그녀의 기도는 내적 싸움으로 인해 아주 선명하게 진행되지 않았지만 결국 그녀는 자신을 쳐다보시는 예수님의 얼굴을 그럭저럭 떠올려 볼 수 있었던 것 같다. 그 얼굴은 그녀가 오른 거대한 나무에 비해 바로 눈 앞에서 자신을 바라보며 미소 짓는 얼굴이었는데 흥미로운 것은 그 얼굴이 "엄마처럼" 느껴졌다는 이야기였다. 이것은 수진에게 친밀한 대상이 모두 엄마와 교회 언니들 같은 여성들이라는 점을 생각하면 자연스러운 일이었다고 여겨진다. 이에 비해 그녀 앞을 막아 섰던 거대한 뽕나무는 아마도 그녀가 충족시킬 수 없었던 아버지 같은 심리적 대상의 투사일 가능성이 크다. 그것은 또한 자신이 넘어서지 못할 것 같은 현실의 이미지인 동시에 그녀에게 힘겨운 현재 기도 자체이자 그녀가 가까이 하기에는 너무 크신 하나님의 이미지였을 것이다. 어쨌든 그 거대한 뽕나무의 이미지는 그녀의 하나님 상(像)이 그녀의 아버지 및 사회현실이 그녀에게 주는 부담감에 의해 왜곡되어 있다는 것을 보여준다. 담당목회자로서 필자는 수진이 그녀의 생각보다 훨씬 더 가까이서 그녀를 바라보시며 그녀를 돕기 원하시는 하나님을 알게 되기를 바랬는데, 이것은 사실 필자 자신이 수진에게 가진 마음이기도 했다. 필자는 늘 수진이 하나님에 대한 거리감을 떨쳐 버리고 좀 더 적극적으로 하나님을 찾기를 기대했지만 그런 변화는 매우 느리게 이루어졌다. 그러나 비록 느리지만 변화는 분명히 일어나고 있었는데, 그 변화가 가장 극적으로 드러난 것은 역시 수진과 그녀가 따르던 리더언니들, 그리고 필자 모두가 함께 떠났던 몽골 단기 선교여행에서였다.

3) 몽골단기선교여행: 아버지의 잔치

우리 단기선교팀이 도착한 곳은 몽골의 수도 울란바타르에서 차로 한 시간 가량 떨어진 지역의 ○○이란 마을이었다. 이 곳은 아직도 몽골의 전통적인 유목문화를 간직하고 있는 가난한 마을이었다. 당시 필자가 섬기던 교회는 몇 년 전 그 곳에 세워진 현지 교회를 지원하고 있었는데, 그 ○○의 작은 교회는 울란바타르 소재의 모교회가 개척한 교회였다. 그래서 우리 팀에는 울란바타르 교회의 청년들도 통역 및 동역자로 참여하고 있었다. 우리의 중요사역 중 하나는 마을 어린이들을 위한 여름성경학교를 여는 일이었다. 마을에 도착한 첫날 저녁 우리는 성경학교를 준비하며 준비한 만큼 아이들이 오지 않으면 어쩌나 걱정하고 있었다. 마을은 너무 황량해 보였고 거리에는 우리를 보고 수줍어하며 숨어 버리는 소수의 아이들만 눈에 띌 뿐이었기 때문이다. 설상가상으로 여름성경학교를 시작하는 전날 밤부터 비가 내리기 시작했다. 필자는 교회 어귀에 서서 비가 내리는 황량한 마을을 바라다보며 집을 떠난 탕자를 기다리는 성경 속의 아버지의 마음을 공감할 수 있었다.

성경학교 첫날 이른 아침 필자는 누가복음 15장에 나오는 그 아버지의 마음에 대해 멤버들과 이야기하며 아이들이 성경학교에 올 수 있도록 하나님께서 비를 멈춰 주시기를 합심하여 간구했다. 기도는 어느 때보다 뜨거웠고 놀랍게도 여름성경학교가 시작될 때쯤 정말 비가 개이기 시작했다. 아직 비가 채 멎기 전이었지만 골목골목에서 나타난 아이들이 교회로 뛰어들었는데, 많아야 백 명쯤으로 예상했던 아이들은 세어 보니 이백 명이 넘었다. 이로 인해 우리는 원래의 계획을 변경해서 새로운 반을 급조해야 했고 또 즉흥적으로 새로운 프로그램을 만들어내야 했다. 결국 수진과 같이 원래 보조교사로 배치됐던 멤버들이 몽골청년 한 명과 함께 새로운 반을 이끌어야 하는 상황이 되었다. 우리는 모두 하나님께서 우리와 함께 일하고 계시다는 확신에 차 있었고 누구도 뒤로 물러설 상황이 아니었다. 수진도 이번에는 주춤거리지 않았고 그 어떤 다른 멤버 못지 않게 열심히 자신의 역할을 감당해 냈다.

그 날 수진은 천진무구한 그 몽골 아이들과 다름 없이 밝고 활달한 모습으로 정말 이 사람이 우리가 알던 수진이 맞나 의심스러울 정도로 평소의 수진과 달라 보였다. 사실 그 날 다른 사람처럼 그렇게 빛나고 멋져 보인 것은 비단 수진만이 아니라 성경학교를 함께 섬긴 모든 지체들이었다. 우리들은 아이들과 함께 웃고 뛰놀고 노래하면서 돌아온 아들을 위한 아버지의 잔치에 동참했다. 탕자의 이야기를 처음 떠올린 것은 필자였지만 이제 그 이야기는 모두가 함께 현실 속에서 경험하고 참여하는 이야기가 되어 있었다. 그 ○○의 아이들을 위한 잔치를 아버지와 함께 준비하고 참여하면서 우리는 자녀를 되찾은 그 아버지의 기쁨에 동참했다. 우리는 또한 그들 몽골 어린이들의 현실에 대해 함께 아파하고 기도하면서 그 아이들을 향한 아버지의 꿈과 비전도 공유하게 되었다.

몽골에서 돌아오는 비행기에서 누군가 엎드려 울고 있었다. 바로 수진이었다. 눈이 퉁퉁 부어 있는 그녀의 얼굴을 보고 놀라서 왜 그러느냐고 물었더니 옆에 앉아 있던 손위의 자매가 "몽골 아이들이 너무 불쌍하대요"라고 웃으며 대신 필자에게 대답했다. 필자는 아마도 하나님께서 그 눈물 속에서 수진에게 뭔가 말씀하신 것이 있다고 생각됐다. 이후 수진의 비전은 단순히 유아교사가 되는 것이 아니라 어린이를 위한 사역자가 되는 것이 되었다. 이후에도 물론 수진의 낮은 자존감과 우울증은 금방 사라지지 않았다. 여전히 자신이 무가치하다고 느끼고 하나님에 대해 확신이 없다고 말하는 일이 반복되었다. 그러나 몽골에서의 경험을 계기로 수진은 이 세상에서 하나님이 어떤 분이시며 자신과 같이 작은 자를 어떻게 사랑하시는지 고백할 수 있게 되었다. 그리고 그 하나님 곁에서 그와 함께 지극히 작은 자를 섬기는 삶을 소망하게 되었다.

4) 섬김과 치유, 그 이후의 변화

필자가 위의 몽골단기선교여행과 같은 아웃리치(outreach) 사역에서 수차례 경험할 수 있었던 것은 세상의 가난한 자들을 찾아가 그들을 섬기는 일이 거기에 참여한 지체들 안의 치유와 회복으로 이어진다는 사실이었다. 마치 린다 크로켓이 교회파견단의 일원으로 내전 중 엘 살바도르를 찾아 그 곳 사람들을 섬기는 가운데 그 자신이 하나님의 치유를 경험한 것과 본질적으로 동일한 일이었다. 특별히 의미있다고 느껴진 것은 평소 자신의 삶 속에서 낮은 자존감이나 우울증, 자포자기와 무절제에 빠져 있던 청년들이 그런 경험 이후 그들의 일상이나 신앙생활에서 새로운 의욕을 나타내게 된 변화였다. 아마도 이것은 선교지에서 자신보다 훨씬 더 열악한 환경 속에 살아가는 사람들을 만나면서, 또 그러한 그들 가운데서 하나님의 사랑을 경험하면서, 그 하나님의 눈을 통해 자신과 자신의 삶의 가치를 새롭게 발견하게 되었기 때문일 것이다. 필자는 그들 청년들이 이러한 변화를 이어가도록 하기 위해 매년 선교여행과 더불어 국내 선교 같은 사역을 기획하는 한편 틈틈이 치유 소그룹이나 치유기도회 같은 모임을 이어갔다. 이것은 하나님 경험과 자기 성찰이 번갈아 일어나게 하기 위한 방안이었는데, 이후 미국 유학 중 필자는 이것이 바로 현대목회신학자들이 제안한 실천과 반성(action and reflection)의 순환 모델과 비슷한 것이었음을 알게 되었다.

그러나 청년들의 변화는 기대만큼 쉽게 이루어지지 않았다. 작은 청년부 공동체가 거대한 현실의 힘에 저항한다는 것이 얼마나 어려운 일인지 거듭 실감하며 좌절할 때가 많았다. 더욱이 짧은 3년간의 필자의 노력은 필자가 유학을 떠나면서 중단되고 말았다. 미국 유학 중 교회에 일어난 변화와 세상의 풍파로 인해 많은 지체들이 흩어졌다는 소식을 들으며 홀로 안타까워했다.

그러나 귀국 후 필자는 다시 만난 지체들의 모습에서 7년전 뿌려진 씨앗을 하나님께서 친히 자라고 열매 맺게 하셨다는 사실을 확인할 수 있었다. 한 지체는 우리가 함께했던 그 선교여행을 계기로 일생 선교사로 헌신했다. 그 지체가 선교사로 헌신했다는 사실 자체보다 필자를 더 감동하게 한 것은 그 지체의 변화되고 성숙한 모습이었다. 또한 이 지체의 변화 못지 않게 필자의 가슴을 뭉클하게 했던 것은 바로 7년만에 만난 수진의 달라진 모습이었다. 실상 수진에게는 그간 많은 어려움이 있었다. 무엇보다 큰 일은 아버지의 예기치 않은 실직과 그로 인한 경제적 어려움이었다. 어머니가 병환으로 수 차례 입원하기도 했다. 수진은 일을 하고 또 어머니를 돌보면서 가정의 짐을 나눠지고 있었다. 외적 상황은 비록 이처럼 안타까운 것이었지만 수진의 내면과 신앙은 전에 비해 훨씬 단단해진 것처럼 보였다. 교회의 변화로 인해 많은 지체들이 흩어졌지만 수진만은 꿋꿋이 자리를 지키며 이미 5년 넘게 청년부 리더 역할을 감당해 오고 있었다. 자신이 전에 받았던 돌봄을 이제 어린 지체들에게 베푸는 사람이 되어 있었던 것이다. 여전히 그녀 자신과 주변 사람들의 삶에는 해결되지 않은 많은 문제들이 있었다. 그러나 수진은 그럼에도 불구하고 하나님께서 지금까지 자신과 함께해 오셨고 지금도 함께하고 계신다는 사실을 고백하고 있었다.

공동체의 힘

수십 년 전부터 미국 목회상담학에 일어난 반성 중 하나는 미국 목회상담이 전문화되는 과정에서 지나치게 개인의 문제에만 집중해 왔다는 반성이다. 따라서 이렇게 좁아진 목회상담의 지평을 넓히기 위해 다양한 이론과 방법론들이 제시되어 왔다. 그 중 한 가지가 바로 전통적 패러다임과 임상목회 패러다임의 한계를 동시에 극복하기 위한 방안으로 존 패턴 John Patton 이 제시한 "공동체적/사회상황적 목회돌봄"(communal/contextual pastoral care)이다.[25] 일각에서는 이렇게

25 John Patton, *Pastoral Care in Context*, 장성식 옮김, 『목회 돌봄과 상황』(서울: 은성, 2004), 17.

대안적 모델이 제시되는가 하면 한편에서는 목회 돌봄의 대상이 단지 개인이 아니라 사회적 관계망 전체로 확대되어야 한다는 소위 공공신학적 관점(public theological perspective)이 대두되기도 했다.[26] 이 역시 목회 돌봄의 지평을 넓히고자 하는 논의의 일환이라고 볼 수 있다.

낸시 램지 Nancy Ramsay 같은 목회신학자는 이런 공공신학적 관점이나 공동체적/사회상황적 목회 돌봄의 패러다임이 기존의 임상목회의 한계를 극복하는 "새로운 패러다임"(new paradigms)이라고 지칭한다.[27] 그렇지만 로드니 헌터 Rodney Hunter 의 생각은 이와 다르다. 헌터에 따르면 목회 돌봄이 사람들의 사회문화적 환경에 관심을 돌리거나 공동체적 접근의 중요성을 강조하는 것은 "새로운" 일이 아니다. 헌터에 의하면 임상목회운동은 그 시초부터 개신교회공동체의 사회선교사역의 일환으로 시작되었다.[28] 목회자들이 최초 병원에 들어간 것 역시 그런 사회기관들 안에서 "선지자적인" 대사회적 역할을 감당하기 위해서였다.[29] 때문에 임상목회운동 전체를 단순히 목회상담의 개인주의화와 동일시하는 것은 옳지 않다. 목회상담의 개인주의화는 임상목회상담이 점점 전문화되고 지역교회의 사역으로부터 분리되기 시작하면서 일어난 현상이었다. 바바라 맥클루어 Barbara McClure 는 미국 목회상담의 개인주의화가 병원 등 기관에 있는 목회상담자들이

26 Nancy J. Ramsay ed., *Pastoral Care and Counseling: Redefining the Paradigms*, 문희경 옮김, 『목회상담의 최근 동향』(서울: 그리심, 2006), 23.

27 위의 책, 10.

28 Rodney J. Hunter, "Spiritual Counsel: An Art in Transition," *The Christian Century* 118-28 (2011, 10), 23.

29 Rodney J. Hunter, "The Therapeutic Tradition of Pastoral Care and Counseling," in *Pastoral Care and Social Conflict*, eds. P. D. Couture and R. Hunter (Nashville, KY: Abingdon Press, 1995), 22.

목사보다 병원 의료인을 모델 삼아 자신의 전문직을 수행하기 시작하면서부터 나타난 현상이라고 지적한다.[30] 이러한 현상은 사실 웨인 오츠Wayne Oates 같은 초기 목회상담학자들이 목회 돌봄이 교회사역과 분리될 때 일어날 것으로 우려했던 바로 그 현상이었다.[31] 이처럼 오츠가 우려했던 현상은 실제로 점점 더 뚜렷해졌고 수십 년이 지난 1980년대에 이르러서야 그것에 대한 반성의 목소리가 다시 일어난 것이다.

공동체적/사회상황적 목회 돌봄의 패러다임은 그러므로 단순히 "새로운 패러다임"이라기보다 전문화된 목회상담의 한계를 경험하면서 초기 임상목회운동이 품었던 사회선교적 비전으로 되돌아가려는 움직임이라고 할 수 있다. 그런데 이것은 단순히 과거의 모델로 되돌아가는 것이 아니라 임상목회운동 초기의 비전을 현재 상황 속에서 새롭게 구현하고자 하는 노력이라고 할 수 있으며, 때문에 그것이 생각만큼 간단한 일이 아니다. 패턴이 말하는 것처럼 이것이 임상목회의 패러다임을 단순히 부정하는 것이 아니라 진정으로 "이전 패러다임들의 소중한 측면들을 끌어안는 방안"이 되기 위해서는 여러 가지 해결해야 할 현실적 난제들이 있다.[32] 그 중 하나가 바로 교회의 전통적인 목회 자원들과 임상적 심리치료의 방법들을 어떻게 접맥시킬 것이냐는 문제이다.

본 장에서 우리는 심리치료에 있어 공동체적 치료의 방법을 어떻게 기독교신앙공동체에 적용할 수 있을지 고민해 보았다. 구체적인

---

30 Barbara J. McClure, *Moving Beyond Individualism in Pastoral Care and Counseling: Reflections on Theory, Theology, and Practice* (Eugene, OR: Cascade Books, 2010), 85.

31 Wayne E. Oates, *Pastoral Counseling* (Philadelphia: Westminster Press, 1974), 163.

32 John Patton, 『목회적 돌봄과 상황』, 17.

예로 살펴본 것이 마이클 화이트의 공동체적 이야기치료와 이것의 원리를 그의 흑인교우들을 위한 목회 돌봄에 적용한 에드워드 윔블리의 시도이다. 윔블리의 시도는 한편 공동체적/상황적 목회 돌봄의 구체적인 예시라고 할 수 있는데, 윔블리는 여기서 흑인교회공동체가 가진 두 가지 핵심적 치유 자원을 강조한다. 그것은 곧 교우들간의 **상호협력적인 관계**와 그들이 공유한 **하나님의 이야기**이다. 사람들은 신앙공동체 안에서 함께 하나님의 이야기를 나누고 실제 삶으로 그것을 함께 살아가는 가운데 현대사회의 소외를 극복하고 삶의 새로운 의미와 목적을 발견하게 된다. 이러한 치유의 원리는 화이트의 집단 이야기치료에서도 동일하게 발견되는데, 윔벌리는 이것을 흑인교회공동체의 전통 및 신앙적 자원과 접목시켰다.

필자는 과거 필자가 섬겼던 교회 청년부 공동체의 경험을 되돌아보면서 거기서도 마찬가지로 윔블리와 화이트가 강조한 공동체적 치유의 원리가 작용하고 있었음을 깨닫게 된다. 수진과 같이 연약한 지체들이 그 청년부 공동체 안에서 변화되고 성숙할 수 있었던 것은 그들 서로간의 결속과 그들이 함께 신뢰한 하나님이 그들의 힘이 되었기 때문이었다. 그들 개개인은 연약했지만 그들이 함께 한 공동체는 그런 치유적 힘을 가지고 있었다. 특별히 우리가 몽골단기선교 같은 경험에서 확인할 수 있었던 것은 세상에서 우리가 우리보다 더 연약한 자들을 섬기는 하나님의 일에 동참할 때 우리 가운데 더욱 강력한 하나님의 치유의 능력이 나타난다는 사실이었다. 이것은 물론 우리가 그 일을 통해 하나님께 그만큼 더 가까워졌기 때문이라 할 수 있다. 여기서 우리는 **하나님의 선교**(*missio Dei*)와 **하나님의 치유**(*therapeia Dei*) 사이의 밀접한 연관성을 발견할 수 있다. 이어지는 장에서 우리가 더 깊이 살펴보려는 것이 바로 이 양자의 연관성에 대해서이다.

Ⅷ 장

목회 돌봄과 선교적 교회

선교적/치유적 교회의 실천모델

섬김과 치유의 상관관계

필자가 과거 교회사역에서, 특히 앞 장에서 이야기한 것 같은 해외단기선교 사역에서 거듭 확인했던 것은 가난한 사람들을 섬기는 과정에서 그 일에 참여했던 우리들 자신이 더 많은 은혜와 치유를 경험하게 되는 원리였다. 주는 자가 오히려 받는 자가 되는 이런 원리는 앞 장에서 소개한 린다 크로켓 Linda Crockett 의 체험담에서도 동일하게 확인할 수 있는 바이다.[1] 린다 크로켓이 처음 엘 살바도르에 갔던 것은 내전으로 고통 받는 그 곳 난민들을 돕기 위해서였다. 그러나 정작 그 곳에서 가장 많은 치유와 변화를 경험했던 것은 바로 린다 자신이었다. 이와 마찬가지로 필자가 섬기던 청년부 지체들은 몽골의 가난한 아이들을 섬기는 과정에서 그들 자신이 먼저 하나님의 사랑과 치유를 경험했다. 그들은 그들이 줄 수 있었던 것보다 오히려 더 많은 것을 받을 수 있었다. 이것은 그 가난한 아이들을 섬기는 일이 바로 하나님의 일이었고 그 일에 동참하는 가운데 그들 자신이 먼저 하나

1 Linda Crockett, "A Story of Healing and Liberation," in *Render unto God* (St. Louis, MO: Chalice Press, 2002), 46-47.

님을 만날 수 있었기 때문이다. 이런 예를 통해 우리가 발견할 수 있는 것은 섬김과 치유의 상관관계이다. 혹은 섬김의 상호성이다. 즉 주는 자가 동시에 받는 자가 되는 원리이다.

주는 자가 받는 자가 되는 원리는 사실 국내외선교나 봉사 같은 아웃리치 사역에서만 아니라 교회 안의 목회 돌봄에서도 마찬가지로 나타난다. 교회에서 다른 이들을 돌보는 사람은 그 과정에서 자신이 먼저 하나님을 만나고 그 하나님 안에서 치유를 경험하게 된다. 이 책 서두에서 언급한 것처럼 초창기 한국 교회의 가장 특징적인 면모 가운데 하나는 바로 교인들간의 상호 돌봄의 문화였다. 여기서 상호 돌봄이란 그 돌봄이 선교사나 목회자에 의한 것이라기보다 교인들 상호간에 자연발생적으로 이루어진 실천이었다는 의미이다. 그런데 우리는 이러한 상호 돌봄의 과정에서 실제로 주는 자가 동시에 받는 자가 되는 사례가 빈번했음을 당시의 기록들에서 확인할 수 있다. 일례로 들 수 있는 것이 초기 한국교회 전도부인 중 한 명이었던 전삼덕의 이야기이다. 전삼덕은 양반집 소생으로 벼슬아치의 아내가 된 여인이었지만 자신의 회고에 따르면 그녀는 특히 남편이 젊은 첩들을 들인 이후 안채에만 머물며 "쓸쓸한 생활"을 해 왔다.[2] 이런 그녀가 복음을 듣고 세례를 받은 이후 수많은 사람들을 교회로 인도하고 아이들을 돌보고 가르치며 그들을 위해 학교를 세우는 일을 하게 된다. 흔히 이러한 일에 대해서 우리는 그녀가 하나님을 만난 이후의 변화라고 말하지만 실상 그녀의 변화는 그러한 일 이전이 아니라 오히려 그런 일을 통해서 일어난 변화라고 하는 것이 옳다. 현대심리학의 견지에서 우울증에 시달리던 그녀가 하나님과 더불어 그처럼 이웃을 섬기는

2 손운산, "한국 목회 돌봄과 목회상담의 역사와 과제," 『목회와 상담』 17 (2011), 10-12.

일을 하게 되면서 그 일을 통해 자신부터 살아계신 하나님을 만나고 자신의 새로운 정체성과 삶의 의미를 발견하며 자신을 억누르던 어둠에서 벗어나게 되었던 것이다.[3] 이처럼 하나님 안에서의 치유와 성장은 하나님의 사역에 동참하는 과정에 일어난다. 목회 돌봄이 하나님의 사역이라고 할 때 우리는 이 일을 통해 변화하는 것이 비단 돌봄을 받는 자 뿐 아니라 돌봄을 주는 자이기도 하다는 사실을 인식할 필요가 있다.

그런데 안타깝게도 오늘날 목회상담과 목회 돌봄에서 이러한 상호성에 대한 인식은 매우 희미해졌다. 본 장에서 우리는 이러한 현상의 원인에 대해 살펴보고 목회 돌봄을 다시 원래의 선교적 교회의 맥락에 자리매김함으로써 섬김과 치유의 역동적 상호성을 재활성화하는 방안을 모색하려 한다.

돌봄 제공자와 수혜자의 분리

목회 돌봄이 일방적이 아니라 상호적이라는 생각을 우리는 이미 1959년의 폴 틸리히 Paul Tillich 의 글에서 찾아볼 수 있다. "목회 돌봄의 신학 The theology of pastoral care"이라는 글에서 틸리히는 "목회

---

3 전삼덕은 자신에게 일어난 이 같은 일들에 대해 다음과 같이 회고하고 있다. "나는 눈이 있어도 보지 못했고, 귀가 있어도 듣지 못했으며, 입이 있어도 말하지 못했다. 그러나 예수를 안 후로 나는 자주한 인간이 되었다"(장병욱, 『한국감리교여성사』[서울: 성광문화사, 1979], 194; 위의 글, 11-12에서 재인용).

폴 틸리히 Paul Tillich

돌봄은 본질적으로 상호적이다, 즉 주는 자가 동시에 받는 자가 된다"고 주장하고 있다.[4] 이러한 틸리히의 주장은 당시 성행하던 정신분석이 내담자를 단지 분석의 '대상'(object)으로 보는 데 대해 반발한 것으로 그 논거(論據)가 다소 추상적이라는 한계가 있다. 그러나 그럼에도 불구하고 우리는 틸리히의 글에서 매우 중요한 지적 한 가지를 발견할 수 있는데 그것은 곧 목회 돌봄의 궁극적 자원이 "성령의 새로운 현존이 가진 힘"(the power of the New Being of the divine Spirit)이라는 것이다. 그는 "이 능력에 사로잡히고 그 이름에 의지하여 내담자에게 다가갈 때만 목회상담자는 내담자에게 도움이 될 수 있다"고 주장한다.[5] 그런데 그가 볼 때 정신치료적 방법은 이러한 원리를 구현하는데 내재적 한계가 있다. 그것은 그가 볼 때 정신치료가 "방법론적으로 이러한 하나님의 능력을 전제하기 어렵기" 때문이다.[6] 우리가 이러한 틸리히의 지적 이후 미국 목회상담의 전개과정을 보면 아쉽게도 목

4 Paul Tillich, "The Theology of Pastoral Care," *Pastoral Psychology* 10-97 (1959): 21.
5 위의 책, 24.
6 위의 책.

회 돌봄이 틸리히가 지적한 그 정신치료의 방법론적 한계에 함께 갇히게 되는 현상을 목도하게 된다.

칼 로저스Carl Rogers의 내담자 중심 상담이나 하인즈 코헛Heinz Kohut의 자기심리학에서 볼 수 있는 것처럼 사실상 정신치료는 틸리히가 지적한 인간의 사물화(事物化)를 극복하는 방향으로 발전해 왔다. 임상목회상담 역시 이러한 정신치료의 추이에 따라 내담자와 상담자 사이의 상호관계를 강조하는 방향으로 발전해 왔다. 그러나 그럼에도 불구하고 여전히 목회상담에서 실제로 위에서 말한 것 같은 상호성의 원리가 잘 구현되지 못하는 이유는 무엇일까? 역시 그 이유는 목회상담의 전문화(professionalization)와 관련이 있다고 생각된다. 전문의료인이 환자를 돌보는 모델에 따라 목회상담자가 내담자를 대할 때 상담자의 관심은 우선적으로 내담자의 문제 해결에 집중될 수밖에 없다. 물론 상담자는 이러한 내담자와의 관계가 상담자 자신에게 끼치는 영향에 대해서도 관심을 갖는다. 그렇지만 그것은 주로 그 영향이 다시 내담자 치료에 직접적 영향을 끼치게 될 경우이다. 이외의 경우라도 상담자는 임상경험을 통한 자기성장에 지속적 관심을 갖는 것이 바람직하나 실제로 그런 노력을 자주 놓치게 된다. 그 이유는 역시 전문 목회 돌봄의 시스템 속에서 상담자는 자신을 일방적인 서비스 제공자로 인식할 수밖에 없기 때문이다.[7]

그런데 우리가 목회 돌봄이 상호적이 되지 못하는 원인을 보다 깊이 역사적으로 살펴보면 우리는 그 원인이 단지 목회상담의 전문화에만 있지 않다는 것을 알게 된다. 목회상담의 전문화 이전의 전통

7 바로 이와 같은 일방적 돌봄의 구조를 잘 반영하는 용어가 영어의 "care-giver"(돌봄제공자)와 "care-recipient"(돌봄수혜자)라고 할 수 있다.

적 목회에서도 보면 역시 목회자는 일방적인 서비스 제공자로 기능하고 있다. 교구목회자나 성직자가 평신도들에게 목회 돌봄을 제공할 때 역시 그들은 전문적 목회상담자와 마찬가지로 일방적으로 서비스를 제공하는 입장에 놓여 있는 것이다. 이러한 상황은 지금도 여전하여 주지하듯이 목회자의 탈진 문제가 현대 목회의 고질적 문제 가운데 하나로 거론되고 있다. 여기서 우리가 확인할 수 있는 것은 목회 돌봄의 일방적 구조가 단지 전문 목회상담만의 문제가 아니라 이미 전통적 목회 패러다임에서부터 이어져 온 문제라는 것이다.

우리가 전통적 목회 패러다임에서부터 이어져 온 이 일방적 돌봄의 문제를 보다 깊이 이해하기 위해 참조할 만한 것이 선교신학자 달렐 구더 Darrell L. Guder 가 지적하는 소위 **"사명(使命)과 수혜(受惠)의 이분법**(mission/benefits dichotomy)이다. 구더에 따르면 현대 주류 기독교에 나타나는 심각한 문제 가운데 하나는 선교의 사명을 받은 자와 구원의 혜택을 받아 누리는 자 사이의 양분(兩分)현상이다.[8] 지역교회목회자의 주된 역할은 교인들이 '은혜'를 받게 하고 그것을 계속 유지하도록 돕는 역할이다. 교인들은 대개 이러한 목회자의 서비스를 일방적으로 받는 위치에 있다. 한편 교회 밖의 이웃이나 이방에까지 복음을 전하고 그 곳 사람들을 섬기는 사명은 소수의 선교사들이나 NGO사역자들에게 맡겨져 있다.[9] 받는 자와 주는 자가 서로 나뉘어져 있는 것이다. 구더에 의하면 이러한 현상은 이미 중세교회로부터 유래하지만 현대 개신교에 와서 "신앙의 개인주의화"와 맞물리며 오

---

8 Darrell L. Guder, *The Continuing Conversion of the Church* (Grand Rapids: Eerdmans, 2000), 120.

9 Darrell L. Guder, *Be My Witness: The Church's Mission, Message, and Messengers* (Grand Rapids: Eerdmans, 1985), 93.

히려 더욱 심화되었다. 이제 교인들이 구원의 은혜를 받아 누리는 것뿐 아니라 개개인의 삶의 행복을 추구하는 데 있어서까지 목회자가 서비스를 제공해야 하는 상황이 되었다. 구더는 이러한 현대교회의 상황을 다음과 같이 비판하고 있다.

> 설교는 흔히 개인이 행복을 얻고 자기를 실현하며 번영을 누리는 방법을 전수하는 것으로 변모했다. 현대 교회에서 예배와 설교는 개인의 구원을 확신시켜 주려는 목적에 맞게 설계되었다. 경우에 따라서는 현대 심리학의 언어가 차용되기도 했다.[10]

여기서 구더는 구체적으로 목회 돌봄에 대해 언급하고 있지는 않지만, 위 인용문에 근거할 때 우리는 목회 돌봄 역시 구더의 표현대로 교인들의 "개인적 구원과 행복, 자기 실현"을 위해 현대교회가 제공하는 서비스 중 하나가 되었다고 볼 수 있다. 이러한 평가는 개인의 "자기실현"(self-realization)을 돕는 것이 현대 목회 돌봄의 목적이 되었다고 하는 브룩스 홀리필드Brooks Holifield의 지적과도 일치하는 것이다.[11] 요컨대 구더의 주장은 현대교회가 내부적으로 교인들의 행복과 자기실현을 지원하는 일에 주력하는 가운데 교회가 원래 부여 받은 선교의 사명으로부터 멀어졌다는 것이다. 이러한 구더의 지적은 목회 돌봄이 목회자가 교인들에게 제공하는 서비스의 일환이 된 현실의 역사적 배경을 조명해 준다. 그것은 또한 전통적 목회 돌봄과 전문화된 목회상담이 서로 다르면서도 어떤 면에서 서로 공통점이 있는지

10 Darrell L. Guder, *The Continuing Conversion of the Church*, 135.

11 E. Brooks Holifield, *A History of Pastoral Care in America: From Salvation to Self-Realization*, (Eugene, OR: Wipf and Stock Publishers, 1983), 12.

설명해 주기도 한다.

은혜와 사명

구더에 의하면 구원의 은혜는 우리 개인이 받아 소유(possess)하도록 주어진 것이 아니라 우리가 세상 속에서 그리스도의 증인으로 살아가도록 부여된 하나님의 능력(empowerment)이다.[12] 동일한 맥락에서 우리는 우리에게 주어진 치유의 은혜 역시 우리가 그것을 통해 세상 속에서 하나님의 살아 계심을 증거하도록 주어진 능력이라고 말할 수 있다. 그런데 칼 바르트Karl Barth는 이 같은 하나님의 은혜가 우리의 사명을 위해서 주어진 것일 뿐 아니라 우리의 사명을 통해서 주어지는 것이라는 점을 강조한다. 바르트에 따르면 "우리의 현재를 형성하는 것이 우리의 사명이다."[13] 이 말의 의미는 우리가 하나님의 선교를 위해 우리 자신을 드릴 때 하나님의 기쁨, 위로, 용기, 능력과 같은 은혜의 축복들이 우리를 "건너뛰지 않는다"는 의미이다.[14] 다시 말해 그 은혜가 먼저 우리 안에 채워짐으로 우리를 통해 세상으로 흘러간다는 것이다. 바르트의 이러한 지적은 하나님의 치유의 은혜가 사역을 위해 우리를 준비시키는 것이기 전에 먼저 우리의 사역 안에서 우리에게 주어지는 은혜라는 점을 일깨워 준다. 이렇게 볼 때 우리

---

12 Darrell L. Guder, *Be My Witness*, 108.

13 Karl Barth, *Church Dogmatics*, IV, 3/2, 575.

14 위의 책.

가 하나님 안에서 치유와 온전함을 얻는 것은 하나님의 섬김에 동참하는 일과 불가분의 연관성이 있다.

하나님의 선교에 동참한다는 것은 세상 속에서 하나님의 현존(現存)에 참여한다는 것이다. 이것은 선교가 단지 말로만 아니라 우리의 삶 전체로 그리스도를 증거하는 일이라는 것을 의미한다. 구더는 예수께서 우리에게 "단지 말씀으로만 아니라 우리 삶 속에서 우리를 만나주시는 하나님의 사랑, 하나님의 현존으로 우리에게 오신 분"이라는 것을 강조한다.[15] 이와 마찬가지로 우리는 이 세상에서 그러한 그리스도의 현존에 동참하는 삶을 통해 하나님을 증거한다. 다시 말해 세상 속에서 그리스도를 본받아 이웃을 사랑함으로 하나님 형상을 이루는 삶을 살게 되고 그러한 삶을 통해 하나님을 증거하게 된다. 그런데 이렇게 세상 속에서 하나님 형상을 이룬다는 것은 우리가 서로 사랑함으로 하나님이 원래 우리에게 의도하신 참다운 인간성을 구현한다는 의미이다. 바로 이런 의미에서 우리에게 주어진 치유의 은혜와 사명은 서로 나누어질 수 없는 것이다.

온전한 삶의 의미

우리가 위와 같이 하나님의 치유의 은혜를 하나님이 우리에게 주신 사명과 연결시켜 이해할 때 우리는 흔히 목회 돌봄의 지향점으로

15 Darrell L. Guder, *Be My Witness*, 23.

일컬어지는 **온전한 삶**(the wholeness of life)에 대해서도 새롭게 이해할 수 있다. 이제까지 목회 돌봄에서 '온전한 삶'은 다분히 개인주의적 관점에서 말해지고 추구되어 왔다. 즉 개인의 신체적, 정신적 건강이나 '웰빙'(well-being)과 거의 같은 의미로 이해되어 왔다. 따라서 한 개인이 '온전한 삶'을 살도록 돕는다는 것은 그가 자신의 어떤 정신적 문제나 신체적 문제로부터 벗어나서 자신의 현실에 최대한 만족을 누리며 자신의 잠재성을 최대한 실현하는 삶을 살도록 돕는다는 것을 의미했다. 그러나 우리가 치유나 건강의 의미를 하나님의 소명과 연결시켜 이해할 때 '온전한 삶'의 의미 역시 새롭게 이해될 수 있다. 우리는 이와 같은 새로운 차원의 온전성에 대한 이해를 예컨대 존 스윈턴 John Swinton 의 "정신 건강"(mental health)에 대한 정의에서 찾아볼 수 있다. 스윈턴에 의하면 "정신 건강이란 어떤 정신적 질환이나 문제가 없는 것이 아니라 그런 문제 속에서도 살아갈 힘이 있는 것이다."[16] 다시 말해 "어떤 환경 속에서도 인간답게 살아가는 힘, 하나님과 자신과 세상과 더불어 건강한 삶을 영위하는 힘, 주위 사람들과의 관계 속에 하나님의 형상을 이루며 사는 힘"을 말하는 것이다.[17] 우리는 이처럼 서로 함께하는 가운데 하나님 형상을 이루는 삶을 '온전한 삶'이라 부를 수 있다. 이것은 정신적, 신체적으로 문제가 없는 삶이 아니라 오히려 그러한 문제 속에서도 서로 함께하며 온전한 하나님 형상을 이루는 삶이다.

여기서 하나님 형상은 우리의 질고를 지고, 우리의 죄악을 감당하

16 John Swinton, *From Bedlam to Shalom: Towards a Practical Theology Towards a Practical Theology of Human Nature, Interpersonal Relationships, and Mental Health Care* (New York, NY: Peter Lang, 2000), 72.

17 Cornelius J. van der Poel, c.s.sp., *Wholeness and Holiness: A Christian Response to Human Suffering* (Franklin, WI: Sheed & Ward, 1999), 1.

신 그리스도의 형상을 의미한다. 이런 의미의 하나님 형상은 아무리 모든 면에서 건강한 사람이라 할지라도 개인이 혼자 이룰 수 있는 것이 아니다. 하나님의 형상은 서로 짐을 지고 서로 함께하는 공동체적 삶 속에 나타나는 것이다. 코넬리우스 밴 더 포엘Cornelius J. van der Poel 신부는 가령 우리에게 어떤 정신적, 신체적 결함이 있다 할지라도 우리가 그렇게 서로를 돌보고 사랑하는 가운데 온전한 하나님의 형상이 우리 가운데 나타날 수 있다고 주장한다.[18] 하나님의 형상을 구현하는 일이 이처럼 공동체적 사명이라고 할 때, 그 과정으로서의 돌봄과 치유 역시 공동체적 사명, 다시 말해 교회의 사명이라고 할 수 있다.

하나님의 현존을 나타내는 공동체

목회 돌봄이 일방적이 아니라 상호적 실천이라는 개념은 미국에서 위에 인용한 틸리히의 소논문(1959) 이후 잘 발견되지 않는다. 그 이유는 앞에서 말한 것처럼 목회 돌봄의 전문화(professionalization)와 관련이 있을 것이다. 목회 돌봄이 병원이나 요양원 같은 사회기관에서 전문적인 사역자에 의해 제공되는 서비스로 자리잡은 상황에서 틸리히가 말한 '상호 돌봄'(mutual care)은 현실과 동떨어진 개념일 수밖에 없기 때문이다. 이렇게 볼 때 미국에서 '상호 돌봄'의 개념이 다시 등장한 것이 임상적 목회 돌봄(clinical pastoral care)의 한계를 인

18 위의 책, 111.

식하고 그것을 넘어서는 방안을 모색하는 논의에서라는 점은 하등 이상할 것이 없다. 일례로 우리는 그런 개념을 임상 목회 돌봄의 대안으로 "공동체적/사회상황적 목회 돌봄"(communal-contextual pastoral care)을 제안하는 존 패턴 John Patton 의 논의에서 찾아 볼 수 있다.

『목회적 돌봄과 상황 *Pastoral Care in Context*』(1993)에서 패턴은 마틴 부버 Martin Buber 나 존 맥머레이 John Macmurray 의 관계적 인간론(relational anthropology)을 인용하며 인간이 본질적으로 관계적 존재임을 강조한다.[19] 또한 그 연장선상에서 현대 개인주의를 비판한 프랭크 커크패트릭 Frank Kirkpatrick 을 인용하며 서로 함께하는 삶을 강조하기도 한다.[20] 그러나 목회 돌봄이 보다 상호적/공동체적으로 이루어져야 한다는 그의 주장의 보다 설득력 있는 논거는 관계적 인간론보다 **관계적 신학**(relational theology)이다. 즉 하나님은 관계적인 분이시며 공동체는 그러한 하나님의 형상이라는 주장이다. 따라서 공동체 안의 상호 돌봄은 하나님의 현존과 사랑을 서로에게 나타내는 동시에 세상 가운데 증거하는 일이라고 패턴은 주장한다.[21] 패턴의 주장은 요컨대 공동체적 상호 돌봄이 하나님의 현존을 가장 잘 표현하는 방식이라는 것이다.

그런데 공동체적 상호 돌봄이 진정 하나님의 현존을 드러내기 위해서는 그 구성원들이 서로에게 연결될 뿐 아니라 하나님과 연결되어 있어야 한다. 공동체의 사랑과 치유의 능력이 바로 그 하나님으로부터 나오기 때문이다. 이것은 우리가 서로 돌보고 사랑하는 자가 되기 위해서 먼저 하나님으로부터 그 힘을 공급받아야 한다는 것을 의

19 John Patton, 『목회적 돌봄과 상황』, 43.
20 위의 책, 42.
21 위의 책, 49.

미한다. 공동체는 바로 이처럼 하나님으로부터 힘을 공급받는 통로가 되는데, 공동체가 우리에게 제공하는 영적, 정서적, 물질적 지원이 바로 그와 같이 하나님이 우리를 공급하시는 방식이다. 그런데 하나님이 우리를 채우시는 방식은 사실 이런 것만이 아니다. 하나님은 우리를 다른 이들이 아니라 바로 우리의 돌봄을 받는 그 지체들을 통해서 거꾸로 채우기도 하신다. 우리가 그들을 사랑하고 돌볼 때 그들을 향한 하나님의 사랑이 우리 자신에게도 나눠지기 때문이다. 주는 자가 동시에 받는 자가 되는 것이다. 바로 이 같은 원리로 인해 돌봄을 받는 자 역시 다만 받는 자로 머물러서는 안 된다. 그 역시 누군가에게 하나님의 사랑을 나누어주는 자가 될 때 하나님의 치유를 보다 온전히 경험할 수 있기 때문이다. 바르트와 마찬가지로 패턴 역시 하나님의 사랑과 은혜를 체험하는 것이 서로의 관계 속에서 하나님의 행동에 적극적으로 참여할 때 가능하다는 점을 강조한다.[22] 이처럼 하나님의 행동에 참여하는 과정을 통해 주는 자는 받는 자가 되고 받는 자가 다시 주는 자가 된다. 공동체를 통해 하나님의 현존이 드러나는 것은 바로 이 같은 상호성의 원리가 그들 가운데 구현될 때이다.

세상 속으로 자리 옮김

패턴John Patton은 『목회적 돌봄과 상황』에서 remembering, 즉 서

22 위의 책, 43.

로를 기억함과 더불어 re-membering, 즉 공동체의 확대/재구성을 강조한다.[23] 즉 공동체의 지체들이 서로를 기억하고 돌아볼 뿐 아니라 서로 다른 인종, 다른 계층의 사람들, 다른 성지향성을 가진 사람들과의 관계를 새롭게 정립하는 일이 중요함을 강조한 것이다. 이것은 현대 사회 속에서 교회공동체의 외연을 넓혀가야 할 필요성을 강조한 것으로 사실상 교회의 관심을 기성교회 밖으로 돌려야 한다는 주장이라 할 수 있다. 이런 의미에서 패턴의 주장은 교회가 폐쇄적으로 자기에만 몰두하는 것이 아니라 교회 밖의 사람들에게까지 "선지자적" 목회 돌봄을 제공해야 한다는 찰스 거킨 Charles Gerkin 의 주장과도 일치한다.

거킨의 『선지자적 목회 실천 *Prophetic Pastoral Practice*』(1991)은 오늘날 미국의 많은 지역교회들 — 특히 백인중산층교회들 — 이 가난한 이웃의 증가나 주변 위험의 증대와 같이 변화한 현실 속에서 다만 폐쇄적이고 방어적으로 대응하고 있는 데 대한 반성으로부터 출발한다.[24] 교회가 이처럼 자기 영역을 지키고 보호하는 데만 집중해 있다는 지적은 교회가 교회 안의 사역에 힘을 소진하며 교회 밖으로 나가지 못하고 있다는 구더 Darrell Guder 의 지적과도 일맥상통한다. 거킨은 이와 같은 현실교회들을 "구심(求心)적인 교회 모델"(centripetal model of church)이라 부르며, 이에 대한 대안으로서 "원심(遠心)적인 교회 모델"(centrifugal model of church)이라고 그가 지칭하는 새로운 교회의 모델을 제시한다.[25] 거킨이 구상하는 "원심적 교회 모델"은 계속해서 "익숙함의 경계를 넘어 세상 속으로 자리를 옮기는 교회" 모

23 위의 책, 82.
24 Charles V. Gerkin, 최민수 옮김, 『예언적인 목회상담』(서울: 그리심, 2013), 64.
25 위의 책, 175.

델이다. 이와 같은 원심적 모델의 교회는 여러 면에서 구더 등이 주창하는 **선교적 교회**(missional church)와 유사한데, 특히 세상 속으로의 원심력 운동을 통해 끊임없이 스스로를 갱신해 가는 교회라는 점에서 그러하다.[26] 즉 두 교회론 모두 교회가 세상 속으로 들어가 세상 사람들을 섬기는 가운데 교회 자신이 먼저 새로워지는 경험을 하게 된다는 점을 강조한다.

거킨의 "원심적 교회 모델"은 목회 돌봄이 그 지평을 세상 속으로까지 확대해야 한다는 이전의 『지평확대 *Widening the Horizons*』(1986)론과 이어져 있다. 일면 『선지자적 목회 실천』은 『지평확대』의 주장을 교회공동체의 실천적 차원에 적용한 논의라고 볼 수 있다. 그러나 『선지자적 목회 실천』은 이전의 거킨의 논의와 비교할 때 확실히 달라진 점이 있다. 그것은 특히 그가 교회 밖의 사람들과의 만남을 이야기할 때 그것을 단지 해석학적 차원이 아니라 실제적인 경험의 차원에서 이야기한다는 점이다. 다시 말해 타자와의 만남을 단순히 "서로 다른 두 이야기 사이의 지평융합"이 아니라 서로 다른 두 사람 사이의 인격적 만남으로 보고 있다. 이러한 시각의 변화는 거킨 자신의 경험이나 그의 주위사람들의 경험을 간접적으로 경험한 데 기인한 것으로 생각된다. 그런 간접경험 중 하나로 여겨지는 것이 바로 그가 자문의원으로 참석한 한 임상회의에서 한 여자 수련생의 임상경험을 듣게 된 일이다. "세상 속으로의 자리 옮김"(dislocation into the world)이라는 거킨의 구상은 바로 이와 같은 임상경험에 대한 반성으로부터 시작된 것이라 볼 수 있다.

26 거킨이 말하는 원심적 모델의 교회와 구더 등이 말하는 선교적 교회의 유사점에 대해서는 Darrell L. Guder ed., *Missional Church: A Vision for the Sending of the Church in North America* (Grand Rapids, MI: Eerdmans, 1998)을 참조하라.

에디Edith라는 이름의 그 수련생이 병원에서 호출을 받고 가서 만났던 사람은 AIDS로 죽어가는 한 남자환자였다. 그는 자신처럼 AIDS를 앓던 애인을 방금 사별하고 그 아픔으로 인해 그녀 앞에서 울음을 터뜨렸다. 에디는 자기도 모르게 그런 그를 가슴에 안았다. 그의 깊은 외로움과 상실감, 죽음에 대한 두려움이 그녀에게 전해 왔기 때문이었다. 에디는 그러면서도 동시에 자신이 느꼈던 감염에 대한 두려움과 동성애에 대한 거부감을 솔직히 고백했다. 거킨은 이러한 에디의 경험을 긍정적인 것으로 평가한다. 그 이유는 이와 같이 세상 속에 들어가 갖게 되는 경험이 기성교회가 바깥세상에 대한 두려움으로부터 자신을 지키기 위해 둘러친 방어벽을 돌아보게 하고 그것을 통해 교회 안의 동질성의 공동체를 해체하고 재구성할 수 있는 기회를 가질 수 있다고 보기 때문이다.[27] 거킨은 에디가 비록 자신을 위험에 노출시킨 것이 사실이지만 그럼에도 불구하고 그녀가 "올바른 자리"(right place)에 있었다고 말한다.[28] 거킨에 의하면 그 곳은 "비록 그녀가 속한 교회공동체의 일반적 입장과 거리가 있을지라도 하나님의 공의와 모든 사람을 향한 하나님의 사랑이 그녀를 데리고 간 자리"이기 때문이다.[29]

여기서 필자가 다시 한 번 강조하기를 원하는 것은 에디가 있었던 그 자리가 "올바른 자리"인 것은 그 곳이 바로 하나님께서 함께 계셨던 자리이기 때문이라는 것이다. 그 곳이 "올바른 자리"인 것은 그 곳의 경험이 단지 기성교회의 통념에 도전하거나 새로운 시각을 제시하는 곳이기 때문만이 아니다. 그 곳이 에디를 포함하여 그녀가 속

---

27 Charles V. Gerkin, 『예언적인 목회상담』, 174.

28 위의 책, 178.

29 위의 책, 180.

한 교회를 올바른 방향으로 변화시키는 곳이 될 수 있는 것은 비록 그 곳이 기성교회로부터 외면당한 곳이라 할지라도 예수 그리스도께서 함께 계신 곳이기 때문이다. 예수는 "죄인의 친구"(눅 7:34)이며 "죄인을 부르려 오신"(막 2:17) 분이다. 우리가 이런 예수를 따라 우리의 "영문 밖으로"(히 13:13) 나가 그가 계신 그 의외의 자리에서 그 의외의 사람들과 함께할 때 그들 가운데서 만난 그리스도로 말미암아 우리 자신이 스스로 변화를 경험하게 된다. 우리의 변화는 그 낯선 자리 자체가 아니라 바로 그 곳에서 우리가 만난 그 분, 하나님으로부터 말미암는 일이기 때문이다.

선교적이고 치유적인 교회공동체

계속적인 교회의 갱신이 교회가 하나님의 선교(*missio Dei*)에 동참할 때 가능하다는 사실은 달렐 구더 Darrell Guder 등 여러 선교학자들이 한결같이 강조해 온 점이다. 선교란 하나님의 부르심 받은 자들이 함께 하나님 일에 참여하는 가운데 하나님 안에서 하나님의 형상을 이루어 가는 과정이다. 이처럼 우리가 함께 하나님의 형상을 이루어 가는 변화를 기독교적 의미의 치유라고 한다면, 우리는 그처럼 하나님 일에 동참하는 선교적 교회가 동시에 치유적 공동체가 된다고 말할 수 있다. 이제 필자는 다음에서 선교학자들이 제시하는 선교적 교회 모델과 위에서 살펴본 공동체적 목회 돌봄의 모델을 병합하는 선교적이면서 동시에 치유적인 교회공동체의 모델을 제안해 보려 한다.

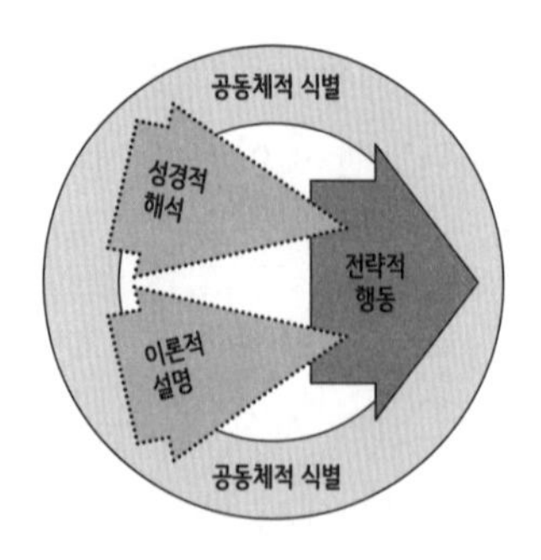

[도식 6] 밴 갤더(Van Gelder)의 교회실천모델

특별히 여기서 필자가 참조하는 것은 크레이그 밴 갤더 Craig Van Gelder 의 선교적 교회의 실천 모델이다.

밴 갤더의 교회실천 모델은 앞의 Ⅱ장에서 소개한 레이 앤더슨 Ray Anderson 의 모델과 마찬가지로 세상 속에서 하나님의 일을 식별하고 그의 일에 동참하는 데 중점을 둔다. 밴 갤더는 (성경)**텍스트**, **상황**, **공동체**, **전략과 행동** 네 가지의 차원들이 서로 만나고 서로 조응(調應)하는 가운데 하나님의 사역이 세상 속에서 전개되어 간다고 설명한다.[30] 그는 이 네 가지 차원들이 서로 만나고 조응하는 과정을 크게 네 가지로 나누어 설명하는데, 그것은 다음의 그림으로 묘사된 네 가지, **공동체적 식별**(communal discernment), **성경적/신학적 해석**(biblical/theological framing), **이론적 분석**(theoretical analysis), **전략적 행동**(strategic action)이다.

이 네 가지 중 특별히 필자가 부연설명하기 원하는 것은 **공동체**

30 Craig Van Gelder, *The Ministry of the Missional Church: A Community Led by the Spirit* (Grand Rapids: Baker Books, 2007), 106.

적 식별(communal discernment)에 대해서이다. 밴 갤더가 말하는 공동체적 식별은 공동체를 이루는 사람들이 성령의 인도하심을 따라 하나님의 일을 함께 식별하는 과정을 뜻한다. 여기서 밴 갤더가 강조하는 것은 이러한 공동체적 식별이 성령의 인도하심을 받는 과정이기는 하지만 동시에 여러 인간적 요인들에 영향 받을 수 있다는 것이다.[31] 필자는 바로 이 점에 착안하여 "공동체적 식별"을 이후의 성경적 해석이나 이론적 분석과 비교할 때 보다 즉자적(卽自的)이고 경험적인 하나님 이해로 규정한다. 다시 말해 "공동체적 식별"을 하나님의 사역에 참여하는 그 **현장에서의 하나님 이해**로, 즉 머리보다는 가슴으로 하나님을 이해하는 **공감적 이해**(empathic understanding)로 해석한다. 사실상 밴 갤더가 말한 "공동체적 식별"뿐 아니라 "성경적/신학적 해석"이나 "이론적 분석", "전략적 행동"은 모두 개인이 아니라 공동체가 함께 참여하는 공동체적 실천이라고 할 수 있다. 따라서 필자는 "공동체적 식별"을 필자가 새롭게 재해석한 대로 이후의 실천들과 구별하여 "경험적, 공감적 하나님 식별"이라고 고쳐 부르고자 한다.

세상 속에서 하나님 일에 동참하는 가운데 이 같이 경험적, 공감적으로 하나님을 이해하는 과정이 선행된다는 것은 레이 앤더슨 Ray Anderson 의 실천신학모델 역시 시사하고 있는 바이다. 그것은 앤더슨이 사용하는 **"내적 추론"**(inner logical thinking)이란 표현에 내포되어 있다. 앤더슨은 이 "내적 추론"을 "어떤 사건을 만나 경험하면서 그 사건의 본질을 직관적으로 통찰하는 일"이라고 설명한다.[32] 그리고

---

31 위의 책, 108.

32 Ray S. Anderson, *The Soul of Ministry: Forming Leaders for God's People* (Louisville: Westminster John Knox Press, 1997), 11.

그것을 그런 감각적 경험으로부터 떨어져서 무시간적이고 추상적인 개념을 통해 다시 설명하는 **"형식적 추론"**(formal logical thinking)과 대비시킨다.[33] 보다 경험적이고 직관적인 "내적 추론"이 "형식적 추론"에 선행하며 이 두 가지가 병행되는 것이 곧 실천신학이다. 그러나 이런 설명을 통해서도 앤더슨이 말하는 "내적 추론"이 정확히 무엇을 의미하는지 여전히 불분명한 것이 사실이다. 때문에 우리는 그 부분을 우리 나름대로 해석해 보게 되는데, 필자는 이 "내적 추론"을 위에 말한 경험적, 공감적 하나님 이해와 유사한 의미로 해석한다. 에디 Edith 가 게이(gay)환자의 아픔과 두려움을 함께 느끼면서 그를 향한 하나님의 마음을 공감했던 것처럼 어떤 사건의 현장에서 하나님의 마음을 공감하는 것은 머리이전에 가슴으로, 논리이전에 직관으로 하나님을 이해하는 일이다. 이후의 성경적/신학적 해석이나 이론적 분석은 그렇게 직관적, 공감적으로 이루어진 하나님 이해를 보다 객관적으로 확인하고 체계화하는 과정이라고 할 수 있다.

밴 갤더에 의하면 공동체적 식별을 포함한 위 네 가지 실천은 순차적으로 진행되는 단계들이 아니라 서로 연결되지만 어떤 순서로든 이루어질 수 있는 과정이다.[34] 그러나 필자는 위에서 "경험적/공감적 식별"이라고 개칭한 "공동체적 식별"을 포함하여 위 네 가지 실천을 도식 7과 같이 **하나님의 선교**에 점근선적(漸近線的)으로 전개되는 나선형 과정으로 표현해 볼 수 있다고 생각한다.

독자의 이해를 돕기 위해 앞의 Ⅶ장에 소개한 필자의 청년부 공동체 이야기를 구체적 예로 들면서 이 모델의 각 단계를 설명하면 다

---

33 위의 책.

34 Van Gelder, *The Ministry of the Missional Church*, 106.

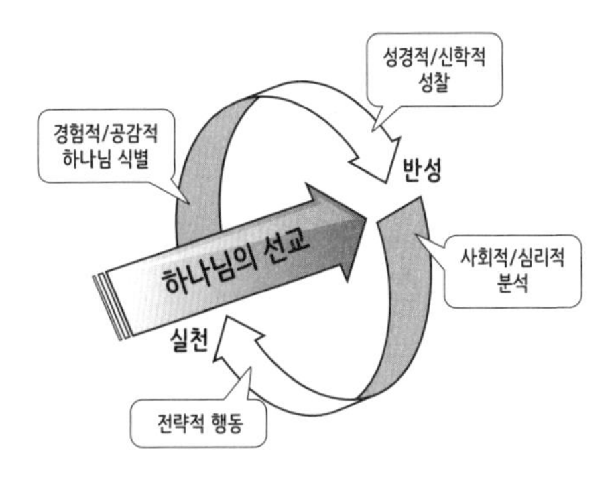

[도식 7] 선교적/치유적 교회공동체 실천

음과 같다.

1) 경험적/공감적 하나님 식별

이 첫 단계는 공동체 구성원들이 세상 사람들 가운데서 하나님의 사역에 동참하면서 하나님을 경험하고 하나님을 공감적으로 이해하게 되는 단계이다. 필자의 청년부 단기선교팀이 몽골의 가난한 아이들을 섬기면서 함께 계신 하나님의 마음을 경험하고 이해하게 되었던 것이 이와 같은 예라고 할 수 있다. 이것은 마치 마이클 화이트 Michael White 의 "확증의식"(definitional ceremony)에서처럼 그 이야기 주인공들이 "외부증인"(outsider witness)으로 그들의 이야기에 참여하는 경험이다. 교회 구성원들은 그 사람들의 자리에서 그들의 현실을 공감적으로 이해하는 가운데 그들을 향한 하나님의 마음과 생각 역시 공감적으로 이해하게 된다. 교회 구성원들은 그 사람들의 이야기에 공명(共鳴)하면서 그들의 이야기가 "하나의 소중한 공통적 주제"를 중심으로 교회 구성원들 자신의 삶의 이야기와도 연결되어 있다는 사실을 깨닫는다. 즉 서로의 이야기가 그들 사이에 계신 하나님을 중심으로 서로 연결되어 있다는 사실을 발견하게 된다. 예컨대 수진이 몽골 아이들의 고사리 손을 씻어주면서 그처럼 지극히 작은 아이들을 사랑하시는 하나님이 또한 자신처럼 스스로를 보잘 것 없다고 여기는 '한국의 삼수생' 역시 사랑하시는 하나님이라는 사실을 깨닫게 된 것 같은 경험이다. 그런데 이와 같은 경험적/직관적 하나님 이해는 강렬하고 극적일 수는 있지만 아직 전의식적(pre-conscious)인 단계의 것이어서 보다 의식적인 반성과 구체화가 이어지지 않으면 금방 소멸될 수 있는 것이다. 따라서 그것은 다음 단계의 반성을 필요로 한다.

2) 성경적/신학적 성찰

이 두 번째 단계는 전단계의 경험을 통해 얻은 하나님 이해를 성경적/신학적 성찰을 통해 심화하고 체계화하는 단계이다. 이러한 성경적 이해는 소그룹성경공부나 설교와 같은 방식을 통해 이루어질 수 있다. 그런데 사실상 성경의 이야기는 이미 전단계의 선교 현장에서부터 교회구성원들의 마음에 작용하기 시작했을 수 있다. 필자가 이끌었던 청년부 단기선교팀의 경우 이미 몽골에서부터 그들의 마음 속에는 동구 밖에 서서 아들을 기다리는 아버지의 이미지가 그들이 현장에서 경험하는 하나님 이미지와 겹쳐지고 있었다. 이를 통해 그 성경의 하나님이 단지 머리 속의 하나님이 아니라 우리가 실제 가슴으로 경험하는 하나님이 되었다. 그러나 이런 경험적 단계의 성경 이해는 아직 직관적인 것으로 이후의 성경 연구를 통해 보다 객관화될 필요가 있는 것이다. 그 이유는 그것이 이른바 성령의 감화로 주어진 것이라고 해도 그것은 동시에 교회구성원들 개개인의 인간적 경험이나 감정의 투영일 수 있기 때문이다. 이렇게 투영된 개인의 경험과 감정이 하나님을 이해하는 매체(媒體)가 될 수는 있으나 여전히 그것은 성경을 통해 검증될 필요가 있는 것이다. 이처럼 성경을 통한 하나님 식별은 전단계의 하나님 식별에 비해 보다 객관적이고 비판적인 반성의 과정으로 전단계의 하나님 식별을 **경험을 통한 하나님 식별**이라고 한다면 이 다음 단계는 **반성을 통한 하나님 식별**이라 부를 수 있다. 이 두 가지 과정은 상호보완적으로 우리를 보다 진정한 하나님 이해로 이끈다.

한편 이 두 번째 단계는 성경적인 하나님 이해를 확장시키고 체계화하는 신학적 성찰로 이어진다. 교회가 가지고 있던 기존의 신학과의 대화를 통해 그 경험적 하나님 이해를 신학적으로 체계화할 필요가 있다. 이러한 노력이 이루어질 때 선교현장에서의 경험이 개인과 공동체의 삶 전반의 변화로 확대될 수 있기 때문이다. 예컨대 필자의 청년부 지체들은 지극히 작은 자를 사랑하시는 하나님을 몽골 땅에서 경험했다. 그들은 그 하나님이 몽골 아이들의 하나님일 뿐 아니라 그들 자신의 하나님이시기도 하다는 사실을 깨달았다. 그러나 이러한 깨달음이 그들이 한국에 돌아온 이후 그들의 삶의 현실로 이어지기 위해서는 '지극히 작은 자의 하나님'에 대한 신학적 이해가 보다 확장되고 체계화되지 않으면 안 된다. 그것이 한국 사회의 지배구조와 지배이데올로기에 대한 비판적 신학으로 구체화되어야 한다는 것이다. 이를 위해 성경적/신학적 성찰과 더불어 수행되어야 할 것이 다음 단계의 사회적/심리적 분석이다.

3) 사회적/심리적 분석

이 단계는 기독교교육학자 토마스 그룸Thomas Groome이 말하는 "비판적 사회 성찰"(critical social reflection)에 해당한다.[35] 그룸에 따르면 비판적 사회 성찰은 다음의 두 가지 방향으로 이루어질 수 있다. 먼저 "사회적 분석"(social analysis)으로 "우리가 몸담은 사회 현실과 문화를 분석하고 그것이 우리 일상생활에 어떻게 영향을 끼치는지 파악하는 과정"이다.[36] 두 번째는 "비판적 개인 성찰"(critical personal reasoning)이다. 이것은 "세상과 우리 자신에 대한 우리의 생각이 얼마나 사회 구조나 이해관계, 지배이데올로기에 의해 형성되고 있는지 돌아보는 과정"이다.[37] 필자는 이 같은 두 가지 방향의 분석과 성찰이 선교현장으로부터 일상생활로 돌아온 이후 교회구성원들이 다시 그들의 현실과 신앙 사이의 갈등을 경험하기 시작하는 시점에 적합하다고 생각된다. 이러한 시점에 그들은 자칫 자포자기나 자기합리화, 혹은 반대로 심한 자책감에 빠질 수 있다. 이 때 공동체 리더의 역할은 '사회 분석'을 통해 구성원들로 하여금 문제가 단지 그들 개인에게만 있는 것이 아니라 사회구조에 있음을 깨닫게 하고, 거기에 대한 공동체적 대응이 필요함을 인식하도록 도울 필요가 있다. 이것은 이 다음 단계의 전략적 행동을 준비하는 과정이 될 것이다.

그런데 이러한 공동체적 행동에 들어가기 앞서 공동체 리더는 구성원 개개인으로 하여금 그룸이 말한 두 번째의 개인적 성찰 과정을

---

35 Thomas Groome, *Sharing Faith: A Comprehensive Approach to Religious Education and Pastoral Ministy* (New York: HarperSanFrancisco, 1991), 199.

36 위의 책, 200.

37 위의 책, 199.

보다 철저하게 거치도록 이끌 수 있다. 필자는 그룹이 말한 "비판적 개인 성찰"을 말 그대로 개인이 수행할 수도 있겠지만 멘토링이나 상담관계 속에서 수행할 때 보다 효과적이리라고 생각한다. 개인목회상담이 공동체적 실천과 결합될 수 있는 지점이 바로 이 지점이다. 필자가 과거 청년부 공동체의 경험을 돌아볼 때 만일 당시 좀 더 전문적으로 훈련 받은 상담자가 수진과 같은 지체들을 개인적으로 돌봐 줄 수 있었다면 그들에게 더 많은 도움이 되지 않았을까 생각하게 된다. 혹은 그룹상담과 같은 방법들도 효과적이었을 것이다. 필자는 이 같은 개인상담이나 집단상담을 통한 개입이 공동체의 참여적 활동과 병행될 때 양자가 서로 무관하게 수행될 때보다 더 많은 효과를 거둘 수 있다고 믿는다. 그 이유는 공동체적 활동을 통한 하나님 경험과 새로운 관계 경험, 더 나아가 그 속에서의 새로운 자기 발견이 긍정심리학(positive psychology)이 그처럼 강조하는 긍정적 심리 자원과 긍정적 회복력을 구성원들에게 제공할 수 있기 때문이다. 데이빗 엔트휫슬 David Entwistle 과 스테판 모로니 Stephen Moroney 는 공동체와 함께 하나님의 형상을 이루어 가는 경험이야말로 개인이 자신의 부정적 감정과 연약한 감정을 극복하는 힘의 원천이 된다고 주장한다.[38] 실제로 과거 필자가 섬겼던 청년부 공동체의 경우 수진과 같은 지체들은 지체들 서로간의 친밀한 상호 돌봄의 관계를 통해 자신들 개개인의 연약함을 조금씩 극복해 갈 수 있었다. 이렇게 내면의 연약함을 이겨내는 힘은 특별히 몽골에서와 같이 그들이 힘을 합해 가난한 이웃을 섬기는 일에 동참할 때 더욱 배가되는 것을 목격할 수 있었다. 이 같은 선교

38 David N. Entwistle and Stephen K. Moroney, "Integrative Perspectives on human flourishing: The Imago Dei and Positive Psychology," *Journal of Psychology and Theology* 39-4 (2011), 298.

적 공동체의 경험은 지체들 개개인의 치유와 회복의 원천이 될 뿐 아니라 역으로 상호 돌봄을 통한 개개인의 회복이 다시 선교적 공동체의 활력이 될 것이다.

4) 전략적 행동

이 네 번째 단계는 공동체가 다시 힘을 합하여 세상 가운데서 하나님이 인도하시는 새로운 선교적 활동에 참여하는 단계이다. 교회공동체는 먼저 이제까지 공동체적으로, 또는 개인적으로 수행해 왔던 기도와 성경 연구, 사회적 반성과 자기성찰 등을 모두 종합하여 현재 하나님께서 그들을 인도하시는 방향을 식별하고 그 곳에서의 하나님의 일에 동참한다. 과거 필자가 섬겼던 청년부 공동체의 경우 비록 이처럼 체계적인 반성과 전략수립을 거친 것은 아니었지만 서울 근교의 발달지체아동들 공동체를 정기적으로 방문하거나 외국인 노동자촌을 찾아가 그 곳에서 수련회를 가지는 등 참여적 활동을 이어갔다. 이러한 실천들을 통해 우리는 교회를 향한 하나님의 부르심과 우리가 몸담은 현실 교회 사이의 모순을 더욱 첨예하게 인식하게 되었다. 또한 우리는 그 모순이 현실 교회만 아니라 우리 자신 안에도 내재함을 직면할 수 있었다. 그러나 우리는 이렇게 우리 자신부터가 모순적 존재임에도 불구하고 우리가 그들 가난한 자들과 함께할 때 그 자리에 그리스도께서도 함께 계심을 경험할 수 있었다. 그리고 하나님의 이야기는 거대한 도시의 한 가운데서가 아니라 그처럼 도시 변두리의 잊혀진 한 구석에서 전개되고 있음을 목도할 수 있었다. 또한 이와 같은 우리 청년부 공동체의 경험이 복음서에 나오는 소외된 이들을 찾아 가신 그리스도를 기억나게 했다. 이처럼 교회공동체의 참여적 실천은 경험적/공감적 하나님 이해를 거쳐 다시 성경적/신학적 성찰로 이어지게 된다. 교회공동체는 이 같은 나선적 순환과정을 통해 단지 세상 속에서 전개되는 하나님 이야기의 외부증인에 머무는 것이 아니라 세상 속에서 전개되는 그 이야기에 함께 참여하여 그 이야기를 삶으로 구현하는 이야기의 주인공이 된다.

그런데 여기서 우리가 기억할 것은 하나님과의 만남이 단지 교회공동체를 통해서만 가능한 것이 아니라는 사실이다. 하나님은 교회구성원 개개인의 삶이나 가정, 일터, 지역사회 등에서도 만날 수 있다. 하나님은 그와 같은 곳에서도 일하시며 당신의 이야기를 써나가시는 분이기 때문이다. 하나님의 이야기는 교회에서만 아니라 그처럼 다양한 세상의 영역들에서 동시다발적으로 진행되는 이야기이다. 이처럼 다양한 영역들에서 다양한 모양으로 구현되는 하나님의 이야기는 '하나님의 구원'이란 동일 주제의 다양한 변주곡(變奏曲)들과 같다.[39] 목회리더십은 교회공동체를 하나님이 이끄시는 방향으로 이끌 뿐 아니라 이처럼 교회 밖의 다양한 영역들에서도 교회구성원들이 하나님을 만나고 거기서 전개되는 하나님의 이야기에 참여하도록 돕는 역할을 해야 한다. 이러한 노력의 일환이라고 할 수 있는 것이 바로 목회상담이다. 목회상담자는 하나님의 이야기가 교회 뿐 아니라 가정과 일터 같은 개인의 삶의 자리에서도 실현되도록 돕는 일을 한다. 목회상담이 이처럼 교회공동체의 사역과 발맞추어 교회구성원 개개인이 세상 가운데서 하나님의 이야기를 살아가도록 돕는 역할을 감당하기 위해

---

39 이런 의미에서 선교적/치유적 공동체의 실천은 시각적으로 표현할 때 단지 단선적인 나선이 아니라 동시다발적(fractal) 나선, 또는 방사선(radial) 과정으로 묘사할 수 있다.

필요하다고 생각되는 것이 곧 선교적 목회리더십과 전문화된 목회상담 사이의 상호협력 시스템이다.

공동체적 돌봄과 전문화된 목회상담의 상호협력 시스템

지금까지 우리는 목회 돌봄, 특히 공동체적 상호 돌봄을 교회공동체의 선교적 실천과 통합적으로 활성화하는 방안에 대해 생각해 보았다. 그런데 여기서 한 가지 강조해야 할 것은 이런 상호적/공동체적 목회 돌봄이 기존의 임상목회상담의 가치를 부정하거나 그것을 단순히 대체하는 모델이 아니라는 점이다. 존 패턴 John Patton 이 강조하는 것처럼 공동체적 목회 돌봄은 기존의 임상목회돌봄 모델의 한계를 극복하면서 동시에 그것의 장점을 살려가는 모델이다.[40]

다시 말해 전문화된 목회상담은 공동체적인 목회 돌봄의 실천과 서로 배치되지 않으며 양자는 상호보완적으로 수행될 수 있다. 실제로 우리는 전문화된 목회상담이 교회공동체의 목회 돌봄과 상호 협력하는 시스템, 즉 치유적인 관계망을 구축할 필요가 있다. 여기서 우리는 원래 미국에서 임상목회운동이 교회공동체의 사회선교(social mission)의 일환으로 시작되었다는 사실을 다시 기억할 필요가 있다.[41] 로드니 헌터 Rodney Hunter 에 의하면 초기의 임상목회운동은 교회

40 John Patton, 『목회적 돌봄과 상황』, 17.
41 Rodney J. Hunter, "Spiritual Counsel," 23.

의 선교 활동의 일환으로 세상 속에서 선지자적 기능을 수행할 뿐 아니라 동시에 지역교회를 향해서도 세상으로부터의 하나님의 메시지를 전하는 선지자적 기능을 수행했다.[42] 다시 말해 임상목회운동 자체가 원래 교회의 내부지향적 구조에 도전하는 선지자적 실천이자 교회가 세상 속으로 들어가는 "원심력 운동"이었다는 것이다. 처음에 이러한 운동으로 시작된 임상목회운동이 이후에 도리어 개인주의적이고 자기중심적인 기독교문화의 일부로 간주되고 그것의 대안으로 거킨 등이 "선지자적 목회 실천"을 제시하기에 이른 상황은 생각하면 아이러니하다고 하지 않을 수 없다. 그러나 우리가 이 상황을 뒤집어 보면 임상목회돌봄 시스템은 버려야 할 시스템이 아니라 도리어 그 원래의 기능을 회복하도록 개혁해야 하는 시스템임을 알 수 있다. 구체적으로 이를 위해 먼저 이루어져야 할 일은 임상목회상담과 지역교회사이의 끊어진 상호관계를 다시 회복하는 일이다.

오늘날 전문화된 목회상담과 지역교회 사이가 점점 멀어지고 있는 원인은 크게 두 가지로 분석할 수 있다. 첫째 그 원인은 역시 사람보다 교회 자체의 유지와 성장에 몰두해 있는 지역교회 목회의 문제에 있다. 이것은 구더나 거킨이 지적하듯이 교회가 교회 안의 사역에 몰입되어 밖으로 향하지 못하고 있는 자기함몰의 문제라고 할 수 있다. 이런 구조에서 교회가 사람에게 관심을 가질 때조차 그들의 가려진 아픔이나 연약함보다는 교회의 유지와 성장을 위한 그들의 효용성에 먼저 주목하기가 쉽다. 이로 인해 사람들은 그들의 어려움을 가지고 교회 밖의 상담실을 찾게 되고 교회의 지원을 받지 못하는 상담실과 지역교회 사이는 점점 더 소원해지게 된다.

---

42 Rodney J. Hunter, "The Therapeutic Tradition of Pastoral Care and Counseling," 22.

이런 현실에서 한국의 지역교회 목회자들이 초기한국교회나 미국의 초기목회상담운동에서 배워야 할 것은 세상 속의 상처입고 연약한 사람들을 돌아보는 일이 바로 하나님이 명하신 바 세상 속에서 하나님의 나라를 확장하는 길이라는 사실이다. 상처입고 연약한 사람들을 치유하고 일으키는 일은 곧 그들이 속한 가정과 사회를 치유하는 일이 된다. 이런 의미에서 목회상담실을 찾아 오는 한 사람 한 사람이 이미 '선교지'라고 할 수 있다. 교회는 목회상담자들의 이 작은 '선교'사역을 지원하는 일을 통해 하나님으로부터 교회가 위임 받은 사명을 감당할 뿐 아니라 교회 스스로 새로워지는 수혜를 누리게 된다. 그 작은 '선교지'의 경험이 교회로 하여금 세상 속에서의 하나님의 부르심을 발견케 하고 교회가 빠진 '잠'에서 깨어나게 할 것이기 때문이다. 심리학적 견지에서 볼 때 지역교회는 사람들을 도구화하고 소외시킬 뿐 아니라 결과적으로 교회 스스로를 소외시키는 자기애적 몰입으로부터 벗어나야 한다. 사람들과의 진정성 있는 만남을 갖고 그들과의 관계 속에서 하나님의 형상을 이루어가는 것이야 말로 건강한 교회의 활력을 찾는 길임을 알아야 한다.

두 번째로 우리는 지역교회와 전문목회상담 사이가 멀어지는 원인을 교인들의 개인주의적 경향에서 찾을 수 있다. 간단히 개인주의라고 표현하는 이런 경향은 사실상 교인들이 지역교회의 관계들 속에서 자신의 상처나 연약함을 쉽게 노출하지 못하는 현실과 연관된다. 때문에 그들은 자신의 사적 영역이 보호 받을 수 있는 전문상담실을 선호하게 되는 것이다. 이처럼 교인들이 교회공동체와의 관계에서 취하는 자기방어적 거리는 우선 존중되어야 한다. 전문목회상담시스템이 필요한 여러 가지 이유들 중 하나가 바로 이것이라 할 수 있다. 그러나 여기서 우리가 생각해야 할 것은 교인들이 취하는 그 자기방어적 거리는 많은 경우 그들의 건강한 개인주의를 시사하는 것이기 보다는 오히려 많은 경우 도움이 필요한 숨겨진 문제를 시사하는 것이라는 사실이다. 그 문제는 개인상담자의 도움만으로 해결하기에는 역부족인 경우가 많다. 따라서 이런 경우에 필요한 것이 교회공동체와 전문상담자 사이의 서로 적절히 분화되어 있으면서도 상호 협력하는 시스템이다. 양자는 내담자의 자기방어를 존중하는 만큼 상호 거리를 유지하면서도 서로 완전히 분리되어서는 안 된다. 내담자의 어려움에 공명(共鳴)할 수 있는 자조(自助)그룹들을 활성화하여 지역교회와 전문상담기관 사이의 가교역할을 하도록 하는 것도 한 가지 방법일 수 있다. 지역교회들이 서로 연합하여 상담센터 등을 운영하는 것도 적절히 분화된 치유네트워크를 형성하는 또 한 가지 방법이다. 전문상담자들을 육성하고 그들을 다방면으로 지원하는 일도 역시 지역교회들이 연합하여 감당할 수 있는 중요한 역할이다.

그런데 무엇보다 지역교회공동체가 교인들에게 제공할 수 있는 중요한 것은 앞에서 이미 언급한 것처럼 긍정심리학이 그토록 강조하는 긍정적 심리적/영적 경험들이다. 긍정심리학자들은 삶의 만족을 가져다 주고 역경을 이겨내게 하는 세 가지 핵심요소들로 즐거움과 의미, 참여적 활동 세 가지를 꼽는다.[43] 그런데 우리가 볼 때 교회구성원들이 이 세 가지를 한꺼번에 얻을 수 있는 곳이 바로 교회공동체이다. 특히 선교적인 교회공동체이다. 그런데 사실 선교적인 교회공동체가 교회구성원들에게 줄 수 있는 것은 단지 삶의 만족감만이 아니다. 선교적 교회공동체 안에서 그들이 얻을 수 있는 것은 무엇보

43 Christopher Peterson, Nansook Park, and Martin E. P. Seligman, "Orientations to happiness and life satisfaction: The full life versus the empty life," *Journal of Happiness Studies* 6-1 (2005), 25.

다 하나님과의 만남의 경험이다. 공동체 안에서 그들이 발견하는 즐거움과 삶의 의미와 참여의 기쁨은 모두 이 하나님으로부터 말미암는 것이다. 좀 더 구체적으로 말하자면 그 하나님 안에서 지체들과 함께 하나님의 나라를 맛보는 경험에서 비롯되는 것들이다.

IX
장

결론: 통전적 목회 돌봄

인간 정신과 관계의 구조

세 개의 도식

마지막으로 본 장에서 필자는 세 개의 도식을 사용하여 이 책의 논의를 정리하고자 한다. 도식을 써서 어떤 것을 설명하는 일은 항상 지나치게 대상을 단순화하거나 도식으로 표현되지 않는 부분을 간과하게 만들 위험성이 있다. 그러나 그럼에도 불구하고 우리가 도식을 사용하는 것은 무엇보다 도식을 통한 이해가 실천과의 연결에 용이하기 때문이다. 이런 이유로 도식의 활용은 특히 실천신학의 논의에 적합하다.

실천신학은 하나님을 아는 것과 삶의 일치를 추구한다. 다시 말해 단순한 하나님에 대한 지식이 아니라 하나님을 알아가는 가운데 우리 존재 자체가 통전적으로 변화되는 것을 추구한다. 독일의 신학자 헬무트 틸리케 Helmut Thielicke 는 우리가 하나님을 알아가는 일과 하나님 안에서 우리 존재가 변화되는 일은 서로 나뉠 수 없다고 주장한다.[1] 하나님을 알아가는 일은 우리 존재가 하나님을 향하여 열리고 하

---

1 Helmut Thielicke, "The Evangelical Faith," in *Theological Foundations for Ministry*, ed. Ray S. Anderson (New York, NY: T&T Clark, 2000), 97.

나님의 현존에 참여하는 일이기 때문이다.[2] 그런데 이렇게 우리 존재가 하나님을 향해 열리고 그것을 통해 하나님을 알게 되는 것은 우리 자신에 의해서가 아니라 하나님에 의해서만 가능한 일이다. 그러나 이것이 그 하나님의 행동에 대한 우리 자신의 적극적인 응답을 필요로 하지 않는다는 의미는 아니다. 우리가 하나님을 알아가고 자신이 변화되어 가는 것은 바르트Karl Barth의 표현에 의하면 하나님의 우선적 행동과 거기에 응답하는 우리의 행동 사이의 '일치'(the correspondence of action)에 의한 일이다.[3]

그런데 우리가 하나님을 알아가고 그 가운데 우리 존재가 변화되는 것이 하나님과 우리 사이의 행동의 일치에 의한 일이라는 것은 그 하나님의 일이 "우리 인간의 자리에서 우리 인간의 방식으로, 우리의 인간적 한계 안에서" 이루어지는 일이라는 것을 의미한다.[4] 하나님께서 먼저 우리의 자리에 오시지 않으면 우리와의 행동의 일치가 불가능하기 때문이다. 따라서 우리가 우리 안에서 이루어지는 하나님의 일에 효과적으로 참여하기 위해서는 먼저 우리가 우리 자신의 현존재와 그것의 실존적 구조에 대해 잘 이해할 필요가 있다. 본 장의 세 개의 도식은 바로 이것을 잘 설명하기 위한 방법이다. 구체적으로 본 장에서 우리가 살펴볼 것은 세 가지인데, 그것은 첫째 인간 정신의 삼원(三元)구조, 둘째 하나님과 인간 사이의 삼자 관계(tripolar relationship), 마지막으로 교회공동체 안에서의 세 가지 힘과 의미의 상호작용이다.

---

2 위의 책, 98.

3 Paul T. Nimmo, *Being in Action: The Theological Shape of Barth's Ethical Vision* (New York, NY: T&T Clark, 2007), 153.

1) 인간 정신의 삼원(三元) 구조

우리가 하나님이나 타인을 알아가고 관계 맺는 일, 또 우리 자신에 대해 알아 가는 일은 모두 우리 '마음'에서 이루어지는 일이다. 이 '마음'은 헬라어로 '심리학'(psychology)의 어근(語根)인 'psyche'에 해당하는데, 우리말로는 '심리' 또는 '정신'이라고도 번역되는 말이다. 이 'psyche'는 또한 성경에서 인간을 영(pneuma)과 혼(psyche)과 몸(soma)의 세 차원으로 나눌 때의 '혼'(魂)이기도 하다.[5] 이렇게 '마음', '심리', '정신', '혼' 등 psyche를 지칭하는 다양한 용어들 가운데서 여기서는 '정신'이란 용어를 주로 사용하려 한다.[6]

우리가 이 '정신'을 다시 세분해서 살펴보자면 역시 그것은 지(知), 정(情), 의(意)의 세 요소로 나누어 볼 수 있다. 영어로 cognition(인지), emotion(감정), volition(의지)이다. 이러한 삼분법은 고대 헬라 철학, 특히 플라톤Plato의 『국가론 *Republic*』에 제시된 정신 삼원론(三元論)에서 유래한다. 플라톤은 그가 생각하는 이상국가의 구성원을 철인(哲人), 군인, 노예 세 계급으로 나누고 각각의 계급의 특성을 이성(理性, logos), 의기(意氣, thumos), 욕동(欲動, epithumia)이라 규정했다. 이 세 가지가 대체로 현대어의 지성, 의지, 감정에 상응하는 것이다. 그런데 『국가론』에서 이 세 요소는 서로 동등한 관계가 아니라 상하관계로 설정되어 있다. 즉 지성이 의지와 감정을 다스리고 제

---

4 위의 책, 153-54.

5 "평강의 하나님이 친히 너희로 온전히 거룩하게 하시고 또 너희 온 영과 혼과 몸이 우리 주 예수 그리스도 강림하실 때에 흠 없게 보전되기를 원하노라"(살전 5:23).

6 헬라어 psyche의 번역어로 '마음'이란 용어를 사용할 수도 있겠으나 마음은 우리말에서 감정이란 의미가 강하고 성경에서 주로 감정을 지칭하는 'kardia'의 번역어로 사용되기 때문에 혼동을 피하기 위해 '정신'을 선택했다.

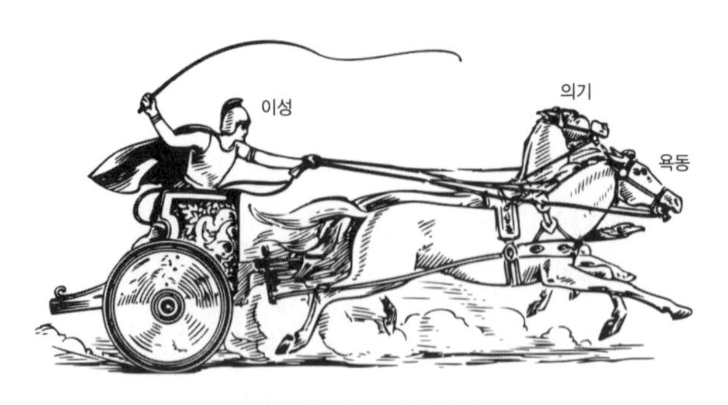

욕동과 의기를 제어하는 이성

어하는 관계로 설정되어 있다. 이것이 바로 서구 이성중심주의(logo-centrism)의 원형(原型)을 보여주는 것이라 할 수 있는데, 이런 이성중심주의적 관점을 우리는 후대의 서구기독교와 근대계몽주의사상, 심지어 프로이트의 심리학에서까지 찾아 볼 수 있다.

서구 기독교와 프로이트 심리학은 일견 서로 무관해 보이고 심지어 상반된 것으로까지 생각되지만 사실 둘 사이에는 한 가지 공통점이 있는데 그것이 바로 이성중심주의(logocentrism)적 관점이다. 즉 인간의 감정이나 욕망을 신뢰할 수 없는 것으로 여기면서 이성(理性, reason)으로써 그것을 다스려야 한다고 보는 관점이다. 물론 기독교와 프로이트 심리학이 인간의 감정과 욕망을 신뢰하지 못하는 이유는 서로 다르다. 기독교의 경우 그 이유는 죄의 문제와 관련되어 있는 반면, 프로이트 심리학에서 그것은 정신병리나 쾌락 원칙(pleasure principle)과 관련이 있다. 이렇게 서로 다른 부분이 있는 것이 분명한 사실이지만, 역시 양자는 인간 이성을 좀 더 신뢰할 만한 것으로 보는 이성주의적 관점에 있어 공통적이라 할 수 있다.

근대 서구 개신교에 있어 이성중심주의적 관점은 성경 말씀에 대한 강조와 서로 연결되어 있다. 즉 하나님은 기본적으로 '말씀'(logos)을 통해 자신을 나타내시며, 따라서 성경 말씀에 대한 이성적 이해가 우리의 의지나 감정을 이끌어야 한다는 주장에 나타나고 있는 것이 바로 서구기독교의 이성중심주의적 관점이다.[7] 그런데 여기서 우리가 기억해야 할 사실은 요한복음에 나오는 그 '로고스'(logos)라는 말은 어떤 성경적 논리나 언어가 아니라 인간 예수 그리스도를 지칭하는 말이라는 것이다. 하나님께서 자신을 인간 예수 그리스도를 통해 나타내셨다는 것은 곧 그리스도가 가진 인성을 통해 자신의 신성을 나타내셨다는 것이다. 이것은 다시 말해 하나님께서 그리스도의 말씀을 통해서만 아니라 그의 의지적, 정서적 측면을 포함한 전체적 인성을 통해서 당신을 나타내셨다는 것이다. 우리는 하나님의 이러한 자기 계시의 원리가 그의 부르심을 받은 자들(*ecclesia*)에게 있어서도 마찬가지로 적용된다고 봐야 한다. 즉 하나님께서 그의 부르심을 받은 자들 가운데에서 자신을 나타내신다는 것은 그들의 생각이나 말뿐 아니라 그들의 의지나 감정을 통해서 자신을 표현하신다는 의미로 봐야 한다는 것이다. 이것은 바꾸어 말해 우리가 우리의 생각이나 언어를 통해서만 아니라 우리의 의지나 감정을 포함한 전인격을 통해서 하나님을 만나고 알아 갈 수 있다는 뜻이다.

미하엘 벨커 Michael Welker 가 주장하는 것처럼[8] — 혹은 이전에 칼

7 이러한 서구기독교의 이성주의적 관점을 우리는 미국의 현대목회상담학자로서 기독교적 전통의 중요성을 강조한 토마스 오든(Thomas Oden)에게서도 발견할 수 있다. 그는 예컨대 그의 책 한 부분에서 다음과 같이 말한다. "우리의 감정적 반응이 우리에게 아무리 중요하다 해도 그것이 본질적으로, 또는 궁극적으로 기독교 신학의 자료(subject matter)가 될 수는 없다. 신학의 자료가 될 수 있는 것은 개인의 감정이 아니라 기독교 공동체의 신앙고백에 의해 계시된 신(theos)에 대한 이성적 추론, 즉 말씀(logos)이다. 이러한 유일자와의 대화가 우리에게 강한 감정적 반응을 일으킨다는 것은 이해할 만한 일이다. 그러나 기독교 신학은 그러한 부수적 효과에 집중하는 것이 아니라 그러한 효과의 근원이 되는 그 유일자에게 집중하는 것이다"(Thomas Oden, *The Living God: Systemic Theology* [San Francisco, CA: Harper & Row, 1987], 330, 필자 번역). 요컨대 오든의 생각은 감정은 단지 말씀의 "부수적 효과"에 지나지 않는다는 것이다.

바르트가 주장한 것처럼[9] — 성경이 말하는 성령의 역할이 인간으로 하여금 하나님과 서로 연결되게 하는 일이라고 한다면 우리가 하나님의 마음과 뜻을 알 수 있는 것은 바로 이러한 성령의 작용으로 말미암은 것이다. 벨커가 그런데 여기서 지적하고 있는 바는 성경의 오히려 많은 곳이 이렇게 성령으로 말미암아 하나님의 마음이 우리에게 전달되는 것이 인간의 이성보다는 인간의 감정이나 의지를 지칭하는 '마음'(kardia)을 통해서라고 표현하고 있다는 점이다(고후 1:22; 3:3; 갈 4:6; 롬 2:29; 5:5).[10] 예를 들어 "하나님의 사랑이 우리 마음(kardia)에 부은 바 됨이니"(롬 5:5)와 같은 표현이 그런 것이다. 물론 인간의 '이성'(nous) 역시 하나님의 뜻을 분별하는 통로가 된다는 것 역시 의심의 여지가 없다(e.g. 롬 12:2). 그렇다면 결국 성경은 하나님께서 우리의 이성뿐 아니라 감정과 의지 등 우리의 모든 부분들을 통해 당신을 우리에게 알게 하신다고 말하고 있는 것이다. 어떤 것을 통한 하나님의 자기 계시가 더 우위에 있다고 말하기 어렵다. 이것을 우리가 그림으로 표현하자면 다음과 같다.

---

8 Michael Welker, *The Theology and Science Dialogue: What can Theology Contribute: Expanded Version of the Taylor Lectures, Yale Divinity School 2009* (Neukirchen-Vluyn: Neukirchener Theologie, 2012), 47-48.

9 "하나님의 소명의 말씀의 능력으로서의 성령의 은사와 기능은 인간으로 하여금 하나님과의 교제 안으로 들어가도록 하는 것이다. 즉 예수 그리스도의 현존과 의지와 행동에 참여하게 하는 것이다"(Karl Barth, *Church Dogmatics*, IV/3-2, 538).

10 Michael Welker, *The Theology and Science Dialogue*, 49.

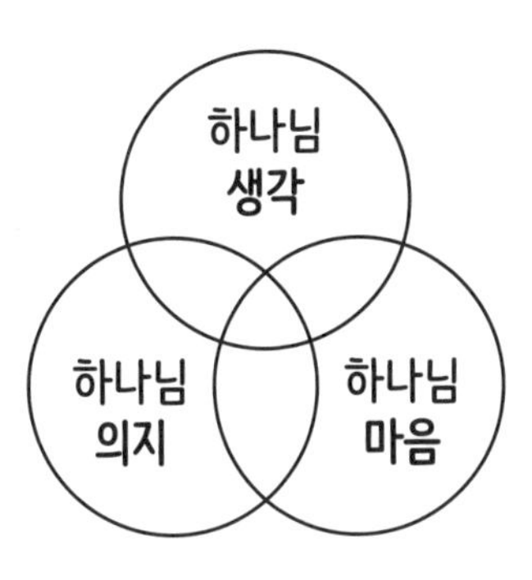

[도식 8] 인간 정신의 삼원(三元)구조

우리는 성령으로 말미암아 우리 안에 주어지는 감정이나 생각, 마음의 움직임 등 여러 부분들을 통해 우리를 향한 하나님의 마음과 뜻을 알게 된다. 하나님의 생각만 아니라 하나님의 감정과 의지 등 인격적 하나님을 우리의 전인격을 통해 식별하게 되는 것이다. 또한 우리 안에 주어진 그와 같은 내적 자료들을 성경의 말씀에 비추어 봄으로써 우리는 하나님을 더 깊이 이해하고 하나님과 더 깊은 대화가 가능하게 된다. 이렇게 하나님을 알아가는 과정은 우리의 생각뿐 아니라 마음과 뜻이 하나님과 일치되어가는 과정이자 그것을 통해 우리의 전존재가 조금씩 변화되는 과정이기도 하다. 즉 그리스도를 닮아가면서 온전한 하나님의 형상을 이루어 가는 과정이 되는 것이다. 바로 이런 의미에서 그리스도인이 하나님을 알아가는 일과 자신이 전인적으로 변화되는 일은 서로 나뉘어질 수 없는 것이다.

필자는 이 책을 통해 우리가 우리 삶 속에서 하나님의 형상을 이루어가는 것이 곧 진정한 기독교적 의미의 치유와 회복임을 강조했다. 그런데 이러한 치유와 회복은 개인이 혼자서 성취할 수 없는 일이다. 그것은 개인이 혼자서 하나님과의 일대일 관계를 통해 이룰 수 있는 것이 아니라 하나님 안에서 이웃과 함께하는 삶을 통해 이루어가는 것이다. 즉 그리스도인의 치유와 하나님의 형상의 회복은 하나님과 이웃과 자기의 삼자관계 속에서 맺어지는 열매이다. 이러한 열매 맺는 삶을 살기 위해 우리는 이 삼자관계에서의 상호역동에 대해 이해할 필요가 있다.

2) 하나님, 타자, 자기 삼자관계에서의 상호역동

벨커는 하나님의 영(靈) 뿐 아니라 인간의 영의 기능 역시 관계적인 것이라고 설명한다. 즉 서로 다른 두 인격체를 하나로 연결하는 것이 곧 인간의 영(靈)의 기능이라는 것이다.[11] 이렇게 본다면 우리는 심리학에서 말하는 인간상호간의 공감(empathy)이나 자기대상전이(self-object transference) 같은 심리적 과정 역시 인간의 영의 기능이라고 말할 수 있다. 즉 사람들이 상호관계 속에서 주어지는 감정이나 생각, 마음의 움직임을 통해 서로를 이해하게 되는 과정이 곧 그들의 영의 교류작용이라는 것이다. 필자는 이 책에서 이러한 사람들 사이의 영적 교류에 성령이 참여하심으로 말미암아 일어나는 사건이 곧 그들 서로간의 공감적 경험을 통한 하나님과의 만남이라고 주장했다. 미국의 목회상담학자이자 메노나이트(Mennonite) 영성학자인 데이비드 옥스버거 David Augsburger 는 기독교적 영성의 특성이 홀로 서 있는 개인으로서 하나님을 만나는 데 있는 것이 아니라 이웃과 함께하는 관계적 삶 속에서 하나님을 만나는 경험에 있다고 주장한다. 즉 진정

11 위의 책, 148.

한 기독교적 영성은 하나님과 개인 사이의 이자적 관계(bipolar relationship)가 아니라 하나님과 이웃, 그리고 자신 사이의 삼자적 관계(tripolar relationship) 속에서 이루어지는 영적 경험과 변화라는 것이다.[12] 이것을 그림으로 표현하자면 다음과 같다.

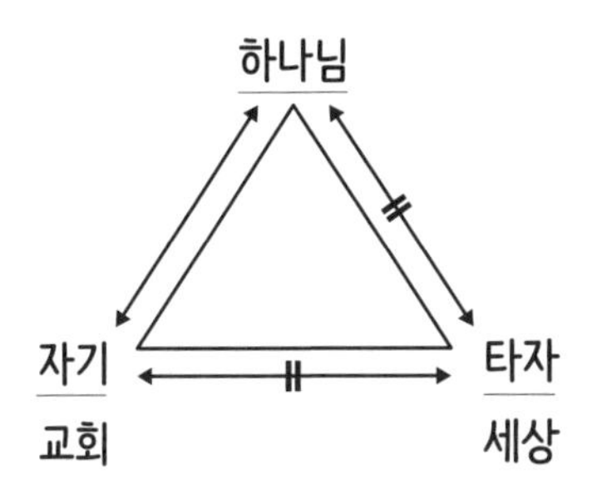

[도식 9] 하나님, 타자, 자기의 삼자(三者)관계

Ⅱ장에서 필자는 이런 삼자적 관계의 특징이 먼저 이 땅에서의 그리스도의 삶에서 가장 우선적으로 나타났다는 점을 강조했다. "아버지께서 너희를 사랑하신 것 같이 나도 너희를 사랑하였으니"(요 15:5)라는 그리스도의 말씀 속에 그의 하나님과의 관계와 이웃과의 관계 사이의 상호관련성이 드러나고 있다는 것이다. 바르트는 이러한 수직/수평관계 사이의 상호관련성을 "관계의 유비"(*analogia relationis*)라는 개념으로 정리했다. "관계의 유비"란 먼저 그리스도께서 우

12 David Augsburger, *Dissident Discipleship: : A Spirituality of Self-Surrender, Love of God, and Love of neighbor*, 조계광 옮김, 『외길 영성』(서울: 생명의 말씀사, 2007), 16.

리와의 관계 속에서 보여주신 사랑의 실천이 우리를 향한 하나님의 사랑을 유비적으로 나타냈다는 것이다. 바르트는 그런데 이 같은 수직/수평관계 사이의 '유비'(analogy)가 비단 그리스도의 삶을 통해서만 아니라 그가 보내신 성령으로 말미암아 이 땅에서 그의 백성으로 부르심 받은 자들을 통해서도, 즉 교회를 통해서도 역시 세상 가운데 나타나게 되었다고 이야기한다. 즉 교회 공동체가 서로간에, 또는 교회 밖의 사람들과의 관계 속에서 실천하는 사랑과 섬김이 세상을 향한 하나님의 사랑을 유비적으로 드러내게 되었다는 것이다. 이것은 그와 같은 교회의 실천이 지금도 이 땅 가운데 계속되고 있는 **하나님의 실천**(theo-praxis)에 동참하는 일이기 때문이다.

우리는 우리들의 개인적/공동체적 돌봄의 실천이 바로 이처럼 세상 가운데서 하나님의 실천에 동참하며 하나님을 증거하는 일임을 기억해야 한다. 우리는 그렇게 서로를 돌아보며 서로의 아픔에 참여하고 함께 소망을 나누는 가운데 우리를 향한 하나님의 마음과 뜻을 함께 알아가게 되며 그 하나님을 서로에게 증거하게 된다. 이러한 과정 속에서 하나님은 단지 피동적으로 대상에 머물지 않고 그러한 우리의 돌봄의 관계 속에 적극적으로 참여하시며 그 과정에서 우리의 마음과 생각, 감정을 통해 자신을 드러내신다. 이 책에서 필자가 계속해서 주장한 바는 곧 목회적 돌봄의 관계가 현재적인 **하나님의 사역**의 장이며, 때문에 이러한 관계 속에서 우리의 내적 경험들이 하나님을 더 깊이 알아가기 위한 자료가 된다는 것이다. 최근 신학의 흐름을 보면 사회적, 문화적 영역에서의 하나님의 실천에 대한 관심이 모아지고 공공신학(public theology)이나 상황신학(contextual theology)에 관한 논의가 확대되고 있다. 그런데 필자는 사회적/문화적 맥락에서의 하나님의 활동과 더불어 우리가 관심을 가져야 할 것이 일상적인 인간상호관계경험 속에서의 하나님의 실천이라고 생각한다. 다시 말해 인간상호관계의 맥락에서의 상황신학 — 또는 경험신학 — 이 필요하다는 것이다. 물론 이를 위해서는 사회적/문화적 맥락에서의 상황신학에서와 마찬가지로 진정한 하나님을 찾고 식별하는 과정이 중요할 것이다. 왜냐하면 우리의 현실 경험 속에서는 많은 왜곡과 비진리가 존재하기 때문이다.

우리가 서로의 관계 속에서 하나님의 사랑을 나타내도록 부르심 받았다는 것은 다시 말해 우리가 이 관계 속에서 하나님의 형상을 이루어 가도록 부르심 받았다는 것이다. 그러나 실제로 사람들이 세상 속에서 경험하는 관계는 많은 경우 하나님을 왜곡하거나 하나님을 아는 지식을 오히려 가로막는 것일 때가 많다. 이것은 개인의 인간관계 영역에서나 사회, 정치, 문화 같은 거시적 영역에서나 모두 마찬가지이다. 때문에 우리는 진정한 하나님을 알기 위해 우리 자신과 그처럼 크고 작은 삶의 영역들의 변화를 위해 동시에 노력하지 않으면 안 된다. 우리가 진리를 향해 변화되어 가는 만큼 우리가 진리를 알게 될 것이기 때문이다. 이런 의미에서 우리가 우리 삶의 크고 작은 맥락들에서 하나님의 실천에 참여하며 하나님의 나라를 구현하고자 노력하는 것은 그 과정에서 진정한 하나님을 알아가는 일과 서로 분리되지 않는다. 틸리케 Helmut Thielicke 의 지적처럼 우리의 존재와 우리의 지식은 서로 나눠질 수 없는 것이기 때문이다.

3) 교회 공동체 안에서의 세 가지 힘/의미 사이의 교호작용

필자가 이 책에서 줄곧 강조해 온 것 중 또 한 가지는 목회 돌봄의 주체가 단지 목회자나 목회상담자 개인이 아니라 교회 공동체가 되어야 한다는 점이다. 그 이유는 무엇보다 우리의 내적 자유를 억압하는 힘은 동시에 우리의 외적 자유를 억압하는 힘과 서로 연결되어 있고, 이런 심리적/사회적 억압을 이겨 나가는 데는 단지 개인의 노력만이 아니라 공동체적 노력이 필요하기 때문이다. 그러나 이것은 결코 개인적 돌봄의 중요성을 평가절하하는 것이 아니다. 오히려 그러한 개인적 돌봄이 공동체적인 연합이나 실천들과 함께 이루어질 때 그 효과가 커질 수 있다는 점을 강조하는 것이다. 즉 개인 상담, 멘토링, 영적 지도와 같은 개인적 돌봄의 실천들이 사회적인 폭력과 불의에 저항하기 위한 노력이나 대안적인 삶을 실현하려는 노력 같은 공동체적 실천과 함께 이루어질 때 개인들은 그 공동체의 일원으로서 더 큰 치유와 해방을 경험하게 될 것이라는 것이다.

그런데 이것이 진정한 치유와 해방이 되기 위해 거듭 강조해야 할 것은 그러한 그들의 개인적/공동체적 노력이 이 땅에서 하나님의 사역에 참여하는 교회의 실천이 되어야 한다는 점이다. 때문에 이러한 교회의 실천에 있어 그들의 실제 행동만큼 중요한 것이 그들 가운데 계신 하나님을 식별하고 그 하나님의 시각에서 그러한 그들의 개인적/공동체적 실천을 되돌아보는 반성의 노력이라 할 수 있다. 이를 위해서 없어서는 안 되는 것이 현실의 경험과 우리의 행동을 하나님의 말씀에 비춰보고 그 말씀을 통해 우리를 향한 하나님의 뜻을 분별하는 해석의 과정이다. 이상을 정리해 보자면 개인적/공동체적 목회 돌봄에 있어 우리는 크게 세 가지 차원의 실천이 필요하다고 할 수 있는데 그것은 곧 **심리적**(인간관계적) **차원**, **사회적 차원**, **해석학적 차원**이다. 이것을 그림으로 표현하면 다음과 같다.

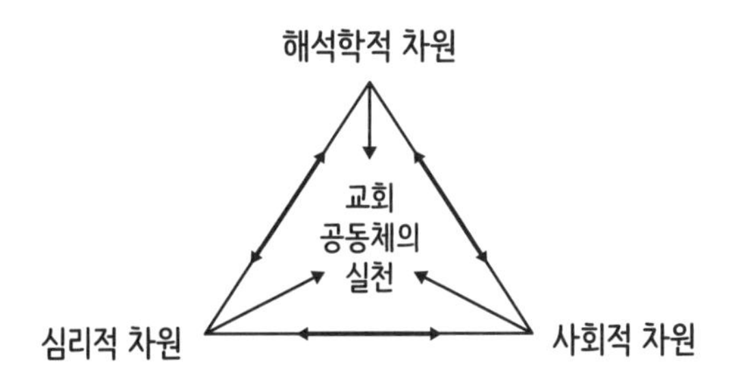

[도식 10] 교회공동체 안의 세 가지 힘/의미 교호작용

사실 필자의 이 도식은 찰스 거킨 Charles V. Gerkin 의 『살아 있는 인간문서 *The Living Human Document*』(1984)에 들어있는 "정신적 삶의 변증법"이라는 이름의 도식을 약간 변경한 것이다.[13] 거킨의 도식과 비교할 때 위 도식의 다른 점은 무엇보다 세 가지 차원의 힘/의미 사이의 교호작용이 개인이 아니라 교회공동체를 중심으로 이루어지고 있다는 점이다. 원래 거킨의 도식은 개인의 정신적 삶을 묘사하는 것이었다. 따라서 그의 도식에서는 위 세 가지 차원의 힘/의미의 교호작용이 개인의 정신 속에서 일어나는 것처럼 보인다. 이것이 물론 전혀 틀린 것은 아니지만 필자는 거킨이 말하는 자기/자아의 형성이나 사회적 힘의 작용, 성경의 해석 같은 실천들이 단지 개인적으로 이루어지는 일들은 아니라고 생각한다. 그러한 세 가지 차원에서의 의미있는 변화는 함께 하는 삶, 즉 공동체적 삶을 통해 이루어지는 것이다.

13 Charles V. Gerkin, *The Living Human Document*, 안석모 옮김, 『살아있는 인간문서』(서울: 한국심리치료연구소, 1998), 130.

거킨이 자신의 도식을 설명하는 데 있어서 필자가 가장 크게 공명하는 부분은 "하나님과의 관계"가 제4의 꼭지점에서 별개로 이루어지는 것이 아니라는 지적이다.[14] 하나님과의 상호작용은 제4의 방향이 아니라 위 세 가지 방향의 힘/의미작용을 통해 우리 안에서 이루어진다. 하나님은 무엇보다 성경의 해석을 통해 우리에게 말씀하신다. 그러나 그 뿐만이 아니라 하나님은 우리의 상호 돌봄의 관계 속에서 심리적/정서적 경험을 통해 우리에게 자신을 나타내시고, 또한 우리가 사회 속에서 하나님의 나라를 위해 일할 때도 그 과정에서 우리에게 자신을 보여주신다. 그런데 여기서 우리가 또한 기억할 것은 위 세 가지 방향에서 우리에게 작용하는 힘/의미가 단지 하나님으로부터 온 것만이 아니라는 사실이다. 우리의 현실적 삶에는 우리의 자기상을 왜곡하고, 진정한 하나님 이해를 방해하며 건전한 사회적 관계와 참여를 가로막는 여러 층위의 힘들도 역시 작용하고 있다. 목회 돌봄은 바로 이런 힘들과의 싸움이라는 의미에서 에드워드 윔블리의 표현처럼 "정치적 실천"이고 할 수 있다. 그러나 이것은 단지 정치적/경제적인 권익이나 자유의 획득을 위한 싸움이 아니라 이 땅에서 하나님 나라를 구현하는 하나님의 사역에 동참하는 실천이다.

---

14 위의 책, 132.

관계적, 해석학적, 참여적 목회 돌봄

필자가 이 책에서 결론적으로 제시하는 목회 돌봄의 모델에 이름을 붙이자면 관계적, 참여적, 해석학적 목회 돌봄의 모델이라고 할 수 있다. 관계적이라 함은 개인적이거나 공동체적인 돌봄의 관계, 또는 공동체 밖의 이웃과의 관계를 통해 왜곡된 자기상을 치유하고 서로 안에서 하나님의 형상을 발견하는 관계적 실천을 의미한다. 해석학적이라 함은 현실의 경험과 성경의 이야기를 서로 연결시키는 해석학적 실천을 통해 우리의 삶 속에 함께하시는 하나님을 발견하고 그 이야기 속에서 자신의 삶의 의미를 발견하는 과정을 뜻한다. 참여적이라 함은 이 땅에서 전개되고 있는 하나님의 이야기에 동참하면서 그 삶을 통해 크고 작은 영역의 하나님 나라를 구현하는 일을 의미한다. 필자의 주장은 곧 교회공동체를 중심으로 하여 이 세 가지 차원의 실천들이 동시적으로 이루어질 때 우리의 치유와 구원이 온전해질 수 있다는 것이다.[15]

이제 필자는 이렇게 하나의 대안적 모델을 제시하는 것으로 이 책을 마무리하고자 한다. 이 책의 논의가 이 책 서론에서 제시한 문제점들과 비교할 때 그 문제들에 대한 답이 되기에는 너무나 부족한 것이 사실이다. 이 책의 내용이 필자가 결론적으로 제시하는 관계적, 해석학적, 참여적 목회 돌봄이 구체적으로 어떤 것인지, 어떻게 그것이

---

15 필자는 앞의 Ⅷ장에서 이러한 세 가지 차원의 실천들을 병행하는 선교적/치유적 교회공동체의 모델을 보다 구체적으로 제시했다.

현실적으로 이루어질 수 있는지 답하는 데조차 불충분한 것도 사실이다. 이 책의 논의 전체가 하나의 서론에 불과하다고 말하는 것이 차라리 옳겠다고도 여겨진다. 그런데 이것을 다르게 보자면 목회 돌봄과 목회상담의 논의는 아직 계속되어야 할 부분이 너무나 많다는 것을 의미한다. 이 남은 부분들에 대한 논의는 필자와 이 책을 읽는 이들 모두에 의해 계속되어야 할 것이다. 목회 돌봄이 한 시대의 문화가 아니라 하나님이 교회에 주신 사명이라면 그것에 대한 고민은 교회가 이 땅에 존재하는 한 계속될 수밖에 없을 것이기 때문이다.

참고문헌

국내문헌

권수영. “기독(목회)상담에서의 영성 이해: 기능과 내용의 통합을 향하여.” 『한국기독교신학논총』. 46 (2006): 251-75.

_______. 『기독[목회]상담 어떻게 다른가요』. 서울: 학지사, 2007.

_______. “기독[목회]상담사의 신학적 성찰: 임상현장에서의 상관관계적 방법.” 『신학과 실천』 32 (2012): 369-96.

권수영 외. “한국 교회 목회적 돌봄과 상담의 자취와 전망.” 『한국기독교신학논총』 제50집 (2007): 215-48.

박형국. “계시와 현존: 계시의 매개에 대한 바르트의 변증법적 유비론.” 『장신논단』 40 (2011, 4): 209-32.

손운산. “한국 목회 돌봄과 목회상담의 역사와 과제.” 『목회와 상담』 17 (2011): 7-39.

안석모 외. 『목회상담 이론 입문』. 서울: 학지사, 2009.

유해룡. 『하나님 체험과 영성 수련』. 서울: 장로회신학대학교출판부, 2002.

이만홍. 『영성치유』. 서울: 한국영성치유연구소, 2006.

_______. 『영성과 치유: 심리치료와 영성지도의 통합을 위하여』. 서울: 로뎀포레스트, 2017.

_______. 『심리치료와 기독교 영성』. 서울: 로뎀포레스트, 2017.

이만홍·김미희. “심리치료와 영성지도에 있어서의 치유관계.” 『상처주는 관계, 치유하는 관계: 2014년 한국목회상담협회/학회 봄 학술대회 자료집』. (2014. 5. 24): 109-33.

이만홍·황지연. 『역동심리치료와 영적 탐구』. 서울: 학지사, 2009.

이재현. "인간 형상과 하나님 형상: 내면적 하나님 이미지에 대한 목회신학적 고찰." 『목회와 상담』 21권 (2013): 191-215.

_______. "다시 연결시켜 보는 칼 바르트 신학과 심리학." 『장신논단』 45-4 (2013. 12): 307-28.

_______. "영성지도와 목회상담: 상담관계를 통한 영적 성숙." 『목회와 상담』 23 (2014): 144-72.

_______. "이야기 치료와 기독교적 이야기 공동체: 이야기 치료의 기독교적 적용." 『장신논단』 47-1 (2015. 3): 259-87.

_______. "목회상담에서의 상관관계적 방법에 대한 비판적 재고: 칼 바르트(Karl Barth) 신학의 관점에서." 『목회와 상담』 26권 (2016): 276-82.

_______. "임상목회경험을 통한 하나님 이해: 칼 바르트의 유비적 계시론에 기초한 임상목회신학." 『신학과 실천』 52권 (2016): 747-75.

_______. "하나님의 공감적 내주: 영성지향적 목회상담을 위한 새로운 관점." 『장신논단』 49-2 (2017): 299-322.

정연득. "정체성, 관점, 대화, 목회상담의 방법론적 기초." 『목회와 상담』 23 (2014): 233-71.

한국목회상담학회. 『현대목회상담학자연구』. 서울: 돌봄, 2011.

홍이화. 『하인즈 코헛의 자기심리학이야기 Ⅰ』. 서울: 한국심리치료연구소, 2011.

홍인종. "한국 장로교 100년: 목회상담의 회고와 전망." 『장신논단』 44-2 (2012): 75-104.

외국문헌 및 번역서

Anderson, Ray S. *The Soul of Ministry: Forming Leaders for God's People*. Louisville, KY: Westminster John Knox Press, 1997.

_______. *The Shape of Practical Theology: Empowering Ministry with Theological Praxis*. Downers Grove, IL: InterVarsity Press, 2001.

Askay, Richard and Farquhar, Jensen. *Apprehending the Inaccessible: Freudian Psychoanalysis and Existential Phenomenology*. Evanston, IL: Northwestern University Press, 2006.

Asquith, Glenn H. ed. *Vision From A Little Known Country: A Boisen Reader*. Decatur, GA: Journal of Pastoral Care Publications, 1991.

Augsburger, David. *Dissident Discipleship: : A Spirituality of Self-Surrender, Love of God, and Love of neighbor*. 조계광 옮김. 『외길 영성』. 서울: 생명의 말씀사, 2007.

Balthasar, Hans Urs Von. *The Theology of Karl Barth*. Translated by Edward T. Oakes San Francisco, CA: Ignatius Press, 1992.

Barth, Karl. *Church Dogmatics*, Translated by Bromiley, G. W. Edinburgh: T&T Clark, 1936-1969.

Barth, Karl and Torrance, Thomas F. *Theology and Church: Shorter Writings 1920-1928*. New York, NY: Harper & Row, 1962.

Bland, Earl D. and Strawn, Brad D. eds. *Christianity & Psychoanalysis: A New Conversation*. Downers Grove, IL: InterVarsity Press, 2014.

Boisen, Anton T. "The period of beginnings." *Journal of Pastoral Care* 5-1 (Spring 1951): 13-16.

_______. "The Present Status of William James' Psychology of Religion." *The Journal of Pastoral Care* 7-3 (1953): 155-57.

Browning, Don S. *A Fundamental Practical Theology: Descriptive and Strategic Proposals*. Minneapolis, MN: Fortress Press, 1991.

Clarke, Graham S. and Scharff, David E. eds. *Fairbairn and the Object Relations Tradition*. London: Karnac Books Ltd, 2014.

Coe, John and Hall, Todd. *Psychology in the Spirit: Contours of a Transformational Psychology*. 김용태 옮김. 『변형심리학』. 서울: 학지사, 2016.

Couture, P. D. and Hunter, Rodney eds. *Pastoral Care and Social Conflict*. Nashville, TN: Abingdon Press, 1995.

Detrick, Douglas, Detrick, Susan, and Goldberg. Arnold eds. *Self Psychology: Comparisons and Reflections*. New York: Psychology Press, 1989.

Doehring, Carrie. *Internal Desecration: Traumatization and Representations of God*. Lanham, MD: University Press of America, 1993.

Entwistle, David N. and Moroney, Stephen K. "Integrative Perspectives on human flourishing: The Imago Dei and Positive Psychology." *Journal of Psychology and Theology* 39-4 (2011): 295-303.

Fairbairn, W. R. D. *From Instinct to Self: Applications and early contributions*. Edited by Scharff, David E. and Birtles, Ellinor Fairbairn. New York, NY: J. Aronson, 1994.

_______. *Psychoanalytic Studies of the Personality*. New York, NY: Routledge, 2001.

Fowler, James. *Stages of Faith*. 사미자 역. 『신앙의 발달단계』. 서울: 한국장로교출판사, 1987.

Freud, Sigmund. *The Psychology of Everyday Life*. Mineola, NY: Dover Publications, 2003.

Gerkin, Charles V. *Widening the Horizons: Pastoral Responses to a Fragmented Society*. Philadelphia, PA: The Westminster Press, 1986.

_______. *The Living Human Document*. 안석모 옮김. 『살아있는 인간문서』. 서울: 한국심리치료연구소, 1998.

_______. *An Introduction to Pastoral Care*. 유영권 역. 『목회적 돌봄의 개론』. 서울: 은성출판사, 1999.

_______. "Reclaiming the Living Human Document." In *Images of Pastoral Care: Classic Readings*. Edited by Dykstra, Robert, 30-39. St. Louis: Chalice Press, 2005.

_______. *Prophetic Pastoral Practice*. 최민수 역. 『예언적인 목회상담』. 서울: 그리심, 2013.

Grenz, Stanley J. *The Social God and the Relational Self: A Trinitarian Theology of the Imago Dei*. Louisville, KY: Westminster John Knox Press, 2001.

Groome, Thomas. *Sharing Faith: A Comprehensive Approach to Religious Education and Pastoral Ministry*. New York: HarperSanFrancisco, 1991.

Guder, Darrell L. *Be My Witness: The Church's Mission, Message, and Messengers*. Grand Rapids, MI: Eerdmans, 1985.

_______. *The Continuing Conversion of the Church*. Grand Rapids, MI: Eerdmans, 2000.

Guder, Darrell L. et. al. *Missional Church: A Vision for the Sending of the Church in North America*. Grand Rapids, MI: Eerdmans, 1998.

Heimbrock, Hans-Günter. "Practical Theology as Empirical Theology." *International Journal of Practical Theology* 14-2 (2010): 153-70.

Helminiak. Daniel A. *Spiritual Development: An Interdisciplinary Study*. Chicago, IL: Loyola University Press, 1987.

Hiltner, Seward., *The Preface to Pastoral Theology*. 민경배 옮김. 『목회신학원론』. 서울: 대한기독교서회, 1991.

Holifield, E. Brooks. *A History of Pastoral Care in America: From Salvation to Self-Realization*. Nashville: Abingdon Press, 1983.

Hunsinger, Deborah van Deusen. *Theology and Pastoral Counseling: A New Interdisciplinary Approach*. 이재훈·신현복 옮김. 『신학과 목회상담: 새로운 상호학문적 접근』. 서울: 한국심리치료연구소, 2000.

Hunsinger, George. *How to Read Karl Barth: The Shape of His Theology*. New York: Oxford University Press, 1991.

_______. *Disruptive Grace: Studies in the Theology of Karl Barth*. Grand Rapids, MI: William B. Eerdmans, 2000.

Hunter, Rodney J. "The Power of God for Salvation: Transformative Ecclesia and the Theological Renewal of Pastoral Care and Counseling." *Journal of the Interdenominational Theological Center* 25-3 (Spring 1998): 54-84.

_______. "Spiritual Counsel: An Art in Transition." *The Christian Century* 118-28 (2011, 10): 20-25.

Hunter, Rodney J. ed. *Dictionary of Pastoral Care and Counseling*. Nashville, TN: Abingdon Press, 1990.

Hunter, Rodney. J. and Doehring, Carrie eds. "Conversations about Pastoral Care and Counseling: Redefining Paradigms." *The Journal of Pastoral Theology* 15-2 (2005): 75-83.

Jang, Jung Eun. *Religious Experience and Self-Psychology: Korean Christianity and the 1907 Revival Movement*. New York, NY: Springer Nature, 2016.

Johnson, Keith L. *Karl Barth and the Analogia Entis*. New York, NY: T&T Clark, 2010.

Jones, James W. *Contemporary Psychoanalysis and Religion: Transference and Transcendence*. 유영권 옮김. 『현대 정신분석학과 종교: 전이와 초월』. 서울: 한국심리치료연구소, 1999.

Jordan, Merle. *Taking on the Gods: the Task of the Pastoral Counselor*. 권수영 역. 『신(神)들과 씨름하다』. 서울: 학지사, 2011.

Kohut, Heinz. *The Search for the Self*. vol. 1,4 Edited by P. Ornstein. New York, NY: International Universities Press, 1978.

_______. *The Restoration of the Self*. 이재훈 옮김. 『자기의 회복』. 서울: 한국심리치료연구소, 2006.

_______. *How Does Analysis Cure?* 이재훈 옮김. 『정신분석은 어떻게 치료하는가?』. 서울: 한국심리치료연구소, 2007.

Leavy, Stanley A. "A Pascalian Meditation on Psychoanalysis and Religious Experience." *Cross Currents* (Summer 1986): 147-55.

Liebert, Elizabeth. *Changing Life Patterns: Adult Development in Spiritual Direction*. St. Louis, MO: Chalis Press, 2000.

Lindbeck, George A. *The Nature of Doctrine: Religion and Theology in a Postliberal Age*. Louisville: Westminster John Knox Press, 1984.

Loder, James and Neidhardt, W. Jim. *The Knight's Move*. 이규민 옮김. 『성령의 관계적 논리와 기독교교육 인식론: 신학과 과학의 대화』. 서울: 대한기독교서회, 2009.

Loder, James. *The Transforming Moment*. 이기춘·김성민 옮김. 『삶이 변형되는 순간: 확신 체험에 관한 이해』. 서울: 한국신학연구소, 1988.

May, Gerald. *Care of Mind Care of Spirit*. 노종문 옮김. 『영성지도와 상담』. 서울: IVP, 2006.

McClure, Barbara J. *Moving Beyond Individualism in Pastoral Care and Counseling: Reflections on Theory, Theology, and Practice*. Eugene, OR: Cascade Books, 2010.

Meissner, William W. "The Role of Transitional Conceptualization in Religious Thought," In *Psychoanalysis and Religion*. Edited by Smith, Joseph H. and Handelman, Susan A., 95-116. Baltimore, MD: The John Hopkins University Press, 1990.

_______. *Ignatius of Loyola: the psychology of a saint*. New Haven, CT: Yale University Press, 1992.

_______. "On Putting a Cloud in a Bottle: Psychoanalytic Perspectives on Mysticism." *Psychoanalytic Quarterly* 74 (2) (2005): 507-60.

_______. "The God Question in Psychoanalysis." *Psychoanalytic Psychology* 26-2 (2009): 210-33.

Miller-McLemore, Bonnie J. "Review; Theology and Pastoral Couseling, A New Interdisciplinary Approach." *Pastoral Psychology* 46 (March 1998): 301-4.

Moltmann, Jürgen and Kohl, Margaret eds. *A Broad Place: An Autobiography*. Minneapolis, MN: Fortress Press, 2008.

Moltmann, Jürgen. *Geist des Lebens*. 김진태 옮김. 『생명의 영』. 서울: 대한기독교서회, 1992.

_______. *Experiences in Theology: Ways and Forms of Christian Theology*. Translated by Margaret Kohl. Augsburg, MN: Fortress Press, 2000.

Moon, Gary W. and Benner, David G. eds. *Spiritual Direction and the Care of Souls: A Guide to Christian Approaches and Practices*. 신현복 옮김. 『영성지도, 심리치료, 목회상담, 그리고 영혼의 돌봄』. 서울: 아침영성지도연구원, 2011.

Nancy J. Ramsay ed. *Pastoral Care and Counseling: Redefining the Paradigms*. 문희경 옮김, 『목회상담의 최근 동향』(서울: 그리심, 2006), 23.

Nimmo, Paul T. *Being in Action: The Theological Shape of Barth's Ethical Vision*. New York, NY: T&T Clark, 2007.

Nouwen, Henri J. M. *Adam: God's Beloved*. Maryknoll, NY: Orbis Books, 1997.

Oates, Wayne E. *Pastoral Counseling*. Philadelphia, PA: Westminster Press, 1974.

_______. *The Presence of God in Pastoral Counseling*. Waco, TX: Word Book Publisher, 1986.

Oden. Thomas C. *Kerygma and Counseling: Toward a Covenant Ontology for Secular Psychotherapy*. 이기춘·김성민 역. 『목회상담과 기독교신학: 바르트 신학과 로저스 심리학의 대화』. 서울: 다산글방, 1999.

Parry, Alan and Doan, Robert E. *Revisions: Narrative Therapy in the Postmodern World*. New York, NY: The Gilford Press, 1994.

Patton, John. *Pastoral Care in Context*. 장성식 옮김. 『목회적 돌봄과 상황』. 서울: 은성출판사, 2004.

Peterson, Christopher, Park, Nansook, and Seligman, Martin E. P. "Orientations to happiness and life satisfaction: The full life versus the empty life." *Journal of Happiness Studies* 6-1 (2005): 25-41.

Phillips, Susan S. *Candle Light: Illuminating the Art of Spiritual Direction*. 최상미 옮김. 『촛불: 영성지도를 조명하는 빛』. 서울: SOHP, 2015.

Poling, James N. "A critical appraisal of Charles Gerkin's pastoral theology." *Pastoral Psychology* 37-2 (1988): 85-96.

Poling, James N. and Crockett Linda. *Render unto God*. St. Louis, MO: Chalice Press, 2002.

Price, Daniel J. *Karl Barth's Theology in Light of Modern Thought*. Grand Rapids, MI: William B Eerdmans, 2002.

Ramsay, Nancy J. ed. *Pastoral Care and Counseling: Redefining the Paradigms*. 문희경 옮김. 『목회상담의 최근 동향』. 서울: 그리심, 2012.

Ricoeur, Paul. *Freud and Philosophy: An Essay on Interpretation*. Binghamton, NY: Yale University Press, 1970.

Ritvo, Lucille B. *Darwin's Influence on Freud: A Tale of Two Sciences*. New Haven, CT: Yale University Press, 1990.

Rizzuto, Ana-Maria. "Psychoanalytic Treatment and the Religious Person." In *Religion and the Clinical Practice of Psychology*. Edited by Shafranske, Edward P., 409-32. Washington DC: American Psychological Association, 1996.

_______. *The Birth of the Living God*. 이재훈 외 옮김. 『살아있는 신의 탄생』. 서울: 한국심리치료연구소, 2000.

Siegel, Allen M. *Heinz Kohut and the Psychology of the Self*. 권명수 옮김. 『하인즈 코헛과 자기심리학』. 서울: 한국심리치료연구소, 2002.

Spero, Moshe H. *Religious Objects as Psychological Structures: A Critical Integration of Object Relations Theory, Psychotherapy, and Judaism*. Chicago, IL: The University of Chicago Press, 1992.

Sperry, Len. *Transforming Self and Community*. 문희경 옮김. 『목회상담과 영성지도의 새로운 전망』. 서울: 솔로몬, 2011.

Stolorow, Robert D. Atwood, George E. and Ross, John M. "The Representational World in Psychoanalytic Therapy." *International Review of Psychoanalysis*, Vol. 5, (1978), 247-256.

Stolorow, Robert D. Brandchaft, Bernard and Atwood, George E. *Psychoanalytic Treatment: An Intersubjective Approach*. Hillsdale, NJ: The Analytic Press, 2000.

_______. *The Intersubjective Perspective*. Lanham, MD: Rowman & Littlefield Publishers, 2004.

Swinton, John. *From Bedlam to Shalom: Towards a Practical Theology Towards a Practical Theology of Human Nature, Interpersonal Relationships, and Mental Health Care*. New York: Peter Lang, 2000.

Thielicke, Helmut. "The Evangelical Faith." In *Theological Foundations for Ministry*. Edited by Ray S. Anderson, 59-110. New York, NY: T&T Clark, 2000.

Thurneysen, Eduard. *A Theology of Pastoral Care*. 박근원 옮김. 『목회학원론: 복음주의 목회의 이론과 실제』. 서울: 한국신학연구소, 1975.

Tillich, Paul. *Systemic Theology 1*. Chicago, IL: the University of Chicago Press, 1951.

_______. "The Theology of Pastoral Care." *Pastoral Psychology* 10-97 (1959): 21-26.

van der Poel, Cornelius J. *Wholeness and Holiness: A Christian Response to Human Suffering*. Franklin, WI: Sheed & Ward, 1999.

Van Gelder, Craig. *The Ministry of the Missional Church: A Community Led by the Spirit*. Grand Rapids, MI: Baker Books, 2007.

Viegas, Jennifer. *William James: American Philosopher, Psychologist, and Theologian*. New York, NY: The Rosen Publishing Group, 2006.

Welker, Michael. *The Theology and Science Dialogue: What can Theology Contribute:*

Expanded Version of the Taylor Lectures, Yale Divinity School 2009. Neukirchen-Vluyn: Neukirchener Theologie, 2012.

White, Michael. *Reflections on Narrative Practice: Essays and Interviews*. Adelaide, South Australia: Dulwich Center Publications, 2000.

_______. *Maps of Narrative Practices*. 이선혜·정슬기·허남순 옮김. 『이야기치료의 지도』. 서울: 학지사, 2009.

_______. *Narrative Practice: Continuing the Conversations*. 김유숙·최지원·안미옥 옮김. 『내러티브 실천』. 서울: 학지사, 2014.

Wilber, Ken. *Eye to Eye: The Quest for the New Paradigm*. 김철수 옮김. 『아이 투 아이: 감각의 눈, 이성의 눈, 관조의 눈』. 서울: 대원출판, 2004.

Wimberly, Edward P. *Prayer in Pastoral Counseling*. Louisville, KY: John Knox Press, 1990.

_______. *Prayer in Pastoral Counseling*. 전요섭 옮김. 『치유와 기도』. 서울: 아가페문화사, 1998.

_______. *Relational Refugees: Alienation and Reincorporation in African American Churches and Communities*. Nashville, TN: Abingdon Press, 2000.

_______. *Claiming God: Reclaiming Dignity: African American Pastoral Care*. Nashville, TN: Abingdon Press, 2003.

_______. *Using Scripture in Pastoral Counseling*. 김진영 옮김. 『목회상담과 성경의 사용』. 서울: 한국장로교출판사, 2005.

_______. *African American Pastoral Care and Counseling: The Politics of Oppression and Empowerment*. Cleveland, OH: Pilgrim Press, 2006.

찾아보기

ㄱ

ㄴ

ㄷ

ㄹ

ㅁ

ㅂ

ㅅ

ㅇ

ㅈ

ㅊ

ㅋ

ㅌ

ㅍ

ㅎ